Byd Go Iawn

Un Nos Ola Leuad

Byd Go Iawn

Un Nos Ola Leuad

J. Elwyn Hughes

Cyhoeddiadau Barddas
2008

Argraffiad cyntaf: 2008

ISBN 978-1-900437-99-8

Cyhoeddwyd gyda chymorth ariannol
Cyngor Llyfrau Cymru

Lluniau'r clawr (o'r chwith):

Rhes uchaf
'Now Gwas Gorlan/Robin Gwas Bach Gorlan/Now Bach Glo'
'Harri Bach Clocsia'
'Wil Elis Portar'

Rhes isaf
'Cyril', 'hogyn bach Mister Vinsent Bank a'i wraig
'Joni Sowth' – yn bump oed!
'Bob Bach Pen Clawdd'

Cyhoeddwyd gan Gyhoeddiadau Barddas
Argraffwyd gan Wasg Dinefwr, Llandybïe

Cyflwynaf y gyfrol hon
er cof annwyl am fy mam,
Myfanwy Hughes,

1908-2006

Cynnwys

Cyflwyniad

Ar lawer ystyr, *Un Nos Ola Leuad* yw nofel enwocaf y Gymraeg, ac yn sicr mae'n un o nofelau pwysicaf yr iaith, y fwyaf oll yn nhyb amryw. Bu llawer o drafod arni oddi ar ei hymddangosiad yn 1961, bu'n faes astudiaeth i lawer o fyfyrwyr ysgol a choleg, gwnaethpwyd fersiwn ffilm ohoni, ac fe'i cyfieithwyd i sawl iaith. A 'does dim pall ar y diddordeb hwn yn awdur y nofel, Caradog Prichard, nac yn y nofel ei hun. Yn ystod y blynyddoedd diweddar hyn, cyhoeddwyd astudiaeth Menna Baines o waith a bywyd Caradog Prichard, *Yng Ngolau'r Lleuad: Ffaith a Dychymyg yng Ngwaith Caradog Prichard* (2005), *Byd a Bywyd Caradog Prichard 1904-1980: Bywgraffiad Darluniadol*, gan J. Elwyn Hughes ei hun (eto yn 2005), a chyhoeddais innau astudiaeth o'r modd yr oedd cerddi Caradog Prichard yn graddol arwain at y nofel, 'Gwallgofrwydd Arglwyddes Hardd', yn y gyfrol *Rhyfel a Gwrthryfel: Brwydr Moderniaeth a Beirdd Modern* (2003), wedi i'r astudiaeth ymddangos yn wreiddiol ar ffurf cyfres o ysgrifau yn *Taliesin*. Roedd yr astudiaethau hyn i gyd yn hofran o gwmpas canmlwyddiant geni Caradog Prichard yn 2004.

Creodd Caradog Prichard ei fyd a'i fytholeg ef ei hun. Fel Thomas Hardy, a fu'n ddylanwad mawr arno, creodd Caradog Prichard fyd ac iddo ei ddaearyddiaeth, ei boblogaeth a'i hanes ei hun. Rhannodd J. Elwyn Hughes y gwaith hwn yn dair rhan, gan sylweddoli bod tair prif elfen wedi creu'r byd chwedlonol a greodd Caradog Prichard: lle, pobol a digwyddiadau. Wessex Hardy oedd Bethesda neu 'bentra' Caradog Prichard. Roedd yr elfennau hyn yn rhan o farddoniaeth Caradog Prichard ddegawdau cyn iddo lunio a chyhoeddi *Un Nos Ola Leuad*.

Cyflwynir y byd chwedlonol hwn am y tro cyntaf yn 'Y Briodas', sef y dilyniant o gerddi telynegol a enillodd Goron Eisteddfod Genedlaethol Caergybi yn 1927 i Caradog Prichard. Prif gymeriadau'r gwaith hwn yw 'Yr Afon', 'Y Mynydd', 'Yr Ywen', 'Y Wraig' a'r 'Ysbryd'. Byddai'r 'Wraig' yn y cerddi, yn ogystal â'r wraig glaf ei meddwl yn 'Penyd', y dilyniant buddugol yng nghystadleuaeth y Goron yn Eisteddfod Genedlaethol Treorci, 1928, yn ailymddangos, ddeng mlynedd ar hugain yn ddiweddarach, yn *Un Nos Ola Leuad*. Yn 'Y Gân ni Chanwyd', sef y bryddest a enillodd Goron Eisteddfod Genedlaethol Lerpwl yn 1929, cyflwynir y llyn inni, sef fersiwn cynnar o'r Llyn Du yn y nofel, a daw'r llyn fwyfwy i amlygrwydd yn 'Terfysgoedd Daear', pryddest anwobrwyedig Caradog Prichard yn Eisteddfod Genedlaethol Dinbych yn 1939. Yn y bryddest hon hefyd fe'n cyflwynir i rai o'r cymeriadau sy'n preswylio yn rhithfyd Caradog Prichard, sef gwallgofiaid a hunanleiddiaid fel Huw'r Pant, 'a ganfu fy nef mewn chwe modfedd o ddŵr', Bob y Fron, 'mewn hiraeth ar ôl ei gi bach/a welodd yng Ngheunant Uffern ei hafan oleulon', a Hapi Dol. Y rhain a'u tebyg a fyddai'n preswylio yn y 'pentra' ymhen blynyddoedd. Byd â'i ben i waered yw byd chwedlonol Caradog Prichard, gwrthfyd o ryw fath, 'y byd sydd â'i ben i lawr', fel y dywed yn 'Terfysgoedd Daear', ac mae'r ddelwedd o'r deyrnas yn y dŵr, sef yr adlewyrchiad o'r byd go iawn yn nŵr y llyn, yn cyfleu natur wyrdröedig y byd arall hwn i'r dim.

Mae *Byd Go Iawn Un Nos Ola Leuad* yn astudiaeth bwysig, yn ogystal â bod yn gyfrol ryfeddol o ddifyr a darllenadwy. Mae'n astudiaeth yn y modd y mae'r dychymyg creadigol yn ystumio ac yn gwyrdroi profiadau, uniongyrchol neu anuniongyrchol, yn waith llenyddol gwreiddiol. Yn 1927, cyhoeddodd y beirniad llenyddol John Livingston Lowes gyfrol bwysig iawn, *The Road to Xanadu: A Study in the Ways of the Imagination*. Drwy ddarllen popeth yr oedd Coleridge wedi ei ddarllen, a thrwy ddod i wybod am y straeon yr oedd Coleridge wedi eu clywed gan eraill (fel yr oedd Caradog wedi ymgorffori sawl stori o ardal ei febyd yn ei nofel), llwyddodd Livingston Lowes i ddangos yn union ymhle y cafodd Coleridge ei holl ddeunydd ar gyfer dwy o'i gerddi, 'The Rime of the Ancient Mariner' a 'Kubla Khan'. Daeth John Livingston Lowes i'r casgliad mai rhoi trefn ar ddeunydd sydd eisoes yn bod, ar wasgar ac mewn anhrefn lwyr, a wna'r dychymyg creadigol, yn hytrach na chreu rhywbeth cwbl wreiddiol. Athrylith y bardd neu'r llenor yw'r modd y mae'n gallu creu rhywbeth newydd a chyffrous allan o'r elfennau digyswllt hyn sy'n llechu yn yr isymwybod. Yn ôl y beirniad hwn:

> [T]he Road to Xanadu, as we have traced it, is the road of the human spirit, and the imagination voyaging through chaos and reducing it to clarity and order is the symbol of all the quests which lend glory to our dust. And the goal of the shaping spirit which hovers in the *poet's* brain is the clarity and order of pure beauty. Nothing is alien to its transforming touch ... In the world of the shaping spirit, save for its patterns, there is nothing new that was not old. For the work of the creators is the mastery and trans- mutation and reordering into shapes of beauty of the given universe within us and without us.

Mae cyfrol J. Elwyn Hughes yr un mor bwysig i ni'r Cymry â chyfrol chwyldroadol Livingston Lowes, gan ei bod yn datgelu'r cefndir, y cyfnod a'r cymeriadau a esgorodd ar *Un Nos Ola Leuad*. Ac eto, nid ailwampio hen bethau lled-anghofiedig yn unig a wna'r dychymyg creadigol, fel yr awgryma John Livingston Lowes. Y mae yna'r fath beth â gwreiddioldeb dychymyg yn ogystal, a chyfuniad o'r ddau, y gwreiddiol a'r gwirioneddol, y creëdig a'r cofiedig, sy'n creu pob gwaith llenyddol o bwys. Camp cyfrol John Elwyn Hughes yn aml yw'r modd y mae'n medru gwahaniaethu rhwng yr hyn sy'n ffaith yn y nofel, a'r hyn sy'n ffrwyth y dychymyg.

Mae gwybodaeth J. Elwyn Hughes o'i gynefin ac o fyd a bywyd Caradog Prichard yn syfrdanu rhywun. Er hynny, nid digon ganddo oedd dibynnu ar ei wybodaeth eang bersonol ef ei hun yn unig wrth baratoi'r gyfrol hon. Aeth ati i ymchwilio'n ddyfal am ragor o luniau, yn ychwanegol at ei gasgliad personol ef ei hun, ac am ragor o hanesion a manylion, i'w hychwanegu at y storfa helaeth a oedd ganddo eisoes. A dim ond un person yng Nghymru a allai fod wedi llunio'r gyfrol hon, gyda'i wybodaeth drylwyr am ardal ei febyd a'i adnabyddiaeth bersonol o Caradog Prichard. J. Elwyn Hughes yw ein tywysydd drwy fyd gwirioneddol a chwedlonol Caradog Prichard. Mapiodd y daith yn llawn ar ein cyfer. Ar y daith honno fe'n cyflwynir ni i sawl cymeriad a sawl hanesyn difyr ac, yn goron ar y cyfan, cawn hanes llawn y gêm bêl-droed honno sy'n gwthio pob gêm bêl-droed arall a fu erioed i'r cysgodion! Mae'n gyfrol ddarllenadwy ynddi ei hun, ond dylai llenorion ifanc Cymru, yn enwedig egin-nofelwyr, ei hastudio er mwyn gweld ymhle y cafodd Caradog Prichard ei ddeunydd, a sut y trawsffurfiodd y deunydd hwnnw i greu un o nofelau gwirioneddol fawr y Gymraeg. Mae *Byd Go Iawn Un Nos Ola Leuad* yn gyfrol addysgiadol ac adloniadol ar yr un pryd.

Alan Llwyd

Bedd Caradog Prichard[1]:

Mynwent Eglwys Goffa Robertson, Bethesda
(i J. Elwyn Hughes)

Nid yma y disgwyliem dy weld,
ym mhridd y ddaear,
nid fan hyn, ond yn llyn y llawenydd,
yn un â darlun y dŵr.

Nid fan hyn, yn y fynwent hon
â'i danadl â'i heirch, ond yn adlewyrchiad
y dydd yn y dŵr
y disgwyliem dy weld.
Disgwyliem dy weld
gyda Hapi Dol, a Huw'r Pant
a foddodd ei ofn mewn chwe modfedd o ddŵr,
a Moi a Huw a Bob y Fron,
yn rhyw Lyn Du, yn narlun y dŵr.

Do, fe welsom y llynnoedd,
Llyn Ogwen a llyn y chwarel,
ond nid oedd y llynnoedd yn llawn
o'ch ysbrydion aflonydd,
ac nid oedd yr un ohonoch
yno yn dawnsio'n y dŵr.

Disgwyliem dy weld
yn nŵr y llyn â'r rhai eraill a aeth
yno o'th flaen:
eich gwylio yn ymwáu drwy'ch gilydd,
ti, Hapi Dol, a Huw a Moi,
yn eich dawns yn nedwyddwch y dŵr,
a gweld, wrth ichi ymwáu, eich dilladau llaes
yno yn chwifio o'ch ôl.

A phan aethom at Bont y Tŵr
yno nid oedd un dim,
dim ond y dŵr parablus, baldorddus o'i darddiad
yn ymwáu i gyfeiriad y môr
gan loetran o dan y dail,
gan stelcian o dan y dail:
y dŵr di-hid ar ei daith
yn llifo drwy ddau lygad tyllog y benglog o bont,
y dŵr di-hid, ara' deg
yn llifo heibio i'w hynt
heb hidio dim am Hapi Dol
na Huw, na Moi, na neb
o'r meirwon, dim ond ymwáu
i gyrraedd y môr agored.

Alan Llwyd

Rhagarweiniad

Ym mis Mai 2005, cyhoeddais *Byd a Bywyd Caradog Prichard – Bywgraffiad Darluniadol*,[2] cyfrol a gafodd groeso mor frwd nes gorfod ei hailargraffu o fewn ychydig wythnosau. Yn y gyfrol honno, cynhwysais bennod fer – a chwbl annigonol – ar nofel fawr Caradog Prichard, *Un Nos Ola Leuad*. Ceisir gwneud iawn am hynny yn y gwaith hwn.

Yn Nyffryn Ogwen ei blentyndod y cafodd Caradog ei ysbrydoliaeth ac mae rhannau helaeth o'r gwaith wedi eu seilio ar ddigwyddiadau, pobl a llefydd gwirioneddol yn y fro honno,[3] a hynny er gwaethaf yr honiad yn 'Nodyn yr Awdur' ar ddechrau'r nofel:

> Er bod brith-gofion bore oes yn sail i ambell ddigwyddiad yma, ystumiwyd cymaint gan amser a dychymyg fel nad oes unrhyw gysylltiad uniongyrchol ag unrhyw berson yn yr un o'r cymeriadau, ac y mae 'eu dydd yn gelwydd i gyd' …[4]

Wel, a oedd 'eu dydd yn gelwydd i gyd', tybed? Ymgais sydd yn *Byd Go Iawn Un Nos Ola Leuad* i ateb y cwestiynau a godais o'r blaen:

> A oes enwau llefydd yn y nofel sy'n cyfateb i lefydd go ddifri yn Nyffryn Ogwen? A oes enwau pobl a chymeriadau yn y nofel sy'n cyfateb i bobl go iawn a fu'n byw yn Nyffryn Ogwen? A oes digwyddiadau yn y nofel sy'n cyfateb i ddigwyddiadau go wir yn Nyffryn Ogwen? A oes enwau llefydd a phobl yn y nofel nad ydynt bob amser yn union fel y rhai go iawn ond a allai fod wedi codi o gof plentyn ac isymwybod yr awdur?

Mae'r atebion yn gadarnhaol bob tro ac wrth dreiddio'n ddyfnach i gefndir cymeriad, lle a digwyddiad, cawn arwyddion diamheuol fod elfennau cryf o hunangofiant yr awdur yn y nofel hon.

Yn *Byd a Bywyd Caradog Prichard*, nodais ychydig enghreifftiau'n unig i geisio dangos sut yr oedd pobl a llefydd y nofel yn cydberthnasu â thrigolion a mannau go ddifrif yn ardal enedigol yr awdur. Yn y gwaith hwn, o ganlyniad i ragor o ymchwil a chwilota, gallaf ychwanegu'n sylweddol at yr enghreifftiau hynny, gan brofi hefyd i ba raddau y mae rhai digwyddiadau yr adroddir amdanynt yn *Un Nos Ola Leuad* yn seiliedig ar ddigwyddiadau go wir. Brysiaf i ychwanegu, fodd bynnag, i mi fethu olrhain cywirdeb hanesyddol *pob* digwyddiad ac yn y cyswllt hwn mae'n briodol cofio'r hyn a nododd Caradog yn *Y Rhai Addfwyn: Atgofion lleol am ardal Bethesda*:[5]

... doeddwn i'n ddim ond rhyw un-ar-bymtheg oed pan adewais yr hen ardal. Felly, 'does gen i ddim ond atgofion personol plentyn i'w cynnig ichi. Amhersonol, wedi eu codi o lyfr neu eu clywed gan eraill, yw'r gweddill. Ac mi geisiais roddi'r atgofion personol hynny wedi eu hystumio gan amser a dychymyg, yn fy nofel *Un Nos Ola Leuad*.

A chofio bod Caradog wedi osgoi defnyddio'r enw cywir am unrhyw le, a chan nad yw ei ddaearyddiaeth bob amser yn cadw'n driw at batrwm gwirioneddol y 'Pentra' (sef Bethesda), mae'n naturiol na lwyddais i leoli pob man a enwir ganddo yn y nofel a bu'n rhaid dyfalu ar sawl achlysur ble'n union oedd ganddo mewn golwg (os oedd yr union le'n bod o gwbl, wrth gwrs). Er enghraifft, sonnir am 'Parc Defaid' a 'Rhesi Gwynion' ond nid oes llefydd yn Nyffryn Ogwen yn dwyn yr enwau hyn. Mae'n debyg mai drwy gyswllt syniadol (ond nid daearyddol o angenrheidrwydd) â 'Parc Moch' a 'Grisiau Cochion' – llefydd go iawn ar gyrion Bethesda – y trawodd Caradog ar yr enwau hyn, fel yr addefodd ef ei hun wrthyf un tro.

Eithriadau'n unig sydd yn *Un Nos Ola Leuad* lle mae Caradog Prichard wedi cadw at enwau go iawn trigolion y Dyffryn. Gan amlaf, enwau ffug-lennol a roes ar ei gymeriadau ond i unrhyw un sydd wedi astudio hanes Dyffryn Ogwen a'i drigolion, nid anodd yw 'adnabod' nifer o'r cymeriadau yn y nofel, er bod cryn ystumio wedi digwydd yn awr ac yn y man ar hanes ambell un ohonynt. Pan gyhoeddwyd *Un Nos Ola Leuad* yn 1961, roedd pobl yr ardal wrth eu bodd yn dyfalu pwy oedd y gwahanol gymeriadau ac mae'n rhaid cofio bod ambell un o'r rhai a bortreadwyd gan y nofelydd yn dal yn fyw yr adeg honno – ac un neu ddau ohonynt yn ymhyfrydu yn y ffaith eu bod 'yn y nofel'. Mae'n rhaid ychwanegu, fodd bynnag, mai ffrwyth dychymyg yr awdur oedd rhai cymeriadau, yn ôl pob tebyg, a heb fod wedi eu seilio ar bobl o gig a gwaed.

Cofiaf ofyn i Caradog Prichard ryw dro pwy oedd pwy yn *Un Nos Ola Leuad*. Rhyw osgoi ateb ar ei ben a wnaeth ar y pryd ac aeth peth amser heibio cyn iddo fod yn fwy pendant ynghylch fy ymholiad. Mewn llythyr ataf yn 1972,[6] ysgrifennodd Caradog: 'Ynglŷn â'ch cais dro'n ôl am 'identity' cymeriadau *Un Nos Ola Leuad*, nid ydwyf yn teimlo y gallaf yn ddiogel iawn enwi neb! Ond cawn weld yn nes ymlaen'. Gwaetha'r modd, am ryw reswm neu'i gilydd, ni ddaeth y cyfle hwnnw 'yn nes ymlaen', a doethach, mewn gwirionedd, yw peidio ag 'adnabod' *pob un* o'r cymeriadau, gan eu gadael yn niwl y gorffennol rhag tramgwyddo unrhyw berthynas iddynt yn y presennol. Yn y cyswllt hwn, cofiwn eiriau Ernest Roberts mewn erthygl yn *Yr Herald Cymraeg* yn 1985:

Mae gen i siawns am anfarwoldeb mewn llenyddiaeth Gymraeg yng nghysgod *Un Nos Ola Leuad* am fod Caradog yn diolch imi ar y dechra am fwrw golwg dros y proflenni.

Yfi o bawb na wn i ddim os oes eisiau dwy 'n' ai pheidio [*sic*] mewn gair, ond nid ryw fecanics felly oedd yn poeni Cradog [*sic*]. Gofyn wnaeth imi geisio ei warchod rhag brifo neb byw.

Dyna chi Cradog mewn ychydig eiriau. Y testun roddodd i ddarlith ar atgofion lleol ym Methesda oedd 'Y Rhai Addfwyn'. Roedd Cradog ymhlith y rhai addfwynaf ohonynt.[7]

Cynhwysais yn y gwaith hwn nifer o luniau llefydd a chymeriadau, gan obeithio y byddant yn cyfoethogi'r darlun mawr cyffredinol a gyflwynir o'r Pentra a'i drigolion yn *Un Nos Ola Leuad*. Dyma'r bobl a'r llefydd go iawn a adwaenai Caradog mor dda yn ystod dyddiau ei blentyndod tlawd yn Nyffryn Ogwen. Mewn rhai achosion, er fy mod yn gwybod pwy oedd rhai cymeriadau yn y byd go iawn, nid oedd llun ar gael ohonynt – cymeriadau fel Ann Jos Siop a Dafydd Jôs Brawd Ann Jos Siop; Anti Elin ac Yncl Harri, gŵr Anti Elin, ac Yncl Wil (Brawd Mam), fel y gelwir hwy yn *Un Nos Ola Leuad*. Ond cynhwyswyd ychydig o fanylion am y rhain yng nghorff y testun hwn.

Ni lwyddwyd i ddod o hyd i berchennog hawlfraint pob un o'r lluniau ac ymddiheurir yn ddiffuant os oes llun wedi'i ddefnyddio heb ganiatâd.

Mae'n rhaid i mi bwysleisio nad oes unrhyw ymdrech yn y gyfrol hon, mwy nag yr oedd yn *Byd a Bywyd Caradog Prichard*, i drafod y nofel o ran cynnwys, stori na chrefft; mae astudiaeth academaidd werthfawr i'r perwyl hwnnw eisoes wedi'i chyhoeddi gan Menna Baines yn 2005, *Yng Ngolau'r Lleuad: Ffaith a Dychymyg yng Ngwaith Caradog Prichard*,[8] ac ysgrifennwyd erthyglau di-ri dros y blynyddoedd gan feirniaid llenyddol treiddgar megis Alan Llwyd, Dafydd Glyn Jones, John Rowlands, Harri Pritchard Jones, Gerwyn Wiliams, ac eraill.

Bûm yn pendroni'n hir cyn penderfynu sut i gyflwyno'r deunydd yn y gyfrol hon, yn enwedig o ystyried y byddai rhyw gymaint o ailadrodd yn anochel gan y byddai nifer o ffeithiau a straeon am gymeriadau a llefydd yn sicr o orgyffwrdd. Yn y pen draw, o gofio, hefyd, am sawl math o 'gynulleidfa' a allai ddarllen y gwaith hwn, ac o wybod bod *Un Nos Ola Leuad* yn faes astudiaeth i nifer o fyfyrwyr ysgol a choleg, penderfynais gyflwyno gwahanol elfennau'r gwaith dan adrannau a phenawdau penodol, gan berthnasu eu rhan yn y nofel â'r ffeithiau 'go iawn' am bob person, lle a digwyddiad. Ac wrth ymchwilio a thyrchu'n ddyfnach o bryd i'w gilydd, cawn fod ambell stori'n tyfu a datblygu fel caseg eira a theimlwn reidrwydd i gynnwys deunydd y gellid ei ystyried yn estyniad ar y syniad gwreiddiol ond yn hanfodol o ran cyflwyno'r darlun cyfan. Hyderaf, felly, y bydd y darllenydd yn cael blas ar ambell un o'r straeon 'estynedig' hynny yn y gyfrol hon.

Gan fod argraffiad cyntaf y nofel yn 1961 gan Wasg Gee allan o brint a mwy nag un argraffiad arall wedi'i gyhoeddi erbyn hyn, penderfynwyd peidio â chyfeirio at rifau tudalennau, gan fawr obeithio y bydd y mynegai yng nghefn y llyfr o gymorth digonol i ddod o hyd i unrhyw fanylion allweddol yng nghorff y gwaith hwn.

Roedd y ffaith fy mod wedi fy ngeni a'm magu yn Nyffryn Ogwen, ac wedi ymddiddori yn hanes y fro a'i phobl ers blynyddoedd lawer, yn ogystal â'r fraint a ddaeth i'm rhan o gael adnabod Caradog, yn golygu fy mod mewn sefyllfa ddelfrydol i geisio cyfochri byd *Un Nos Ola Leuad* gyda byd go iawn yr ardal a osododd y nofelydd yn gefnlen mor gyfoethog i'w nofel fawr.

Manteisiais ar nifer o'r ffynonellau a ddefnyddiais ar gyfer *Byd a Bywyd Caradog Prichard* a pharhaodd y 'gwaith tîm', a wirfoddolwyd o sawl cyfeiriad, i fod o gymorth anhepgor gyda'r ymchwil a'r chwilota, gyda chyfeillion a chydnabod, hen a newydd, o bell ac agos, yn cyfrannu'n helaeth tuag at ddatrys sawl 'dirgelwch'.

Er hwylustod, penderfynwyd defnyddio talfyriadau yn y testun am rai o brif weithiau rhyddiaith Caradog Prichard:

UNOL   = *Un Nos Ola Leuad*
ADA   = *Afal Drwg Adda*[9]
YRhA   = *Y Rhai Addfwyn: Atgofion lleol ardal Bethesda.*

J. Elwyn Hughes   Mawrth 2008

Hanes Ardal Caradog Prichard

Bethesda, gair Hebraeg yn golygu 'tŷ trugaredd', oedd yr enw a roddwyd ar gapel a godwyd gan yr Annibynwyr ar ochr ffordd newydd yr A5 o Lundain i Gaergybi yn 1820. O fewn rhyw dair blynedd, ac adeiladau eraill yn codi fel madarch ar hyd y ffordd newydd, mabwysiadwyd Bethesda yn enw ar y pentref a oedd yn ffynnu a thyfu mor gyflym.

Cododd Thomas Telford ei ffordd newydd ar sylfaen hen ffordd Cwmni Tyrpeg Capel Curig (1801) a redai ar ochr ddwyreiniol Nant Ffrancon, bron yn gyfochrog ag Afon Ogwen, i lawr drwy Ddyffryn Ogwen. Yma y gwelir rhai o'r golygfeydd prydferthaf yn yr holl fyd, chwedl un teithiwr tua diwedd y bedwaredd ganrif ar bymtheg (er iddo haeru mai Stryd Fawr Bethesda oedd y 'most furiously ugly row of houses that roof was ever put to'!). A chofiwn, wrth fynd heibio, am yr argraff gyntaf a gawsai George Borrow wrth holi rhyw lencyn am y pentref y dynesai ato:

> On coming to a town, lighted up and thronged with people,
> I asked one of a group of young fellows its name.
> 'Bethesda,' he replied.
> 'A scriptural name,' said I.
> 'Is it?' said he, 'Well, if its name is scriptural, the manners of
> its people are by no means so.'[10]

Boed a fo am hynny, wrth agosáu at Fethesda o'r de, ceir cip ar rai o fynyddoedd uchaf Cymru, gyda mynydd Tryfan, â'i gopa rhyfeddol, yn cyrraedd ychydig dros 3000 troedfedd uwchlaw'r môr ac yn golchi'i draed yn Llyn Ogwen. Y mynydd serth a chreigiog hwn a ddewisodd John Hunt ac Edmund Hilary i ymarfer arno wrth baratoi ar gyfer dringo Mynydd Everest yn 1953.

Wrth deithio i lawr Nant Ffrancon ar hyd yr A5 (sef 'y Lôn Bost'), awn heibio i'r fan lle safai treflan fach Ty'n-y-Maes a chartref William Roberts, yr ostler, awdur y dôn 'Andalusia'. Ymhen ychydig wedyn down i olwg rhai o domennydd enfawr Chwarel y Penrhyn. Mae hanes yn drwch o gylch – ac o dan – y tomennydd hyn a ffurfiwyd, garreg ar garreg, drwy chwys a llafur chwarelwyr tlawd dros gyfnod o ddwy ganrif a rhagor. Wrth i'r diwydiant llechi ddatblygu ar raddfa fasnachol o 1784 ymlaen, heidiodd dynion i Ddyffryn Ogwen o bob cyfeiriad – o Lŷn ac Eifionydd, Meirionnydd, Môn a mannau eraill – gan aros mewn barics (*barracks*) yn ystod yr wythnos a dychwelyd at eu teuluoedd i fwrw'r Sul. Yna, maes o law, codi eu bythynnod heb fod nepell o'u gwaith ac adeiladu Eglwys yn 1812-

13 o fewn cyrraedd rhyw hanner dwsin o dreflannau bychain – y cyfan bellach, gan gynnwys llyn naw erw o arwynebedd, dan bwysau miliynau o dunelli o rwbel y Chwarel.[11]

Ond trown at hanes Bethesda fel pentref. Gellir olrhain y gwreiddiau'n ôl i 1781, pan fu farw Sais o'r enw John Pennant yn Jamaica. Ac yntau'n berchennog stadau siwgr enfawr, a chanddo werth miloedd lawer o bunnau o gaethweision, gadawodd ei holl eiddo i'w fab, Richard. Roedd Richard eisoes wedi cyrraedd Dyffryn Ogwen gan iddo briodi Anne Susannah Warburton (o Landygái, rhwng Bethesda and Bangor), etifeddes stad gyfoethog y Penrhyn, yn 1765.[12] Buan y sylweddolodd Richard Pennant fod ffortiwn yn aros amdano ar lethrau mynydd y Fronllwyd lle gwelsai ryw 80 o ddynion yn cloddio, gyda dulliau a chelfi digon cyntefig, i chwilio am lechfaen ar y llethrau i doi eu bythynnod. Aeth ati i wario rhan sylweddol o'i etifeddiaeth ar ddatblygu'r hyn a ddaeth i fod, ymhen amser, yn chwarel lechi fwyaf y byd. Cyn diwedd y ddeunawfed ganrif roedd ei weithwyr wedi dechrau cloddio i berfeddion y mynydd, gan greu patrwm o risiau ('ponciau' yw gair y diwydiant amdanynt) ryw 60 troedfedd o uchder ac oddeutu 30 troedfedd o ddyfnder ar ffurf cylch a âi'n llai ac yn llai po ddyfnaf yr âi'r twll. Ac i hwyluso cludo'r cynnyrch o'r chwarel, dywedir iddo wario yn agos i £120,000[13] ar godi ffordd a rheilffordd at borthladd a sefydlodd ar lannau'r Fenai ym Mangor, ac ar ffordd arall i gyfeiriad Capel Curig lle'r oedd am godi gwesty, y Royal Hotel (sef Plas y Brenin erbyn heddiw). Tua diwedd degawd cyntaf y bedwaredd ganrif ar bymtheg, amcangyfrifir bod y chwarel yn gwneud elw blynyddol o oddeutu £7000, swm a gynyddai o flwyddyn i flwyddyn, yn enwedig ar ôl i'r rhyfel rhwng Prydain a Ffrainc ddod i ben yn 1815. Erbyn 1819, roedd dros fil o chwarelwyr y Penrhyn yn cynhyrchu dros 24000 tunnell o gynnyrch llechfaen y Fronllwyd, gwerth £58000.

Yn 1783, crewyd Richard Pennant yn 'Baron Penrhyn of County Louth' (teitl Gwyddelig). Pan fu farw yn 1808 olynwyd ef gan berthynas, George Hay Dawkins (a fabwysiadodd yr enw Pennant). Dechreuodd godi'r Castell yn Llandygái, oddeutu tair milltir o'r chwarel, tua 1828. Cymerwyd oddeutu deng mlynedd i godi'r adeilad enfawr (sy'n ymgorffori rhan o'r hen blasty a safai ar yr un safle). Bu farw Dawkins Pennant yn 1841, yn fuan ar ôl cwblhau'r castell trawiadol. Edward Gordon Douglas Pennant oedd ei olynydd, a wnaed yn Arglwydd Penrhyn Llandygái, ac fe'i dilynwyd ef yn 1885 gan ei fab, George Sholto Douglas Pennant. Am y mab hwn y dywedodd ei dad wrth ei chwarelwyr teyrngar: 'Peidiwch â chroesi George, 'wneith o byth faddau' – bygythiad iasol a drowyd yn wirionedd creulon rhwng 1896 a 1903.[14] Hugh Napier Douglas Pennant, pedwerydd Arglwydd Penrhyn Llandygái, a fu farw yn 1949, oedd yr

Arglwydd Penrhyn olaf i fyw yn y Castell (sydd yn awr yn perthyn i'r Ymddiriedolaeth Genedlaethol).

A chyda datblygiad carlamus y chwarel, y cynnydd yn nifer y gweithwyr ac mewn masnachu ac allforio llechi, a chodi ffordd yr A5 gan Thomas Telford drwy'r Dyffryn, ganed pentref newydd sbon ynghyd â nifer o dreflannau a phentrefi llai ar ei gyrion. Erbyn 1845, roedd yn agos i 3000 o ddynion yn gweithio yn y chwarel ac oddeutu 15,000 o bobl yn Nyffryn Ogwen a'r cyffiniau yn ddibynnol ar y diwydiant llechi.

Unwaith yr oedd Chwarel y Penrhyn wedi denu gweithlu sylweddol, cododd is-ddiwydiannau eraill yn yr ardal. Agorwyd dyrnaid o fân chwareli yma ac acw yn y cylch gan fentrwyr hy (a'r cyfan yn fethiant o fewn cyfnodau cymharol fyr); bu cloddio am gopr a manganîs, ac ambell un mwy mentrus na'i gilydd yn agor mwynfeydd aur (heb lawer o lwyddiant), eraill yn bodloni ar gloddio am arsenig (a ddaeth i ben yn ddigon swta pan gafwyd bod iechyd y dynion yn dirywio a physgod yn marw yn yr afon gyfagos).[15] Ond, ac eithrio'r chwarel, un o'r diwydiannau prysuraf yn yr ardal, a'r un mwyaf arwyddocaol ohonynt i gyd yn ystod y bedwaredd ganrif ar bymtheg, oedd y diwydiant adeiladu. Mae'r holl dai, siopau, ysgolion, eglwysi, capeli ac adeiladau eraill, y rhan fwyaf wedi eu codi rhwng tua 1820 ac 1890, yn dystiolaeth ddiamheuol bod y diwydiant hwn yn un o bwysigrwydd mawr ac allweddol yn Nyffryn Ogwen.

Cymraeg oedd iaith y mewnfudwyr a ddenwyd i'r ardal gan addewid y diwydiant newydd ac, o ganlyniad, ffurfiwyd diwydiant cwbl Gymraeg. Yn wir, roedd cyfartaledd uchel iawn o bobl Cymru yn gallu siarad Cymraeg yn ystod y bedwaredd ganrif ar bymtheg ac ychydig iawn o'r chwarelwyr a allai siarad Saesneg. Pryd bynnag y dymunent gyfathrebu â'u meistr (y gwahanol Arglwyddi Penrhyn a oedd yn berchnogion y chwarel a'r rhan fwyaf o'r tir yn yr ardal), roedd yn rhaid iddynt wneud hynny yn Saesneg naill ai drwy gyfieithydd neu mewn cyfieithiadau ysgrifenedig. Pa ryfedd fod y chwarelwyr uniaith Gymraeg (a hyd yn oed y Cymry dwyieithog ymhellach ymlaen ac, yn wir, hyd yn ddiweddar) yn cael eu hystyried yn ddinasyddion eilradd yn eu gwlad eu hunain?

Yn ogystal â chreu diwydiant Cymraeg ei iaith, daeth y chwarelwyr cynnar â'u diwylliant, a'u traddodiadau, a'u harferion gyda hwy i'r ardal o'u hamrywiol fröydd eu hunain. Er mai'r Eglwys oedd â'r lle blaenaf mewn sawl ardal, buan iawn y bu'n rhaid iddi gystadlu â'r mudiad Anghydffurfiol a ymledai drwy Gymru tua diwedd y ddeunawfed ganrif. Dechreuodd gwahanol enwadau godi eu capeli yn Nyffryn Ogwen, gyda chapel cyntaf 'go iawn' y Methodistiaid Calfinaidd yn cael ei agor yn y Carneddi yn 1816. Yna, yn 1820, ar ochr Lôn Bost newydd Thomas Telford, codwyd capel yr Annibynwyr, 'Bethesda'. Erbyn diwedd y bedwaredd ganrif ar bymtheg, yn ogystal â'r hanner dwsin o Eglwysi, roedd oddeutu 30 o gapeli wedi eu hadeiladu yn Nyffryn Ogwen. Erbyn heddiw, â chostau uchel cynnal a chadw ac atgyweirio wedi bod yn llethol dros y blynydd-oedd, a'r cynulleidfaoedd wedi lleihau'n sylweddol, rhyw chwarter yr holl addoldai a arferai fod yn Nyffryn Ogwen sy'n dal i fod â'u drysau'n agored yn 2008.

Roedd awydd y chwarelwyr i ehangu eu gwybodaeth ac i'w diwyllio'u hunain yn nodwedd gref ac amlwg yn adeiladwaith a chyfansoddiad y gymdeithas yn Nyffryn Ogwen. Hyd yn oed o fewn y chwarel ei hun, bachwyd ar bob cyfle i drafod a sgwrsio am faterion cyfoes a byddai'r chwarelwyr, uwchben eu cinio yn eu cabanau, yn cynnal trafodaethau ffurfiol, dan arweiniad cadeirydd etholedig, ar amrywiol agweddau ar grefydd, addysg, llenyddiaeth, cerddoriaeth, hanes, gwleidyddiaeth, mater-ion diwydiannol, etc. Ac o fewn y gwahanol adrannau yn y chwarel – y ponciau a'r siediau – codid nid yn unig dimau pêl-droed i gystadlu yn erbyn ei gilydd ond hefyd bartïon canu a chorau. Yn 1876, cynhaliwyd Eisteddfod Ponc y Wyrcws a chyhoeddwyd llyfryn o gyfansoddiadau a beirniadaethau.[16] Gyda'r nosau, cynhelid cryn amrywiaeth o weithgareddau o fewn capeli ac eglwysi'r fro, ynghyd ag arlwy o gyngherddau, dramâu, dadleuon, darlithiau, seiadau, etc.

Nid rhyfedd, felly, â chymaint o bwyslais ar bob haen o addysg a diwylliant, fod Dyffryn Ogwen wedi magu a chartrefu cewri a enillodd iddynt eu hunain fri cenedlaethol – a sylw rhyngwladol yn achos ambell un – mewn nifer o wahanol feysydd. Ac er y crebachu a fu ar y boblogaeth yn dilyn cyfnod chwerw'r Streic Fawr, ac er mai ardal gymharol fach yw hi, mae'n syndod faint o bobl y gellir eu rhestru ymhlith enwogion ein cenedl.

Yn Nyffryn Ogwen y ganwyd Caradog Prichard, y bardd a'r nofelydd (fel ei gyd-Brifeirdd Emrys Edwards, Ieuan Wyn a Gwynfor ab Ifor). Bu'r Archdderwyddon Rowland Williams (Hwfa Môn) a'r Prifardd J. T. Job yn weinidogion yn y fro yn ogystal â'r Parchedigion Edward Tegla Davies, Tom Nefyn Williams, Rhys J. Huws, Thomas Arthur Jones, John Roberts (Llanfwrog), ac eraill. Yma y ganed y brodyr-feddygon Glyn Penrhyn Jones a Gwynedd Penrhyn Jones ac ymgartrefodd Dr Emyr James Jones ym Methesda pan oedd yn feddyg Ysbyty'r Chwarel, gan ddychwelyd i'r fro i dreulio blynyddoedd ei ymddeoliad. Yn Nyffryn Ogwen y ganed y cerddorion John Elias Davies (Telynor y Gogledd), David Thomas Ffrangcon-Davies (bariton byd-enwog ddechrau'r ugeinfed ganrif), T. Gwynn Jones (Gwynn Dob), David Roberts (Alawydd), a Margaret (Maggie) Jones (Leila Megàne) a chofiwn gysylltiad Richard Samuel Hughes â Chapel Bethesda lle'r oedd yn organydd. Cofiwn hefyd am

William John Parry (*y Quarryman's Champion* – fel y galwyd ef gan ei gofiannydd, John Roose Williams), Syr Idris Foster, Syr Ifor Williams, J. O. Williams (cyd-awdur *Llyfr Mawr y Plant*), Yr Arglwydd Goronwy-Roberts, Ifor Bowen Griffith (y llenor a'r darlledwr), Ernest Roberts (hanesydd lleol, a fu'n Ysgrifennydd yr Eisteddfod Genedlaethol am flynyddoedd), y beirdd Benjamin Thomas (awdur 'Moliannwn') a William Griffith, Hen-barc – i gyd wedi eu magu yn Nyffryn Ogwen. Eraill a ddaeth i ymgartrefu yn y fro oedd yr hanesydd a'r llenor Hugh Derfel Hughes, Jennie Thomas (athrawes yn Ysgol y Cefnfaes a chyd-awdur *Llyfr Mawr y Plant*), William Williams, Llandygái, Yr Archesgob John Williams, y gwleidydd Dafydd Orwig, a'r bardd mawr ei hun, R. Williams Parry.

Yn wir, mae'r rhestr o bobl adnabyddus Dyffryn Ogwen yn ddiderfyn ac yn tyfu'n barhaus yn ein dyddiau ni heddiw. Gellid sôn am wynebau cyfarwydd cyfoes ym myd y cyfryngau, crefydd, actio, canu a cherddoriaeth, grwpiau pop, celf, ffotograffiaeth, etc. – a llawer ohonynt yn gynddisgyblion Ysgol Dyffryn Ogwen. Dewiswyd peidio â dechrau enwi'r rhain gan gymaint y perygl i hepgor ambell enw a ddylai gael ei grybwyll (efallai fod yma faes ymchwil i rywun neu'i gilydd i lunio casgliad bywgraffyddol o enwogion un ardal fach yng ngogledd Cymru!).

Y mae un elfen ddiddorol – ac annisgwyl ar ryw ystyr, efallai – yn nodweddu bröydd y chwareli (a'r ardaloedd glofaol, o ran hynny). Er gwaethaf – neu, efallai, oherwydd – yr amodau a'r amgylchiadau anodd ac, weithiau, annioddefol, yn y gwaith, roedd y chwarelwyr, eu teuluoedd a'u ffrindiau yn gwneud yn fawr o unrhyw gyfle i gael hwyl a thynnu coes, i godi gwên a chwerthin yn iach. Ychydig iawn o drafod caledi a gerwinder bywyd ar wyneb y clogwyni neu yn y siediau hollti-a-naddu a geid gan y chwarelwyr y tu allan i oriau gwaith. Gwell ganddynt hwy fyddai mynychu cyfarfodydd mewn eglwys neu gapel. Dewisai eraill ddianc rhag gorthrwm eu llafur drwy adrodd straeon am droeon trwstan neu rannu gydag eraill ryw ddywediad ffraeth neu'i gilydd a chreu eu difyrrwch fin nos ar eu haelwydydd llwm neu, efallai, yn y dafarn (ac roedd rhyw ddeg ar hugain o'r rheini wedi agor eu drysau yn y Dyffryn erbyn canol y bedwaredd ganrif ar bymtheg).[17]

Wrth gwrs, yn ogystal â'r ysgafnder a'r doniolwch, y ffraethineb a'r arabedd a berthynai i fyd y chwarelwr, roedd ym Methesda, fel mewn sawl tref a phentref arall, ffynhonnell arall o hiwmor. Roedd yn yr ardal ei phoblogaeth o 'gymeriadau' – y bobl hynny, yn ddynion ac yn ferched, a oedd rywsut yn wahanol i bawb arall o'u cwmpas. Gan amlaf, pobl o gefndiroedd tlawd a difreintiedig oedd y rhain, yn byw bywyd cyforiog o symlrwydd. Anaml iawn y llwyddent i sicrhau gwaith parhaol, a throi at gyflawni rhyw fân orchwylion yn awr ac yn y man a wnaent i hwn, llall ac arall i ennill eu tamaid. Nid ydynt bellach ond cysgodion llwyd yng nghaddug ein doe a'n hechdoe, heb fawr neb yn gwybod undim amdanynt, heblaw am eu henwau neu, yn amlach na pheidio, eu ffugenwau. Ond fe'u cofir am eu hynodrwydd a'u hynodweddau, am eu ffordd gwbl wahanol ac ecsentrig o fyw ac, yn arbennig, am eu hatebion cyflym, parod, ffraeth mewn amrywiol sefyllfaoedd a amlygai ddoniau a nodweddion bywiog a chraff y bobl syml hyn.

Ni chawsai'r 'cymeriadau' hyn ond ychydig iawn o addysg ffurfiol erioed, er bod ysgolion wedi cael eu codi yn Nyffryn Ogwen o oddeutu 1830 ymlaen. Ysgolion elfennol, fel y gelwid hwy, oedd y rhain ac ymrannent yn ddau fath: y rheini a gynigiai addysg i blant eglwyswyr – yr Ysgolion Cenedlaethol – a'r rhai ar gyfer plant Anghydffurfwyr ac eraill – ysgolion y *British and Foreign Schools Society*. Roedd rhyw naw neu ddeg o ysgolion yn yr ardal erbyn diwedd y bedwaredd ganrif ar bymtheg, a chyfle i blant rhwng 5 ac 14 oed eu mynychu (ond byddai nifer yn gadael cyn bod yn naw oed, y bechgyn i fynd i weithio i'r chwarel a'r genethod i fynd i weini). Codwyd dwy ysgol uwchradd yn y Dyffryn: y gyntaf oedd Ysgol y Cefnfaes[18] a sefydlwyd yn 1874 a'r llall oedd Ysgol y Sir – y 'Cownti Sgŵl' – a agorwyd yn 1895.[19] Ac mae'n rhaid cofio bod symiau sylweddol o arian wedi eu casglu'n lleol – o bocedi'r chwarelwyr eu hunain – i godi'r ysgolion hyn (ac fe roesant yn hael hefyd tuag at godi Coleg y Brifysgol ym Mangor yn 1884).[20]

Ond er cymaint y cyfleoedd addysgol, ac er cymaint awydd bechgyn a gwŷr ifainc y fro i'w diwyllio eu hunain, y chwarel fu eu hunig goleg ac yno hefyd y cawsant ysgol brofiad na fu erioed ei bath. Fel pe na bai'r gwaith caled a'r tywydd gerwin ar lethrau'r Fronllwyd yn ddigon i herio ysbryd unrhyw weithiwr, roedd yr amodau gwaith anfoddhaol ac annheg, y cynffonna a'r ffafrio, a'r cyflogau prin ac annigonol, yn arwain yn anochel at bob math o broblemau.

Yn 1845, torrodd y streic gyntaf yn Chwarel y Penrhyn oherwydd dymuniad y gweithwyr i sefydlu Undeb. Roedd hynny'n anathema i'r Arglwydd Penrhyn a chyhoeddodd fygythiad llym nid yn unig i gau ei chwarel ond hefyd i droi ei weithwyr a'u teuluoedd o'u tai (y tai y codai rent amdanynt ar ei chwarelwyr ond a godwyd gan y gweithwyr eu hunain yn y lle cyntaf!). Doedd dim dewis mewn sefyllfa o'r fath – dychwelodd y dynion at eu gwaith ymhen pythefnos.

Cafwyd mwy o lwyddiant gyda streic 1874, a barhaodd am dri mis – ffurfiwyd Undeb Chwarelwyr Gogledd Cymru, buddugoliaeth a arweiniodd at well amodau gwaith yn y chwarel a bywoliaeth fymryn bach yn garedicach. Gwaetha'r modd, byr fu'r hawddfyd cymharol a gwaethygodd pethau'n enbyd o ganol y 1880au ymlaen pan gymerodd George Sholto

Douglas Pennant yr awenau o ddwylo'i dad. Daeth pethau i ben yn 1896 a'r chwarelwyr wedi cyrraedd pen eu tennyn; torrodd streic arall a barhaodd am un mis ar ddeg cyn i'r chwarelwyr orfod ildio yn y pen draw i bŵer Penrhyn. Cafodd y streic hon effaith andwyol iawn ar y gymdogaeth gyfan ac roedd bywyd yn hynod galed i holl drigolion y fro. Ond nid oedd hyn ond dechrau gofidiau gan fod llawer gwaeth i ddod ar dro'r ganrif newydd.

Roedd yr amgylchiadau dyrys a digalon yn Chwarel y Penrhyn ym mlynyddoedd olaf y bedwaredd ganrif ar bymtheg i gyrraedd penllanw o ddicter a chwerwder, cyni a chaledi, gelyniaeth a chwalfa, mewn cload allan ym mis Tachwedd 1900 a streic a oedd ymhlith yr hwyaf yn hanes Undebaeth Lafur yng ngwledydd Prydain. Ar y naill law, ni allai'r dynion oddef mwy ar y ffordd y caent eu trin ac, ar y llaw arall, roedd yr Arglwydd Penrhyn yr un mor benderfynol nad ildiai'r un fodfedd o safbwynt y diwygiadau a'r newidiadau a fynnai'r chwarelwyr. Rhoes yr anghydfod hwn ergyd drom nid yn unig i'r gweithwyr a'u teuluoedd ond hefyd i'r diwydiant llechi ei hun – ac roedd problemau ac anawsterau'r cyfnod hwn i gael effaith hirdymor ar Fethesda a chymdogaeth Dyffryn Ogwen yn gyffredinol.

Ar Fehefin 11 1901, oddeutu chwe mis a hanner ar ôl y cload allan, dychwelodd tua phum cant o ddynion (o'r 3000 a weithiai yn y chwarel) at eu gwaith, wedi eu hudo gan y sofren felen a gynigiwyd gan yr Arglwydd Penrhyn i bob copa walltog a ddychwelai at ei waith.[21] Denwyd hwy hefyd gan fwriad yr Arglwydd i godi rhes o dai ar gyfer ei 'ffyddloniaid'. Nid oes amheuaeth na chafodd gweithredoedd y dynion hyn – a alwyd yn fradwyr – effaith niweidiol iawn ar achos mawr y streicwyr. Ond mae'n rhaid cofio bod dwy ochr i bob stori. Roedd llawer o'r chwarelwyr eisoes wedi eu gwanychu gan effeithiau Streic 1896-97 a'u teuluoedd yn dal i ddioddef o'r herwydd. Roedd eu gwragedd a'u plant yn gorfod byw heb yr hanfodion symlaf, yn llwgu ac yn dihoeni, a'u dyfodol yn fur o ansicrwydd. I'r gwŷr, y tadau a'r meibion mewn sefyllfa mor enbydus, hwyaf yn y byd y parhâi'r sefyllfa, roedd y dewis o dorri'r streic a mynd yn ôl i'r chwarel yn demtasiwn gynyddol gryfach. A dewis y lleiaf o ddau ddrwg fu hi yn hanes nifer o'r dynion wrth i'r wythnosau droi'n fisoedd a'r misoedd yn flynyddoedd. Dewis eraill – oddeutu pymtheg cant o'r gweithlu – oedd gadael yr ardal i chwilio am waith yng nglofeydd de Cymru a mannau eraill yng ngwledydd Prydain (a hyd yn oed dros y môr yn hanes rhai) – a galw am eu teuluoedd i ymuno â hwy ymhellach ymlaen. Mewn cymdeithas ar chwâl, cynyddodd y chwerwder a'r drwgdeimlad rhwng y streicwyr a'r rhai y daethpwyd i'w galw'n fradwyr, a pharhaodd yr elyniaeth ddofn honno am flynyddoedd lawer. Nid gormodiaith fyddai haeru na fu Chwarel y Penrhyn na Bethesda na Dyffryn Ogwen fyth yr un fath ar ôl y Streic Fawr.

Yn ystod chwarter cyntaf yr ugeinfed ganrif, gwnaed llawer o newidiadau yn y Chwarel ac er nad oedd oes aur arall ar y gorwel parhaodd y diwydiant i fod y prif gyflogwr yn yr ardal. Erbyn dechrau'r 1950au, â'r Arglwydd Penrhyn olaf i fyw yng Nghastell y Penrhyn newydd farw, trosglwyddwyd perchnogaeth y Chwarel i gwmni preifat ac yna, yn 1964, i ddwylo Syr Alfred McAlpine a'i Feibion. O hynny ymlaen, gwelwyd newidiadau carlamus yn y Chwarel – mecaneiddio a moderneiddio ar raddfa eang – a'r cyfan gyda gweithlu sydd, erbyn heddiw, oddeutu deg y cant o'r hyn ydoedd lai na chan mlynedd yn ôl. Ac eto, mae enw Chwarel y Penrhyn, oherwydd safon ac ansawdd ei chynnyrch, yn dal yn adnabyddus ledled y byd. Gwaetha'r modd, ar ddechrau ail hanner degawd cyntaf yr unfed ganrif ar hugain daeth twyll a brad unwaith eto i fwrw cysgodion o ansicrwydd ac amheuaeth dros ddyfodol y diwydiant yn Nyffryn Ogwen ac ni ellir ond damcaniaethu ynghylch cynnwys y bennod nesaf yn hanes yr hyn a fu unwaith ar y naill law yn foddion i fwydo a chynnal ardal gyfan am dros ddwy ganrif ac, ar y llaw arall, yn achos chwerwedd, digofaint, dialedd, dioddefaint, a marwolaeth i genedlaethau o'r ardalwyr.

*   *   *

A chyda dwy ganrif o hanes mor gyfoethog ac amrywiol y tu cefn iddo, roedd cynfas Caradog Prichard yn barod iddo dynnu llun y gymdogaeth a'r gymdeithas a adwaenai mor dda ym mlynyddoedd ei ieuenctid yn Nyffryn Ogwen. Ac anfarwolwyd y cyfan, yn ddigwyddiad, lle a chymeriad, yn ei nofel orchestol *Un Nos Ola Leuad*.

NODIADAU

1. Ar brynhawn teg a braf yn ystod haf 2000, cefais y fraint o dywys y Prifardd Alan Llwyd a'm cyfaill Wyn Thomas, Cyfarwyddwr Ffilmiau Tawe, o amgylch bro Caradog Prichard. Yn dilyn y daith honno, derbyniais y gerdd 'Bedd Caradog Prichard' oddi wrth Alan, ac yntau wedi'i chyflwyno i mi.

2. J. Elwyn Hughes, *Byd a Bywyd Caradog Prichard – Bywgraffiad Darluniadol* (Cyhoeddiadau Barddas, 2005).

3. Cynigiwyd esboniad gwahanol iawn gan Simon Brooks yn *Tu Chwith*, Ebrill/Mai 1993, tt. 14-28. Roedd yn 'dadlau'n bras mai nofel yn ymwneud â Llundain yw *Un Nos Ola Leuad*' ac ychwanegodd: 'Anwiredd mawr beirniadaeth lenyddol Gymraeg yw dweud fod a wnelo U.N.O.L. â Bethesda fel y mae Bethesda'. Â ymlaen: 'Mae cenhedlaeth o ysgolheigion, y genhedlaeth o Gaerwyn i Gerwyn, wedi peri i Garadoc/g, y Caradog sydd yn fwy na Charadog, fod yn ddiystyr drwy honni nad oes ganddo ond un ystyr'. (O safbwynt 'Caradoc/g', ymhelaetha Brooks fel a ganlyn: 'Cywasgiad o ddeuoliaeth Caradoc/Caradog. Caradog Prichard sydd yma o hyd ond nid oes modd iddo fod yn annibynnol ar ôl (ôl=trace) Caradoc Evans').

4. Caradog Prichard, *Un Nos Ola Leuad* (Dinbych [1961]).

5. Caradog Prichard, *Y Rhai Addfwyn: Atgofion lleol am ardal Bethesda* (Caernarfon, 1971).

6. Llythyr a ysgrifennodd Caradog Prichard ataf, dyddiedig Chwefror 2 1972.

7. *Yr Herald Cymraeg*, Awst 5 1985, dan y teitl 'Ceisio gwarchod Cradog [*sic*] rhag brifo neb byw'.

8. Menna Baines, *Yng Ngolau'r Lleuad: Ffaith a Dychymyg yng Ngwaith Caradog Prichard* (Llandysul, 2005).

9. Caradog Prichard, *Afal Drwg Adda – Hunangofiant Methiant* (Dinbych, 1973).

10. George H. Borrow, *Wild Wales: Its People, Language and Scenery* (London, 1862).

11. Enwau'r treflannau hyn oedd Clwt Maen, Y Ddôl, Tŷ Hen, Tan-yr-Hirdir, Dôl Parc a Bryn Llys.

12. Am fraslun o hanes a chefndir teulu'r Penrhyn, gweler dwy gyfrol Edmond H. Douglas Pennant: *The Pennants of Penrhyn – A Genealogical History of the Pennant Family of Clarendon, Jamaica, and Penrhyn Castle* (Bethesda, 1982), a *The Welsh Families of Penrhyn – A Genealogical History of the Griffith Family, Lords of Penrhyn, and the Williams Family, of Cochwillan and Penrhyn* (Bethesda, 1985).

13. Dyfynnir y ffigur hwn mewn dau lyfryn: *Slate – The Penrhyn Quarry* (nad oes ynddo unrhyw fanylion cyhoeddi ond a ymddangosodd yn ôl pob tebyg ym mlynyddoedd cyntaf yr ugeinfed ganrif) a *The Penrhyn Quarry – Illustrated* (a gyhoeddwyd yn enw J. Wickens, Bangor, gyda'r dyddiad 1913 ar ddiwedd y rhagymadrodd).

14. Am drafodaeth ar nifer o wahanol agweddau ar gefndir y streiciau a fu yn Chwarel y Penrhyn, gweler R. Merfyn Jones, *The North Wales Quarrymen 1874-1922* (Cardiff, 1981); Jean Lindsay, *The Great Strike – A History of the Penrhyn Quarry Dispute of 1900-1903* (London, 1987); W. J. Parry, *The Penrhyn Lock-out, 1900-1901 – Statement and Appeal* (London, 1901).

15. Am ragor o fanylion, gweler erthygl T. M. Bassett, 'Diwydiant yn Nyffryn Ogwen' yn *Trafodion Cymdeithas Hanes Sir Gaernarfon*, Cyfrol 35, 1974, tt. 73-84.

16. Gweler *Cynyrchion Eisteddfod Pongc y Workhouse, Chwarel y Penrhyn, yn cynwys y cyfansoddiadau buddugol ar yr amrywiol destynau: 1876* (Bethesda, 1876).

17. Wrth ymweld â Bethesda ryw dro, synnodd y bardd Gwilym Hiraethog gymaint wrth glywed bod cynifer o dafarnau yn yr ardal nes iddo awgrymu y byddai 'Beersheba' yn enw mwy addas na 'Bethesda' ar y pentref.

18. Am ragor o hanes Ysgol y Cefnfaes, gw. J. Elwyn Hughes, ac André Lomozic, *Canmlwyddiant Ysgol y Cefnfaes, Bethesda ynghyd â Hanes Canolfan Gymdeithasol y Cefnfaes* (Llangefni, 2007).

19. Am ragor o hanes Ysgol y Sir, gw. J. Elwyn Hughes, *Canmlwyddiant Ysgol Dyffryn Ogwen, 1895-1995* (Llangefni, 1995).

20. Gw. *The University College of North Wales: List of Subscriptions promised during the year 1883* (Bangor [1884]). O'r 54 tudalen sydd yn y llyfryn, mae cyfraniadau 'Bethesda a Penrhyn Quarry' yn llenwi 18 tudalen – sef, yn fras, un rhan o dair o'r holl addewidion.

21. Cyhoeddwyd rhestr o'r gweithwyr a ddychwelodd i'r Chwarel yn *Y Werin*, Mehefin 13 1901.

RHAN 1

LLEFYDD AC ADEILADAU

Pentra
Siopau a Thafarnau'r Pentra a'r Cyffiniau
Y Rheinws
Addoldai
Y Gofgolofn a'r Milwyr
Y Chwarel
Y Cownti Sgŵl
Y 'Castall' a Thrip Côr Reglwys
Ysgol Pont Stabla

PENTRA

Ni roddir enw i'r Pentra yn *UNOL* ond gwyddom i sicrwydd mai Bethesda (Bethesda Fawr yn Arfon fel y cyfeirid at y lle ar un adeg) sydd gan yr awdur dan sylw. A dyna fu, ac ydyw, i bawb – pentra – er i *Worrall's Directory of North Wales* gyhoeddi yn 1874 ei fod 'rapidly becoming a town'.[1] Ond cawn mai 'pentra' ydoedd o hyd pan ddarllenwn mai dim ond 'almost deserving of the name of town' oedd o yn y *Postal Directory of Carnarvonshire and Anglesey* yn 1886.[2]

Saif pentref Bethesda rhwng Nant Ffrancon, Llyn Ogwen a Chapel Curig yn y de a Llandygái a Bangor tua'r gogledd. Pentref un-stryd ydyw yng ngolwg unrhyw un a deithia drwyddo ar yr A5 ond yn nau brif blwyf eglwysig Dyffryn Ogwen, sef Llanllechid a Llandygái, mae nifer o bentrefi bychain yn amgylchynu Bethesda, megis y Gerlan, Braichmelyn, Carneddi, Rachub, Tregarth, Mynydd Llandygái – mannau a oedd yn gyfarwydd iawn i Caradog Prichard.

Mae mynyddoedd a bryniau ar ffurf pedol, fwy neu lai, o gwmpas y pentref a chawn syniad o hynny yn y diagramau isod. Yn y diagram cyntaf, dyma'r olygfa y byddai'r hogyn bach wedi ei gweld o Fynydd Llandygái pan fyddai ar ei ffordd adref gyda'i fam ar ôl bod yn gweld ei Anti Elin a Guto a Catrin yn Bwlch.

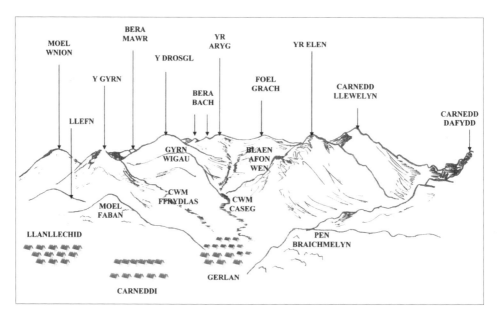

Mae'r ail ddiagram yn dangos yr olygfa a welai'r hogyn bach wrth sefyll o flaen Ysgol y Sir, gan edrych tuag at Nant Ffrancon, a hefyd yn rhannol ar ei ffordd adref o'r ysgol naill ai i Ben-y-bryn, Bryn-teg neu'r Gerlan lle bu'n byw ar wahanol gyfnodau yn ei blentyndod a'i ieuenctid cynnar.

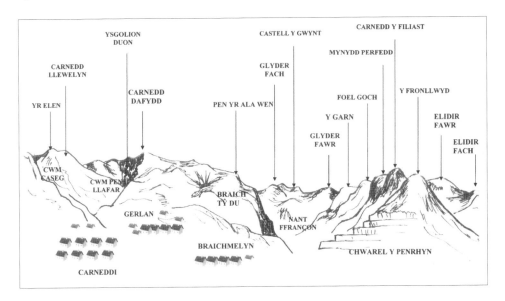

Un o'r bryniau uwchlaw Rachub a phentref bach Llanllechid ar ochr ogledd-ddwyreiniol y Dyffryn yw Moel Faban ac o lethrau'r Foel honno y mae'r fintai a aethai i hel llus (yn *UNOL*) yn gweld y Pentra 'yn bell odanom ni' a mwg 'yn dŵad o bob corn simnai'. Wrth edrych tuag at ochr arall y dyffryn, gwelent Chwarel y Penrhyn 'a wagan yn dechra symud ar ben toman Chwaral' ac ar waelod y dyffryn mae'r Lôn Bost (ffordd yr A5) a 'motos yn mynd yn olagymlaen ar ei hyd hi fel morgrug'.

Trwy gyfrwng y cardiau post a ganlyn (er nad ydynt i gyd yn perthyn i'r un cyfnod yn union â'i gilydd), cawn syniad go dda o sut le oedd Stryd Fawr y 'Pentra' a oedd mor gyfarwydd i Caradog Prichard.

Dechreuwn ein taith drwy edrych tua'r de, i gyfeiriad Nant Ffrancon a Chapel Curig. Ar ochr chwith y cerdyn post, saif y Rheinws, gydag Eglwys Crist Glanogwen ('Reglwys' yn *UNOL*) yn y pellter. Yng nghanol y llun isod, y tu ôl i'r dderwen fawr, cawn gip ar Ysgol Glanogwen ('Rysgol' yn y nofel). Pe gallem weld rownd y tro yn y ffordd, gwelem borth yr eglwys.

Ar y dde, mae Rhes Ogwen – Ogwan Teras ar lafar yn bur gyffredin a hynny'n adlewyrchu'r Seisnigo a fu ar ein henwau lleoedd a strydoedd yn arbennig ar ôl 1894 pan ddaeth y Cynghorau Dinesig i fodolaeth. Yn Nyffryn Ogwen, fel mewn mannau eraill, un o'r mympwyon a berthynai i feddylfryd oes Victoria oedd bod popeth Saesneg i'w fawrygu a bod rhyw urddas, er mor ffug, yn cael ei amlygu mewn enwau megis Ffrancon View,

Carmel Place, Bangor Road, etc. Aethpwyd mor bell â bathu enwau stryd-oedd megis Doctor Street, Ogwen Square, a hyd yn oed Cymro Street! Ac nid digon enwau unigol fel Carneddi, Tan'rallt, Cilfodan, heb ychwanegu 'Street' neu 'Road' atynt (gan gynnwys Pen-y-bryn Road am Allt Pen-y-bryn)! Wrth ryw lwc, cadwyd nifer o'r enwau gwreiddiol yn ddigyfnewid – er enghraifft, Pen-y-graig, Tandderwen, Bodforus a'r Bontuchaf. Efallai na theimlai hyd yn oed y bathwyr Ficctoraidd bondigrybwyll y byddai *Top of the Rock, Under the Oak Tree, The Abode of Morris* na'r *Highest Bridge* yn taro'n iawn rywsut!

Gyferbyn â'r car sydd i'w weld ar y dde yn y llun, yr oedd meddygfa Dr William Griffith Pritchard, meddyg teulu rhieni Caradog Prichard, y cawn sôn mwy amdano yn y man.

Un o'r siopau ar yr ochr dde, cyn cyrraedd y feddygfa, oedd Siop John Jones, 'Wholesale and Retail Music Seller & Music Publisher, Cambrian Music Stores, 3 Ogwen Terr.', lle prynodd Caradog Prichard ei lyfr cyntaf. Cawn yr hanes ganddo yn *YRhA*:

> Dyma fo, yn ei gas gwyrdd, a'i liw wedi gwanychu tipyn er pan safai yn ei lawn ogoniant i'm llygad-dynnu yn siop John Jones, Bookseller, a safai gyferbyn â'r fan lle mae'r post heddiw. Treuliais ysbeidiau lawer yn syllu arno trwy ffenestr y siop, a gwelaf mai ei bris oedd hanner coron ... *Gwaith Barddonol Glasynys* yw'r gyfrol, wedi ei golygu gan O. M. Edwards a'r dyddiad a sgrifennais arni hefo fy enw yw 1921. Ni chofiaf imi yfed yn ddwfn o gynnwys y gyfrol. Y peth pleserus oedd cael ei meddiannu'n eiddo i mi fy hun. Ni chefais byth wedyn yr un pleser dwfn wrth brynu llyfr.[3]

Bu John Jones farw ar Ragfyr 5 1925, yn 89 oed, a'i ferch a fu'n cadw'r siop ar ôl hynny. Gwaetha'r modd, llosgwyd y siop i'r llawr yn 1938 a chollwyd popeth o'r holl stoc gyfoethog.

* * *

Edrych i'r cyfeiriad arall a wnawn yn y llun nesaf – i gyfeiriad y gogledd tuag at Stryd Fawr, Bethesda.

Ar y chwith, mae Rhes Ogwen a gwelwn ddillad yn hongian y tu allan i siop y Cloth Hall (a fu'n swyddfa dôl tua chanol y ganrif ddiwethaf ac yn gaffi erbyn heddiw). O graffu, gwelwn y ddafad yn hongian yn uchel uwchben y siop – pryd y diflannodd honno, tybed, a beth a ddigwyddodd iddi?

Ar y dde, mae'r Rheinws, a fu'n orsaf heddlu tan ddiwedd y 1960au. Yno, lle'r oedd ei thad, Thomas Jones, yn rhingyll, y ganed Margaret Jones ar Ebrill 5 1891, a enillodd fri fel cantores enwog dan yr enw Leila Megáne[4]. Symudodd y teulu o'r ardal yn 1894 pan gafodd Thomas Jones ddyrchafiad i fod yn arolygydd ym Mhwllheli.

Mae Capel y Tabernacl (B) i'w weld y tu ôl i'r Rheinws. Ar ôl cau'r Capel a'i roi ar werth yn 1978, cafodd ei droi'n stiwdio gan arlunwyr lleol ond llosgwyd yr adeilad yn ulw yn 1998 a thynnwyd ef i lawr ym mis Ebrill 2001. Maen nhw wrthi'n codi dau neu dri o dai ar y safle adeg ysgrifennu hyn o eiriau.

* * *

Daliwn i edrych tua'r gogledd yn y llun nesaf, hefyd, wrth symud fymryn yn is i lawr ym mhen uchaf y Stryd Fawr. Banc Lloyds sydd ar ochr chwith y llun, y drws nesaf i siop fara a chacennau Nymbar Wan (Rhif 1 Rhes Ogwen, wrth gwrs!), ac wedyn Capel Bethesda (A). Cawn drafod y tai trillawr sydd ar y chwith ar ôl y Capel yn y bennod ar 'Siopau a Thafarnau'r Pentra a'r Cyffiniau'.

Gwelwn y wal o amgylch y Rheinws ar y dde a chip ar gefn hysbys-fwrdd yr heddlu a fu'n sefyll yn ei le tan ddiwedd y 1960au. Rhwng diwedd wal y Rheinws a stryd y Gornal mae'r lôn a elwir yn Ben-y-bryn neu Allt Pen-bryn (Allt Bryn y nofel). I lawr y ffordd hon y deuai'r hogyn bach yn y nofel a thaflu cip ar y cloc ar dalcen y Rheinws (na allwn ei weld yn y llun hwn).

*   *   *

Roedd y ffotograffydd yn dal i edrych tua'r gogledd pan dynnodd y llun a ganlyn o ran nesaf y Stryd Fawr oddi wrth Gapel Bethesda. Ar ochr chwith eithaf y llun, mae cornel tafarn y Blue Bell. Ymhellach ymlaen, yr adeilad deulawr ydi'r Bull Inn ac yna tafarn arall, y Coach and Horses, y drws nesaf at i lawr. Chwalwyd y ddwy siop sydd wedyn ym mlynyddoedd olaf yr ugeinfed ganrif i greu adwy i gerbydau ddod allan o faes parcio newydd ar hen safle Cae Star. Chwalwyd siop arall yn is i lawr – hen siop cwmni Star – i greu mynedfa iddo.

Ar y dde, mae Manchester House (ac mae London House ar y tro yn y ffordd yng nghanol y llun). Arfer Oes Victoria mewn sawl man oedd enwi siopau ar ôl y mannau lle caent eu nwyddau ac ym Methesda ar un adeg roedd nifer o fasnachdai o'r fath – Sheffield House, Glasgow House, Warwick House, etc. Y drws nesaf ond dau i Manchester House, mae Penrhyn House, sef y Siop Ddu yn *Un Nos Ola Leuad*.

*   *   *

Tynnwyd y llun hwn, oddeutu 1905, oddi wrth ymyl London House, eto'n edrych tua'r gogledd.

Ar y chwith eithaf, gwelir rhan o dafarn yr Original Crown, man geni Benjamin Thomas, awdur y gân boblogaidd 'Moliannwn'[5].

Yr ail adeilad ar y dde oedd Caxton House lle gosodid yn y ffenest ganlyniadau arholiadau allanol yr ysgol uwchradd ac yn y trydydd adeilad ar y dde y ganwyd yr enwog W. J. Parry, cyfrifydd, masnachwr, awdur, ac ymladdwr dros hawliau teg i'r chwarelwyr. Bu'r adeilad hwn unwaith yn Swyddfa Bost, lle'r oedd cownter gwerthu yn ogystal ag ystafelloedd didol a dosbarthu.

Yr adeilad nesaf ond un at i lawr oedd Siop Tŷ Mawr[6] (siop groser a nwyddau cyffredinol). Yn yr adeilad hwn y sefydlodd y Bedyddwyr eu hachos ar ôl symud o Gapel Caersalem (sef rhifau 10 ac 11 Pen-y-graig, yn ddiweddarach – a gwagle'n dal yn y mur yno hyd heddiw lle bu llechen las unwaith gydag enw'r capel arni). Ac mae'n ddiddorol nodi i'r Mormoniaid hefyd ddefnyddio adeilad Caersalem a chael 80 o bobl yn bresennol yno un nos Sul yn 1851 ond, yn ôl pob sôn, rhoddodd y chwarelwyr hwy 'yng nghlorian cyfiawnder' a'u cael 'yn brin' a dychwelsant i'r America[7].

Er na wyddys iddynt roi enw ar eu capel yn yr adeilad a elwid wedyn yn Siop Tŷ Mawr, bu'r Bedyddwyr yno am ddeng mlynedd nes codi eu capel newydd yn 1866, gyferbyn â'r Rheinws, sef Capel y Tabernacl y cyfeiriwyd ato eisoes.

Paris House – siop ddillad 'o safon', fel yr awgryma'r enw – yw'r adeilad olaf y gwelir ei dalcen ar y dde ar ben y rhes.

*   *   *

A'r Paris House, neu Siop Lôn Pab, yw'r adeilad cyntaf ar y dde y tro hwn – siop Owen Jones ac, yn ddiweddarach, ei fab, Ifor. Roedd dau gownter hir bob ochr i'r siop a llwybr gwag yn y canol, gydag ambell gadair yma ac acw ar gyfer y rhai a fyddai'n galw o bryd i'w gilydd i seiadu gyda'r perchnogion.

Roedd cloc go fawr yn crogi ym mhen draw'r siop ac arno arwydd pwrpasol iawn. Wfft i'r *'Please do not ask for credit as a refusal may often offend'* a welir mewn ambell siop y dyddiau hyn, roedd rhybudd pum gair Owen Jones, mewn llythrennau breision, yn llawer mwy trawiadol, cryno a chofiadwy – UN PRIS AC ARIAN PAROD. Gwaetha'r modd, wedi marw Ifor Jones, roedd yr holl adeilad mewn cyflwr mor ddrwg fel y bu'n rhaid ei ddymchwel yn 1976. Codwyd swyddfa'r twrnai Hughie John Edwards ar y llawr isaf ac ychwanegwyd dau neu dri o fflatiau ar y llawr cyntaf ac yn y cefn.

Yr enw ar y ffordd a redai wrth dalcen y siop oedd Lôn Pab – a dyna ydyw hyd heddiw (er na fu'r Pab erioed yn Nyffryn Ogwen – hyd y gwyddom!). Yng ngheg Lôn Pab y cynhelid sawl cyfarfod yn yr hen ddyddiau ac yno y byddai Seindorf Byddin yr Iachawdwriaeth yn cwrdd (fel y cawn grybwyll eto).

*   *   *

Edrych i gyfeiriad y de y tro yma, tua chanol y Stryd Fawr ym mlynyddoedd cyntaf yr ugeinfed ganrif. Rhes Victoria sydd ar y chwith a Paris House yw'r adeilad trillawr wedyn.

Yn rhif 2 Rhes Victoria yr oedd y Swyddfa Bost pan oedd Caradog Prichard yn fachgen ifanc ond siopau bwyd oedd y rhan fwyaf o'r masnachdai, gyda gwestai'r Llangollen a'r Victoria ar y Stryd Fawr gyferbyn.

Ar y dde hefyd, gyferbyn â cheg Lôn Pab, yr oedd y 'Farchnad'. Glynodd yr enw hwn wrth yr adeilad am flynyddoedd lawer er mor amrywiol y defnydd a fu arno. Ac er mai marchnad fuasai'n bennaf, yn yr adeilad hwn y cynhaliwyd 'cyfarfodydd mawr' y chwarelwyr yn ystod streic ddwys 1896-97 ac, yn arbennig, yn ystod y Streic Fawr ddechrau'r ugeinfed ganrif. Llosgwyd yr adeilad yn ulw yn ystod oriau mân bore Sul, Gorffennaf 4 1909. Ond yr hyn sy'n rhyfeddol, mewn ardal dlawd a difreintiedig tu hwnt ychydig flynyddoedd ar ôl diwedd y chwalfa, fe godwyd yr arian i'w ailadeiladu gan danysgrifwyr lleol ac roedd marchnad newydd yn y pentref erbyn 1912. Yna, pan brynwyd yr adeilad gan y Cyngor Dinesig lleol yn 1920, rhoddwyd y teitl 'Neuadd Gyhoeddus' yn grand mewn llythrennau ar hanner tro uwchben y fynedfa. Arhosodd hwnnw nes troi'r lle yn *Ogwen Cinema* yn 1952 gan ŵr rhyfeddol o'r enw Clement Beretta[8] o Rosneigr. Erbyn heddiw, 'Neuadd Ogwen' sydd uwchben y porth i'r hen Farchnad yng nghanol y pentref.

*   *   *

Edrychwn eto i gyfeiriad y de a hynny ar ran isaf y Stryd Fawr. Ar y chwith, gwelwn ran o res o dai'r Stryd Fawr (rhifau 2, 4, 6 ac 8) a chwalwyd tua 1970. Ac ar lawr isaf yr adeilad sydd ynghlwm wrthynt yr oedd swyddfa W. J. Parry, a grybwyllwyd uchod. Yma yr oedd ei fusnes cyfrifydd ac yma hefyd y cadwai gyfrifon a llyfrau ei fusnes amlochrog arall – fel masnachwr cyffredinol yn gwerthu deunyddiau adeiladu, celfi cyffredinol i'r chwarelwyr (gan gynnwys olew a phowdwr du), offer tŷ, dodrefn, etc.

Yr ail adeilad ar y dde oedd tafarn y King's Arms, yna tafarn y Waterloo, a Banc y National Provincial oedd yr adeilad mawr wedyn (lle'r oedd 'Mister Vinsent' yn rheolwr – gweler y bennod ar 'Mister Vinsent Bank a'i wraig a'u hogyn bach, Cyril'). Bu adeilad y banc unwaith yn ddwy dafarn – y Sportsman a'r Stag.

*   *   *

O ganol y 1820au ymlaen, a'r tai a'r siopau'n prysur amlhau ar y ddwy ochr i ffordd newydd Thomas Telford, datblygodd yr un Stryd Fawr hon i gynnwys y rhan fwyaf o fasnachdai'r pentref. Er bod ychydig o siopau yn y mân dreflannau a'r pentrefi ar y llethrau o amgylch Bethesda, a'r trigolion yn gallu prynu eu prif anghenion ynddynt, i'r Stryd Fawr hon y tyrrai pawb. Wrth siopa, byddent yn sgwrsio a chymdeithasu ac ar Nos Sadwrn Setlo (wedi i'r chwarelwyr gael eu talu), byddai'r stryd yn ferw gwyllt.

A'r un fyddai'r hanes bob dydd Sadwrn – pobl o bob cwr o Ddyffryn Ogwen yn heidio i'r Stryd Fawr i wneud eu siopa. Dyna, wrth gwrs, a wnâi'r bachgen bach yn *UNOL* – mynd gyda'i fam i'r Pentra bob pnawn Sadwrn, gan fynd efo hi o siop i siop ac oedi i gael sgwrs efo hwn, llall ac arall. Ac fel Caradog Prichard ei hun, roedd hogyn bach y nofel yn 'nabod bob carrag ar pafin bob ochor i Stryd, a bob polyn lamp a bob polyn teligraff, a bob sinc. Ac yn gwybod lle oedd pafin yn stopio a dechra wedyn, a lle oedd Lôn Bost yn dechra heb ddim pafin wrth geg Lôn Newydd'.

NODIADAU

1. Gw. *Worrall's Directory of North Wales* (Oldham, 1874), t. 187.

2. *Postal Directory of Carnarvonshire and Anglesey* (Liverpool, 1886), t. 67.

3. *YRhA*, t. 12.

4. Gw. Megan Lloyd-Ellis, *Hyfrydlais Leila Megáne* (Llandysul, 1979) a hefyd Ilid Ann Jones, *Leila Megáne, 1891-1960: Anwylyn Cenedl* (Llanrwst, 2001).

5. Am fraslun o hanes Benjamin Thomas, gweler J. Elwyn Hughes, *Moliannwn y Bardd o Fethesda* (Y Bala, 1978).

6. Gan yr ystyrid eu bod mewn cyflwr peryglus, chwalwyd hen Siop Tŷ Mawr a'r ddwy siop arall sydd ar y chwith iddi yn y llun ym mlynyddoedd olaf yr ugeinfed ganrif. Bu cryn drafod dros gyfnod hir ynghylch sut y dylid datblygu'r safle ond adeg ysgrifennu

hyn o eiriau, ni chlywais fod unrhyw gynlluniau pendant wedi eu mabwysiadu ar gyfer Llys Dafydd, sef yr enw a roddir ar yr adeilad newydd, pan godir ef, er cof am y gwleidydd a'r Cynghorydd Dafydd Orwig.

7. Gweler Hugh Derfel Hughes, *Hynafiaethau Llandegai a Llanllechid* (Bethesda, 1866), t. 107. Dan y pennawd 'Saint y Dyddiau Diweddaf', dywed HDH: '...daeth amryw o'r enwad uchod i'n gwlad fel miners o ardal Merthyr, a phregethent yn yr awyr agored ... yn eu pregethau yn gyffredin, bradychent fwy o'r ffŵl nag o'r cnaf. Ar ôl bod yma yn ymddadlu am 8 i 10 o flynyddau, ac i fechgyn y Gloddfa eu pwyso, a'u cael yn brin yn nghlorian cyfiawnder, ymadawsant am gymdogaeth y Llyn Halen yn America'.

8. Bu'r arlunydd a'r dylunydd Clement Beretta, a fu farw yn 1994, yn gweithio fel prentis i Reg Whistler yn y 1930au pan oedd yr arlunydd nodedig hwnnw'n creu'r murlun anferth sydd i'w weld ym Mhlas Newydd, Llanedwen, Môn.

SIOPAU A THAFARNAU'R PENTRA A'R CYFFINIAU

Yn dilyn yr wyth mlynedd eithriadol o anodd rhwng 1896 a 1903, pan sigwyd trigolion yr ardal gan streic un mis ar ddeg ac yna'r Streic Fawr, a nifer o fusnesau lleol wedi mynd i'r wal, roedd pethau'n dechrau gwella'n raddol yng nghyfnod plentyndod ac ieuenctid Caradog Prichard yn Nyffryn Ogwen. Roedd degau o siopau a masnachdai wedi agor eu drysau unwaith eto ar hyd dwy ochr y Stryd Fawr ym Methesda a hefyd yn y mân bentrefi a threflannau ar y llechweddau y naill ochr a'r llall i'r dyffryn.

Nid oes modd gwybod bob amser at ba siopau gwirioneddol y cyfeirir yn *UNOL* (ac eithrio'r rhai yr ymdrinnir â hwy isod). Fe allai enw fel Siop John Jos Lliw Glas fod yn enw gwneud gan Caradog Prichard (er y cofiwn i enwau cyffelyb fod ar siopau go ddifri yn y pentref – Siop Da-da Neis, Siop Mrs Owen Dafadd a Siop Miss Hughes Canu) ond gwyddom fod Siop Rolant Jos Tatws Cynnar yn seiliedig ar siop go iawn oherwydd dywed Caradog yn ei hunangofiant, *Afal Drwg Adda*, fel y byddai'n mynd i nôl gwerth chwech o datws i'w nain o 'Siop Rolant'[1]. Wedi dweud hynny, does dim modd adnabod yr union siop oedd ganddo dan sylw.

O safbwynt y Siop Bwtshiar a enwir yn y nofel, fe allai honno'n hawdd fod yn siop W. R. Jones, 'Family Butcher', yn rhan isaf y Stryd Fawr. Wedi dweud hynny, roedd sawl cigydd arall â siop ar y Stryd Fawr ac mae'n amlwg fod busnes y cigydd yr oes honno yn un eithaf llewyrchus.

Siop W. R. Jones

*　　　*　　　*

13

Roedd y sawl a dynnodd y llun ar gyfer y cardyn post isod, a hynny tua 1905, wedi sefyll i wynebu tua Bangor. Yn ffodus, llwyddodd i ddangos inni, ar ochr chwith pen uchaf Stryd Fawr Bethesda, naw o adeiladau a oedd yn gyfarwydd iawn i Caradog Prichard, wyth ohonynt yn dri llawr a chanddynt selerydd helaeth o danynt.

Rhan uchaf Stryd Fawr Bethesda (wrth edrych i gyfeiriad y gogledd) tua 1905

Siop Robat Ifas Barbar

Ar ochr chwith eithaf y llun, a bron o'r golwg, cawn Siop Robat Ifas Barbar. Dim ond at *Joni* Ifas Barbar y cyfeirir yn *UNOL* ond cofiwn fel y dywedodd Caradog yn *ADA* fod ei frawd Howell (neu Hywel weithiau) wedi 'treio'i law ar fod yn brentis barbwr hefo Robat Ifans'[2]. Dyma lun gwell o'r siop honno, a Robat Evans (fel y sillefid ei gyfenw) yn ei farclod llaes yn sefyll o'i blaen, â gŵr ar hanner cael ei siafio yn nrws y siop. Ar chwith eithaf y llun, y mae Nan, merch Robat Evans, yna'i fab, Emlyn, a mab arall, sef Idris, yntau mewn barclod gwyn fel ei dad. Bu Robat Evans farw Medi 25 1926, yn 57 oed.

14

Yna, cawn Lorne House – siop Griffith Roberts, lle gwerthid llyfrau, papurau newydd, cardiau post, mân anrhegion, ac ati. Priododd merch Griffith Roberts – Sarah (neu Sali, fel y gelwid hi) – â Hugh Jones o Benrhyndeudraeth a symudodd yntau i gartref ei briod yn Nyffryn

Ogwen, gan fabwysiadu 'Penrhyn' yn enw canol arno'i hun. Cawsant dri o feibion – Meirion, Gwynedd a Glyn. Lladdwyd Meirion, ac yntau ond yn un ar hugain oed, ym mrwydr Afon Weser fis union cyn diwedd yr Ail Ryfel Byd a chladdwyd ef ym mhentref Uchte, Yr Almaen, Ebrill 7 1945. Meddyg oedd Gwynedd a bu'n gweithio am flynyddoedd yn Adran Iechyd y Swyddfa Gymreig. Mae'n byw heddiw ym mhentref Tal-y-bont, ger Aberystwyth. Daeth Glyn yn enwog fel meddyg arbenigol ar afiechydon yr henoed ac ef a sefydlodd yr Adran Geriatrig yn Ysbyty Dewi Sant ym Mangor. Cyhoeddodd nifer o erthyglau a llyfrau, gan gynnwys *Newyn a Haint yng Nghymru* a *Maes y Meddyg*[3]. Bu farw'n 52 oed ar Hydref 12 1973.

Dr Glyn Penrhyn Jones

Y drws nesaf i Lorne House yr oedd 81 Stryd Fawr, sef siop T. B. Jones – siop groser a nwyddau cyffredinol o bob math, gydag enw crand, Tower House. Sonnir am y siop hon gan Glyn Penrhyn Jones yn y ddarlith a draddododd yng Nghapel Jerusalem, Bethesda, ym mis Mawrth 1973 ac a gyhoeddwyd yr un flwyddyn, dan y teitl *O'r Siop: Ychydig o Atgofion*. Dywed yr awdur:

> Y drws nesa i ni yr oedd siop T.B. (Thomas Bruce Jones) ac yr oedd Mrs T.B. yn awdurdod ar hwiangerddi Cymraeg, a chof eithriadol ganddi amdanynt. Fe ddysgais lawer ganddi yn ddiweddarach – myfi yn eistedd ar y sachau blawd yn ystafell gefn y siop a hithau'n bwrw trwy'r hen rigymau ...

Ar ôl siop T.B., down at yr un siop cigydd y cyfeirir ati'n benodol yn *UNOL* sef y Porcsiop. Y perchennog oedd Edward T. Hughes, yn ei hysbysebu ei hun yn *The 'Borough' Guide to Bethesda*[4] tua 1911 fel 'Wholesale & Retail Pork Butcher, 79 High Street'. Ond dyma'r hysbyseb a ymddangosodd yn Gymraeg yn Rhaglen Eisteddfod Gadeiriol a Choronog y Plant ym Methesda ym 1911:

OS AM Y DEWIS GOREU O'R . . . . **CIG MOCH GOREU,**

EWCH AT

E. T. HUGHES, Yr Heol Fawr, BETHESDA.

Sicrheir boddlonrwydd. : Pawb yn canmol.

O'r chwith i'r dde yn y llun a ganlyn, gwelwn damaid bach o siop Lorne House, yna siop T.B., yna'r Porcsiop ac, ar ochr dde'r llun, ychydig dros hanner tafarn y Blue Bell y sonnir mwy amdani isod. Yng nghornel dde isaf y llun, gwelwn ryw fath o reilins. Roedd y rhain o boptu grisiau cerrig yn arwain i lawr at dwnnel o dan y dafarn a'r llwybr hwnnw wedyn yn dod allan y pen arall yng Nghae Star.

Porcsiop, y 'Blw Bel' a'r reilins o boptu'r twnnel o dan y dafarn

16

Mae i'r Porcsiop gysylltiadau hanesyddol pwysig. Yr adeilad cyntaf a godwyd ar ffordd newydd Telford, a hynny ar y safle lle'r oedd Porcsiop yn ddiweddarach, oedd tafarn y Star (neu'r 'Nefoedd Bach' fel y daethpwyd i'w galw ymhellach ymlaen). Teulu'r Star oedd piau'r llain o dir o redai rhwng cefn y Stryd Fawr ac Afon Ogwen. Codwyd treflan fach brysur, a melin (yn Stryd y Felin) a chapel, ar y tir hwn a buan iawn y dechreuwyd galw'r datblygiad, yn ddigon naturiol, yn 'Cae Star'. Yma, wrth gwrs, yr oedd cartref William Hughes, Cae Star, sef Wil Colar Starts y nofel, y clywir mwy amdano mewn man arall. Ond daeth tro ar fyd yng Nhae Star ac yn ei golofn 'Cerrig Mân' yn *Llais Ogwan*, Tachwedd 1978, dywed Ernest Roberts:

> Chwalwyd yr hen gartrefi gan Gwmni George McDonald ar ddiwedd y Rhyfel Byd Cyntaf i baratoi lle i ffatri enfawr i droi tomen Pantdreiniog yn baent a phowdr dannedd, yn llestri pridd a photeli dŵr poeth. Aeth y fenter yn fflemp a'r cyfan a geir yno heddiw yw mieri ...

Er bod oddeutu ugain o dafarnau yn Nyffryn Ogwen yn ystod plentyndod Caradog Prichard, dim ond un, sef y Blue Bell, sy'n cael sylw yn *UNOL*. Mae'r adeilad yn dal yn ei le hyd heddiw ac arlliw o'r enw gwreiddiol, sef 'Bells', yn dal uwchben y siop bresennol.

Dyfalaf i'r dafarn gau tua chyfnod y Rhyfel Mawr, neu'n fuan ar ôl hynny, a'r Gymdeithas Ddirwest leol a fu'n gyfrifol, gyda'u gwrthdystiadau cyson, am ei chau (ynghyd â nifer o dafarnau lleol eraill, megis y Coach and Horses, y Crown a'r Wellington). Trowyd yr adeilad yn siop. Dyn tywyll ei groen o'r enw A. Toummavoh a'i cadwai a hwnnw'n destun siarad amdano, onid i ryfeddu ato, fel y gellid tybio yn yr oes gysgodol honno mewn pentref bychan yng ngogledd Cymru. Fel y sylwir, o

Y siop a fu unwaith yn dafarn y Blue Bell

graffu ar gornel dde'r llun, roedd y gŵr hwn hefyd yn ffotograffydd a fo dynnodd y llun.

17

Mae sawl cyfeiriad at y Blw Bel yn y nofel (a dyna sut y sillefid enw'r dafarn yn *UNOL*). Wrth y Blw Bel yr oedd 'papur wedi cael ei bastio ar y wal i ddeud bod penny reading yn Glanabar nos Iau' a chawn wybod bod Preis Sgŵl yn mynd yno yn ystod yr 'amsar chwara' yn 'Rysgol' a bod 'Siop Tsips' y drws nesaf iddi. Cyhuddid yr 'hen ddyn Blw Bel yna' o ddweud 'mai ar Dduw roedd y bai am y Rhyfal' ac yno yr oedd 'eisteddfa'r gwatwarwyr' lle byddai Wil Colar Starts yn 'meddwi bob nos' nes iddo gael tröedigaeth, a Now Bach Glo yntau'n creu stŵr wrth ddŵad adra 'o Blw Bel wedi meddwi'. Yn y stabl y tu ôl i'r Blw Bel y gwnaeth Joni Sowth 'ring fawr sgwâr ... a rhaffa'n reilings o'i chwmpas hi' i ddenu hogiau'r fro i'w ysgol focsio ac i gynnal yr ornest baffio enwog honno. Rywle yng nghefn y dafarn hon, hefyd, ar ôl iddynt fynd i lawr y grisiau cerrig ac ar hyd y twnnel o dan yr adeilad, y byddai'r chwaraewyr pêl-droed – a'r reffarî – yn newid ac ymolchi.

Mae sail go gadarn i rai o'r cyfeiriadau uchod ond ni ddaethpwyd o hyd i unrhyw dystiolaeth i brofi nad ffuglen a dychymyg, yn hytrach na gwirionedd, a roes fod i ambell 'stori' arall.

Yn *UNOL*, sonnir bod 'Siop Tsips' y drws nesaf i'r Blue Bell ac mae'n eithaf posibl fod hynny'n gywir, er na lwyddwyd i gadarnhau hynny.

Yn nesaf at y ddwy siop sydd ar y dde i'r Blue Bell wrth i ni edrych ar gerdyn post 1905 uchod, ym mhen y rhes o dai trillawr, roedd Ogwen Stores. Yno y ganwyd ac y magwyd un o gyfeillion bore oes Caradog Prichard, sef Ernest Roberts (a fu ar staff gweinyddol y Coleg Normal ym Mangor ac yn Ysgrifennydd yr Eisteddfod Genedlaethol am flynyddoedd lawer). Fel y nodwyd eisoes, iddo ef yr ymddiriedodd Caradog y gorchwyl o ddarllen proflenni *UNOL* nid yn gymaint ag i olygu iaith a gramadeg y gwaith ond er mwyn sicrhau nad oedd yr awdur yn gwneud cam ag unrhyw un o'r cymeriadau yn y nofel[5] (prawf sicr, wrth gwrs, gymaint o'r 'byd go iawn' sydd yn y nofel). Roedd Ernest Roberts yn adnabod yr ardal a'i chymeriadau fel cefn ei law ac yn dal i gadw cysylltiad agos â'i hen fro. Byddai wrth ei fodd yn adrodd hanes ambell gymeriad, megis Edward Deryn Nos, Jac Huws Rachub, Casia a Hapi Dol, ac ysgrifennodd am sawl un mewn gwahanol gyhoeddiadau, yn ogystal â sôn amdanynt mewn sgyrsiau radio[6].

Yr adeilad deulawr a welir y drws nesaf i Ogwen Stores yng ngherdyn post 1905 yw tafarn y Bull Inn. Y drws nesaf i'r Bull, yr adeilad wedyn, nad oes ond ei hanner i'w weld, yw tafarn y Coach and Horses, a'r enw hwnnw i'w weld hyd y dydd heddiw ar dalcen yr adeilad (er mai bloc o fflatiau ydyw ers blynyddoedd bellach).

*   *   *

Symudwn oddi wrth gerdyn post 1905 yn awr, a mynd rownd y gornel ger y Coach and Horses at lun sy'n edrych yn ôl i gyfeiriad y Bull Inn ac Ogwen Stores. Ar y chwith, saif Gwalia Stores, sef Siop Wili Edwart yn *UNOL*. Ei pherchennog oedd William Edwards, a'i hysbysebai ei hun fel 'English & Foreign Fruiterer, Greengrocer & Florist ... Tea Dealer and Provision Merchant'. Yn y llun hwn, a dynnwyd ar Orffennaf 9 1907, pan deithiodd y brenin, Edward VII, drwy Fethesda yn ei gar, gwelir William Edwards yn sefyll yn ei farclod gwyn ar y chwith eithaf o flaen ei siop. Y tu ôl i Gwalia Stores ond o'r golwg yn y llun, yr oedd y Grisiau Mawr lle byddai nifer o gynulliadau'n ymhél ar wahanol adegau – i areithio a phregethu a chanu.

Tua chanol Stryd Fawr Bethesda (edrych tua'r de)

Yn yr hysbyseb a ymddangos-odd yn Rhaglen Eisteddfod y Plant ym Methesda yn 1911, mae 'Gwalia Stores' wedi troi'n 'Ystorfeydd Gwalia' (ac, erbyn heddiw, dyma safle'r cyfleusterau cyhoeddus!).

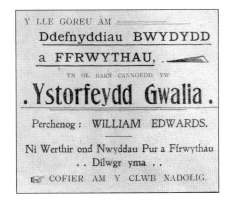

Y LLE GOREU AM
Ddefnyddiau BWYDYDD
a FFRWYTHAU,

YN OL BARN CANNOEDD, YW

. Ystorfeydd Gwalia .

Perchenog : WILLIAM EDWARDS.

Ni Werthir ond Nwyddau Pur a Ffrwythau
.. Dilwgr yma ..

COFIER AM Y CLWB NADOLIG.

Roedd gan y groser fab o'r enw William John ac ef oedd 'hogyn Siop Wili Edwart' – y tybiwyd iddo fod yn gyfrifol am adael, mewn camgymeriad, lond basged 'o bob math o betha, menyn a siwgwr a ham a wya a caws a dwy dorth dan badall' ar garreg drws Betsan Parri, nain yr hogyn bach yn y nofel. Ac o gofio bod Caradog Prichard yn adnabod William John Edwards yn dda ac yn gwybod amdano fel cymwynaswr bro ar hyd ei oes, mae'n hawdd credu y gallai fod wedi meddwl amdano ef wrth ddweud ar nodyn yn y fasged fod y cyfan yn rhodd gan 'Ewyllysiwr Da'.

William John Edwards

*   *   *

Siop arall a grybwyllir yn *UNOL* yw'r Siop Ddu. Penrhyn House oedd yr enw mewn llythrennau mawr yn uchel uwchben siop y 'Roberts Brothers' ym mhen uchaf Stryd Fawr Bethesda, dros y ffordd i'r Blue Bell. Gwerthai'r brodyr ddilladau o bob math mewn siop a alwyd gan y trigolion lleol yn 'Siop Hir Dywyll', gan gyn lleied o oleuni oedd y tu mewn iddi. A gellir dyfalu pam ei bod felly wrth edrych ar y llun ohoni (gydag un o'r brodyr Roberts yn sefyll o'i blaen). Mae'n amlwg eu bod yn rhoi pwyslais mawr ar arddangos eu deunyddiau gan fod dwy ffenest y siop yn llawn i'r ymylon ac amrywiol ddeunyddiau wedi'u gosod ar y palmant ac yn hongian y tu allan uwchben y ffenestri.

Penrhyn House – y 'Siop Hir Dywyll' (neu'r 'Siop Ddu' yn UNOL)

*   *   *

Mae'n debyg mai Siop Chwech a Dima yw'r un hawsaf i'w hadnabod o'r holl siopau a enwir yn y nofel. Pan ddywed yr hogyn bach ei fod ef a Huw, ei ffrind, yn 'sefyll yn nrws Siop Chwech a Dima i mochal glaw a gwatsiad edrach welan ni nhw'n dŵad a corff Wil Elis Portar allan o tai bach', prin bod yr awdur wedi anelu at gywirdeb daearyddol. Roedd y 'tai bach' y tu cefn i 'Rysgol' a'r ysgol honno, fel y cawn grybwyll mewn man arall, ym mhen *uchaf* y pentref ond roedd Siop Chwech a Dima yn rhan *isaf* y Stryd Fawr – pe bai unrhyw ots am hynny, wrth gwrs, yn y nofel.

Mae llawer o drigolion Dyffryn Ogwen wedi haeru dros y blynyddoedd – ac ambell un yn dal i fynnu – mai dim ond ar un ochr i'r Stryd Fawr y bu tafarnau Bethesda erioed. Nid oedd Edward Gordon Douglas Pennant, yr Arglwydd Penrhyn, a fu farw yn 1885, yn fodlon cael tafarnau ar ei stad; ni fynnai hybu diota ymhlith ei weithwyr, meddid (ac mae sôn iddo gau Tafarn Ty'n y Clwt, ger Hendyrpeg, Tregarth, am yr union reswm hwnnw). Yr hyn sy'n rhaid i ni ei gofio, fodd bynnag, ydi fod nifer o fân

21

stadau eraill fel ynysoedd yng nghanol Stad fawr y Penrhyn ac un o'r rheini oedd Stad y Cefnfaes. Cwmpasai honno stribed o dir rhwng chwarter a hanner milltir o led o lannau Afon Ogwen i fyny at odreon y mynyddoedd a'r bryniau yn y gogledd-ddwyrain rhwng Dyffryn Ogwen ac Abergwyngregyn. Ac ar y stribed cymharol gul hwnnw y datblygodd pentref cyfan Bethesda, fwy neu lai, yn ogystal â rhannau o ardal y Carneddi ar y llethrau uwchlaw Bethesda.

Ar Stad y Cefnfaes y codwyd y capel a roes ei enw i Fethesda yn 1820 ac yn y festrïoedd o dan y capel hwnnw y sefydlwyd Ysgol Frutanaidd y Cefnfaes yn 1874 (ac a symudodd i adeilad newydd sbon, o fewn yr un Stad, yn 1907)[7]. Ac ar y Stad honno y datblygodd holl siopau'r Stryd Fawr a'r tai a'r adeiladau eraill a'i hamgylchynai, gan gynnwys nifer go sylweddol o dafarnau ar *ddwy* ochr y stryd. Mae'n wir mai ar yr ochr a gefnai ar Afon Ogwen yr agorwyd y rhan fwyaf o'r tafarnau (gan gynnwys y Blue Bell) ond ar yr ochr arall i'r Stryd Fawr y safai'r 'Cefnfaes Vaults', y 'Beaumaris Castle' a'r 'Castle Inn'.

Mae'n debyg i ddyddiau'r 'Castle Inn' fel tafarn ddod i ben tua diwedd y bedwaredd ganrif ar bymtheg. Trowyd yr adeilad yn dŷ annedd a siop maes o law a chadwyd elfen o enw'r hen dafarn yn enw'r cartref newydd, 'Castle House'. Tua diwedd degawd cyntaf yr ugeinfed ganrif, roedd siop lewyrchus iawn yn y Castle House – siop amrywiol ei nwyddau ac amlochrog ei gwasanaethau. Perchennog y siop oedd Thomas John Roberts (Tomi, fel y gelwid ef gan bawb), gŵr busnes praff a blaengar, a mab Joseph Roberts – Jo Gornal fel yr adwaenid ef yn lleol gan i'r teulu fod yn byw yn nhŷ pen rhes o bedwar tŷ a elwid y Gornal a oedd ar gornel y Stryd Fawr ac Allt Pen-y-bryn (sef Allt Bryn yn *UNOL*).

Barbwr oedd T. J. Roberts yn bennaf ond cynigiai wasanaeth trwsio ymbarelau hefyd ac fe werthai anrhegion, ffyn ac offer pysgota (heb sôn am roi cyngor yn rhad ac am ddim ynglŷn â sut i bysgota yn llynnoedd ac afonydd y fro a pha blu i'w defnyddio i sicrhau llwyddiant). At hynny, roedd yn amlwg am gystadlu efo neb llai na'r enwog F. W. Woolworth a'i gadwyn o 'siopau chwech', gan i T. J. Roberts hysbysebu ei siop fel 'The Noted 6½d Bazaar' a hynny tua 1911-12.

Pan symudodd Tomi a'i wraig, Catherine, a'u plant ifanc i dŷ mwy (a siop ynghlwm wrth hwnnw eto) ym mhen isaf y pentref cyn dechrau'r Rhyfel Mawr, aethant â'r enw 'Castle House' efo nhw ac yn yr adeilad hwnnw, yn Rhes Penrhyn, y cychwynnwyd cwmni bysys y Purple Motors. Oddi yno y rheolwyd y busnes am ran go helaeth o'r ugeinfed ganrif. Gellir dyfalu'n hawdd pam yr oedd y bobl leol yn galw'r Purple Motors yn 'Bysys Tomi', 'Bysys Tomi Barbar', a 'Bysys Chwech a Dima'.

Rhwng oddeutu 1908 ac 1916, ganwyd i Thomas John a Catherine

Roberts chwech o blant: Jenny Olwen, Ellen Rosina, John Penry, Mary Elizabeth, Muriel, a Harry Cledwyn. Yna, tua 1923, ganwyd Dewi, ac arno ryw nam meddyliol bychan a'i gwnâi fymryn yn wahanol i blant eraill. Ceir rhagor o fanylion yn y bennod 'Tad Dewi Siop Gornal – a Dewi'.

Hysbyseb yn The 'Borough' Guide to Bethesda (Cheltenham [1911-12])

*   *   *

Ni wn ymhle'r oedd Siop Margiad Lewis na phwy oedd y perchennog, ac mae'n anodd gwybod ym mha siop yr oedd Gres Elin Siop Sgidia yn byw (os oedd yn byw mewn siop 'sgidiau o gwbl) gan fod cymaint o gryddion a siopau o'r fath ar y Stryd Fawr. Wrth fynd heibio, mae'n werth crybwyll un siop 'sgidiau ddiddorol yn y pentref pan oedd Caradog yn blentyn, sef Siop J. R. Jones, Compton House, a safai gyferbyn â'r Rheinws a thros y ffordd i Allt Pen-y-bryn. O gofio ein bod yn sôn am ardal gymharol fach, syndod oedd gweld yr un llinell anfarwol hon ar bennau

23

biliau J. R. Jones: 'Branches at Braichmelyn, Pen-y-bryn, Llanberis & Tregarth'. Yn y llun isod, gwelir y crydd yn sefyll ar y palmant o flaen ei siop wrth ymyl y plismon.

Compton House, Lloyds Bank, Siop Nymbar Wan a Chapel Bethesda

Siop arall a safai yn yr un rhes â Compton House oedd siop y Bee Hive.

Mr R. E. Lloyd a gadwai'r siop hon ac mewn erthygl yn *Llais Ogwan* yn 1981, ceir disgrifiad ohono gan Ernest Roberts:

> ... Dyn gweddol ysgafn oedd Lloyd Beehive a thwt fel pin mewn papur, colar asgellog, a dici bo, esgidiau gloywddu a elwid yn 'patent leather' a rhes o fotymau yn eu cau a thipyn o ogla *'scent'* o'i gwmpas. Corporal yn yr *L.D.V.* (*Home Guard* y Rhyfel Cyntaf) a threfnydd cystadlaethau chwist yr hen Ysgol Pontŵr ...

R. E. Lloyd, Bee Hive, a'i wraig, Elizabeth

Ganed Robert Ellis Lloyd yn Nhremadog yn 1873 a chyfarfu â'i wraig, Elizabeth Jane (a aned yn 1868), pan ddaeth i fyw i Fethesda. Yn ôl cyfrifiad 1901, roedd ef yn 29 oed a hithau'n 33 oed, a chanddynt forwyn 19 oed o'r enw Catherine Ann.

R. E. Lloyd,

General Draper and Outfitter.

THE "BEE HIVE" DRAPERY ESTABLISHMENT

DEPARTMENTS—

Fancy Drapery,	Infants' Clothing,
Ladies' Underclothing,	Needlework and
Gents' Outfitting.	Embroidery Materials.

Agents for Thomson's Perth Dye Works.

14, OGWEN TERRACE, BETHESDA

Hysbyseb Siop Bee Hive tua 1911

Bu farw R. E. Lloyd yn 56 oed yn 1928 a'i wraig yn 1939 yn 71 oed. Claddwyd y ddau ym Mynwent Eglwys Goffa Robertson, Bethesda, a chofnodir bod Elinor Lloyd 'a fu farw'n faban Medi 1903' wedi'i chladdu yn yr un bedd[8].

Prysuraf i ychwanegu nad oes unrhyw dystiolaeth i gysylltu Ffranc Bee Hive y nofel gydag R. E. Lloyd nac ag unrhyw aelod arall o deulu'r siop dan sylw.

*   *   *

Sonnir am ddwy siop arall yn y nofel a'r rheini y tu allan i'r 'Pentra' ei hun.

Unwaith yn unig y cyfeirir at Siop Bont yn y nofel a hynny pan ddywed Gwraig Elis Ifas fod Leusa Tŷ Top 'wedi taro i mewn ar ei ffordd adra o Siop Bont'. Ond roedd lle pwysig i'r siop hon ym mywyd Caradog Prichard. Ganed Caradog yn Llwyn Onn ar Allt Pen-y-bryn (Allt Bryn yn y nofel) ac yna symud i ardal Bryn-teg cyn mudo eto i dŷ bychan – Rhif 4 – mewn rhes o dai a elwid yn Glanrafon. Rhoddwyd tai stryd gyfan Glanrafon (yn ogystal â strydoedd eraill yn ardal y Gerlan) ar werth mewn ocsiwn nos Fercher, Gorffennaf 30 1913. Lot 22 oedd 4 Glanrafon a ddisgrifir fel 'Four-roomed cottage, Shed and Garden, in the occupation of Mrs M. J. Pritchard' – mam Caradog, wrth gwrs – a nodir ei bod yn talu rhent o £3-18-0 y flwyddyn.[9]

Wrth gerdded i lawr Allt Glanrafon

Siop y Bont

i'r gwaelod, deuid at dreflan fechan a elwid y Bontuchaf ac yno ar ben stryd o dai ar fin y lôn o'r Carneddi i'r Gerlan, roedd Siop y Bont. Dyma a ddywed Caradog yn *ADA*: 'Teulu glew arall oedd teulu Daniel Jones a gadwai Siop y Bont. Yr oedd yno hefyd feibion talgryf, William Hugh, Daniel, Llew ac yntau Ben Fardd ...'[10] (ac fe anghofiodd gynnwys enw un brawd arall, sef Frank) ac yn *YRhA*, cyfaddefa: 'Yn lle bod wrth fy nesg yn yr ysgol, treuliwn bnawniau hyfryd yn Siop y Bont hefo Tomi'r crydd'.[11]

26

Yn y llun isod o'r Bontuchaf, gwelir bwlch rhwng Siop y Bont ar ben y rhes a'r ddau dŷ mawr. Yn y tŷ cyntaf o'r rhain yr oedd teulu Huw Madog Jones yn byw, y sonnir amdano mewn man arall. Rhwng y ddau dŷ hyn yr oedd Allt Glanrafon.

Y Bontuchaf (nid Carneddi), Bethesda

*   *   *

Yn ystod cyfnod Caradog Prichard yn Ysgol y Sir, Bethesda, â'i ddau frawd wedi dechrau gweithio, roedd y fam wedi cael tŷ mwy yn ardal y Gerlan a'r ddau ben llinyn fel pe baent yn dod ychydig yn nes at ei gilydd. Ar ben y stryd, ryw dri drws oddi wrth gartref y teulu yn 4 Long Street, fel y gelwid y stryd yr adeg honno, yr oedd siop y gornel. Hon oedd Siop Ann Jos yn y nofel – siop yn gwerthu nwyddau o bob math (yn gacennau, poteli diod, tatws, a snisin) a hyd yn oed yn 'siop tships' yn ôl a ddywedir mewn un lle yn *UNOL*. Brawd Ann Jos oedd Dafydd Jos – sy'n newid ei enw yn Gryffudd mewn un man yn y nofel – ac roedd o newydd ddychwelyd o'r America (ac ar ei ffordd yn ôl hefyd yn ôl pob sôn).

Cedwid y siop go iawn (a welir ar y chwith yn y llun isod) gan frawd a chwaer, Thomas a Jane Williams. Bu Jane farw yn 66 oed ar Fai 17 1915 a Thomas ar Dachwedd 30 1918 yn 62 oed. Ar y cymeriadau hyn y seiliwyd Ann Jos a Dafydd, ei brawd, er na wn a fu Thomas erioed yn yr Unol Daleithiau.

27

Siop Jane Williams ar gornel Stryd Hir, Y Gerlan

Ond, yn rhyfedd iawn, bu Miss Williams arall (Mary Williams y tro hwn) yn cadw'r siop ar gornel y Stryd Hir a Caradog Prichard yn ei hadnabod hithau'n dda. Yn ei ysgrif, 'I dref Bethesda'r aeth y bardd' (a gyhoeddwyd yn *Yr Herald Cymraeg* yn 1971[12]), cofia'n annwyl amdani fel yr un 'y byddwn yn rhedeg negeseuon iddi am bres poced'. Roedd hon yn fodryb i Siôn Pitar (John, neu Jack, Peter Williams), ffrind Caradog, y soniais amdano yn *Byd a Bywyd Caradog Prichard*[13]. Hi oedd piau'r bwthyn – 5 Fron-bant, yn y Gerlan – yr oedd Caradog yn awyddus i'w brynu ym Methesda a lle deuai Mattie a'i mam, i lochesu rhag y bomio ar Lundain yn ystod yr Ail Ryfel Byd. Ac roedd gan y Miss Williams yma hefyd frawd (o'r enw Owen Wili) a bu yntau, fel Dafydd Jos y Siop yn *UNOL*, yn America. Tybed ai cyfuno nodweddion dau gymeriad gwahanol a wnaeth Caradog Prichard yma, fel y gwnaeth mewn mannau eraill yn y nofel?

NODIADAU

1. *ADA*, t. 21.

2. *ADA*, t. 32.

3. Glyn Penrhyn Jones, *Newyn a Haint yng Nghymru* (Caernarfon, 1962) a *Maes y Meddyg* (Caernarfon, 1968).

4. *The 'Borough' Guide to Bethesda* (Cheltenham [c. 1911]).

5. Gw. *Yr Herald Cymraeg*, Awst 5 1985, dan y teitl 'Ceisio gwarchod Cradog [*sic*] rhag brifo neb byw'.

6. Ailgyhoeddwyd sawl erthygl, stori a sgwrs yng nghyfrol Ernest Roberts, *Cerrig Mân* (Dinbych, 1979).

7. Gweler J. Elwyn Hughes ac André Lomozic, *Canmlwyddiant Ysgol y Cefnfaes, Bethesda ynghyd â Hanes Canolfan Gymdeithasol y Cefnfaes* (Llangefni, 2007).

8. Codwyd y manylion, drwy garedigrwydd Bryn Hughes, Prif Arolygydd Mynwentydd Gwynedd, o Gofrestr Claddedigaethau Mynwent Coetmor, Bethesda.

9. Codwyd y manylion hyn o'r llyfryn a gyhoeddwyd yn cynnwys gwybodaeth lawn am yr arwerthiant arfaethedig: *Parish of Llanllechid: Plans and Particulars of Valuable Freehold Property comprising Dwelling Houses and Gardens and about 17 acres of land ...* (Bangor 1913).

10. *ADA*, tt. 17-18.

11. *YRhA*, t. 22.

12. *Yr Herald Cymraeg*, Ebrill 4 1971.

13. Gweler J. Elwyn Hughes, *Byd a Bywyd Caradog Prichard*, tt. 49, 101-103, 109, 134, 143.

Y RHEINWS

Y Rheinws (Gorsaf yr Heddlu), Bethesda

Ceir sawl cyfeiriad yn *UNOL* at y Rheinws. Hwn oedd y gair a ddefnyddid yn Nyffryn Ogwen (ac mewn mannau eraill, hefyd) am orsaf heddlu'r pentref, lle'r oedd dwy gell, a dyma'r unig air a oedd ar lafar yn lleol nes y caewyd hen orsaf yr heddlu tua diwedd chwe degau'r ugeinfed ganrif. Cynigir o leiaf dri esboniad ar darddiad y gair ac yn y tri achos mae'n ddigon hawdd deall bod yr -*ws* ar ddiwedd y gair yn tarddu o'r gair Saesneg *house* (ac fe ddigwydd hynny'n aml iawn mewn geiriau benthyg, e.e. *warws, becws, betws*). Awgryma rhai ei fod yn dod o'r Saesneg *round-house* ac i gadarnhau'r ddamcaniaeth hon, gwyddom fod *roundhouse*, yn y dyddiau a fu, yn cael ei ddefnyddio yn Saesneg i olygu *carchar*. Ond gellir cynnig tarddiad arall, sef *arraign-house* (unwaith eto'n cynnwys y gair *house*), gyda'r elfen gyntaf yn golygu dwyn rhywun i gyfrif neu gyhuddo rhywun. Yn *The Welsh Vocabulary of the Bangor District*[1], dywed yr Athro O. H. Fynes-Clinton, i un o'r enw Browne Willis, mewn dogfen a ysgrifennwyd yn 1721, nodi bod '*hein-house or Bishop's Gaol*' wrth giât yr Eglwys Gadeiriol ym Mangor. Yn *Iaith Sir Fôn*[2], yn ogystal â dyfynnu o Fynes-Clinton, dywed yr Athro Bedwyr Lewis Jones fod y teithiwr Bingley yn 1804 yn sôn am yr '*heinws*' yn Eglwys Beuno Sant yng Nghlynnog Fawr lle câi pobl afreolus eu caethiwo, ac o ran tarddiad y gair awgryma Bedwyr: 'Benthyciad, mae'n debyg, o air Saes. "hain" yn golygu cau i mewn, caethiwo, a *hws* "house" …'. Mae'r elfen Saesneg *hain / hein* wedi aros hyd heddiw yn yr ansoddair *heinous* a ddefnyddir gan amlaf i olygu 'atgas' neu 'ffiaidd' wrth ddisgrifio trosedd, fel yn yr ymadrodd 'a heinous crime'. Ac yn union fel y trodd Yr Achub ger Bethesda yn Rachub, ac fel y ceir Reglwys, Rysgol a Rafon yn *UNOL*, felly y trodd *yr heinws* yn *rheinws*.

*   *   *

Roedd y Rheinws yn sefyll ar y gornel lle mae Allt Pen-y-bryn yn cyrraedd y Lôn Bost – adeilad cadarn o gerrig nadd y treuliodd amryw o fân droseddwyr yr ardal noson neu ddwy yn ei gelloedd cyn cael eu rhyddhau yn y bore neu orfod mynd o flaen eu gwell yn Llys yr Ynadon ym Mangor. Cadeirydd y Fainc yno am nifer o flynyddoedd tua chanol yr ugeinfed ganrif oedd Ernest Roberts (a fagwyd, fel y crybwyllwyd eisoes, yn Ogwen Stores ar Stryd Fawr Bethesda) ac weithiau, yn rhinwedd y swydd honno, deuai ar draws ambell un o'r cymeriadau 'gwahanol', diddorol hynny o Ddyffryn Ogwen fel Keziah Lewis Williams. Dyna oedd ei henw iawn ond fel Casia neu Cesia yr adwaenid hi gan bawb (ac fel *Cash* yn aml ganddi hi ei hun, yn enwedig pan soniai am ei champau yn y trydydd person – 'Dew, mae Cash wedi bod yn hogan ddrwg, wsti – yr hogia 'di prynu cwrw iddi hi a hitha 'di meddwi, 'ti'n gweld!'). Cymeriad annwyl a diniwed, un fechan o gorffolaeth, yn siarad bymtheg y dwsin pan oedd hi'n sobr ac yn gwbl ddi-daw yn ei diod. Ganed hi tua 1895, yr ieuengaf o'r chwe phlentyn a aned i John a Margaret Lewis Williams yng Nghilfodan, Bethesda.

Byddai'n meddwi'n dwll – yn aml – ac yn cael hwyl 'efo'r hogia', ys dywedai. Ymhyfrydai yn y ffaith ei bod yn 'nabod Ernest er pan oedd y ddau ohonynt yn blant bach ac wedi eu magu dafliad carreg oddi wrth ei gilydd. O'r herwydd, ni phoenai ddim am ymddangos o'i flaen ar y Fainc ym Mangor. Ysgrifennodd yntau deyrnged addas iawn iddi yn *Llais Ogwan*[3] yn dilyn ei marw ar Ebrill 19 1979 yn Ysbyty Bryn Beryl, ger Pwllheli.

Cadarnheir dyfnder ei chyfeillgarwch ag Ernest Roberts yn yr un stori arbennig hon. Un noson, a Casia wedi meddwi'n chwil gaib ulw y tu allan i un o dafarnau Bethesda, aeth plisman gweddol newydd i'r ardal ati a'i rhybuddio'n chwyrn y byddai'n mynd â hi o flaen ei gwell ym Mangor pe gwelai hi'n feddw eto. Ymateb parod Casia oedd: 'Duwadd, dos â fi o'u blaena' nhw, dim ots gin i – dw i'n nabod y *judge* yn well na chdi!'

Tua chanol y 1970au, a minnau'n sefyll y tu allan i Gapel Jerusalem ym Methesda, lle'r oedd priodas perthynas i mi, pwy ddaeth ataf ond

Casia, yn hynod drwsiadus yn ei het binc a'i chôt las, a'm cyfarch, ar un gwynt, 'Sud wt ti, was, heb dy weld ti ers talwm – 'di dŵad i weld y brodas, 'ti'n gweld!' A gwelais fy nghyfle i gael llun ohoni. Y munud y gofynnais iddi a gawn i dynnu ei llun, tynnodd ei het a'i chôt a'u taflu'n ddiseremoni ar fonet y car y tu ôl iddi, a sefyll yn falch i wynebu'r camera! A dyma hi:

Keziah Lewis Williams – Casia

Yr hyn sy'n rhyfedd yw na ddaeth Caradog Prichard o hyd i le yn *UNOL* i Casia – byddai wedi bod yn gwbl gartrefol yng nghwmni Harri Bach Clocsia a Wil Elis Portar.

*   *   *

Mae'r Rheinws yn cael sylw hefyd pan sonnir am Wil Colar Starts. Dywedir ei fod 'yn canu trombôn efo Band Salfesion ar gongol Stryd wrth Rheinws bob nos Sadwrn' ac yn 'deud hanas yr Olwyn Dân … bob nos Sadwrn yn ei bregath wrth Rheinws'. Ac fe adroddir am fam yr hogyn bach 'yn cerddad i lawr Allt Bryn ac yn pasio Rheinws' ac yna'n 'taflyd carrag trwy ffenast Rheinws'.

Ar dalcen y Rheinws, ar ochr Allt Pen-y-bryn, roedd cloc 'a fuasai'n "Big Ben" didaro i'r ardalwyr am dros bedwar-ugain mlynedd', ys dywedodd Ernest Roberts un tro. Cyflwynwyd y cloc gwreiddiol yn anrheg i'r pentref ar Hydref 5 1877 gan W. Charles Hughes a rhydd Ernest

Roberts deyrnged haeddiannol iawn iddo ar fater arall yn *Llais Ogwan*[4]: 'Bu Hughes (y Watchmaker Bach, fel y'i gelwid) yn aelod o'r Cyngor Dinesig ac ef yn 1900 a gynigiodd fod y cofnodion "i'w cadw yn Gymraeg".' Cafodd Charles Hughes ganiatâd y Prif Gwnstabl i osod y cloc ar y Rheinws ar yr amod ei fod yn ei weindio yn ôl y gofyn ac yn edrych ar ei ôl. Unwaith y bu farw'r ceidwad gwreiddiol, ar ysgwyddau'r plismyn lleol y gosodwyd y cyfrifoldeb am y cloc. Ddydd Llun, Rhagfyr 27 1937, cofnododd David D. Evans (Defi Difas Snowdon View yn *UNOL*) yn ei ddyddiadur ar y diwrnod hwnnw i 'awrlais newydd' gan 'Jones, Watchmaker' gael ei osod ar dalcen y Rheinws. Saer a pherchennog cwmni adeiladu lleol, R. J. Roberts, Braichmelyn, a fu'n gyfrifol am ei osod yn ei le (gyda chymorth Dyfrig Thomas, o'r Gerlan yn wreiddiol ond yn awr o'r Rhyl; ef a adroddodd yr hanes wrthyf mewn sgwrs yn ddiweddar).

Allt Pen-y-bryn (Allt Bryn y nofel) a'r Rheinws â'r cloc ar ei dalcen ar y dde

Bu llygaid cenedlaethau o drigolion Dyffryn Ogwen ar 'gloc y Rheinws' yn feunyddiol nes y tynnwyd ef i lawr ddiwedd y 1960au a 'heno pwy ŵyr ei hynt', gan na lwyddodd unrhyw ymholiad i olrhain ei dynged. Ond roedd yr hen gloc yn ddigon canolog a phwysig i gael ei grybwyll ddwywaith yn *UNOL*: 'Hannar awr wedi naw oedd hi ar Cloc Rheinws, medda Huw ... Hannar awr wedi dau oedd hi ar Cloc Rheinws wrth ola lamp pan oeddwn i'n mynd i lawr Stryd ...'. Mae i'r frawddeg uchod le allweddol ym mywyd go iawn Caradog Prichard, fel yr eglura yn *ADA*:

> Faint, tybed, ohonom ni, Gymry dwyieithog ar wasgar, sy'n cofio pryd y bu colli gwreiddiau a cholli ffydd? Os goddefir dogn bach arall o'r hunan-dosturi sydd wedi ei daenellu mor drwchus a seimlyd ar beth o fara sych yr atgofion hyn, gallaf bennu'r dydd a'r awr y digwyddodd hynny i mi. Cerdded i fyny Lôn Coetmor, heibio'r fynwent, ers talwm, ddiwrnod chwalu'r cartref, ac yno, mewn ffit o banig, sylweddoli'n sydyn nad oeddwn bellach yn perthyn i'r gymdeithas yma y ganwyd ac y magwyd fi yn ei chôl, nad oedd gennyf bellach le i roddi mhen i lawr ynddi. Ac er y diwrnod du hwnnw, graddol gilio ymhellach a phellach oddi wrthi fu fy rhan. Ceisiais amgyffred y profiad yn fy nofel *Un Nos Ola Leuad*, lle mae'r bachgen yn gadael ei gynefin ganol nos:

>> 'Hannar awr wedi dau oedd hi ar Cloc Rheinws wrth ola lamp pan oeddwn i'n mynd i lawr Stryd, a phob man arall yn dywyll fel bol buwch. Ond mi faswn i wedi medru cerddad cyn bellad a Parc Defaid a'm llgada wedi cau, achos oeddwn i'n nabod pob carrag ar pafin bob ochor i Stryd, a bob polyn lamp, a bob polyn teligraff, a bob sinc. Ac yn gwybod lle oedd pafin yn stopio a dechra wedyn, a lle oedd Lôn Bost yn dechra heb ddim pafin wrth geg Lôn Newydd . . . Ac oedd hi'n braf cael gadael Pentra yn y twllwch, heb weld siopa na Rysgol na Reglwys na tai na dim byd. Achos taswn i wedi gadael yng ngola dydd mi fasant wedi codi hiraeth arnaf fi, a ella baswn i wedi torri nghalon cyn cyrraedd Parc Defaid a wedi troi'n ôl adra a mynd i weithio'n Chwaral hefo Elis Ifas ...'[5]

A dyna gysylltu un elfen bwysig yn y nofel hunangofiannol gyda byd go iawn Caradog Prichard.

Yn y llun uchod, gwelir adeilad y Rheinws ar y dde a thamaid bach o stryd y Gornal ar y chwith. Rhwng y ddau adeilad y mae gwaelod Allt Pen-y-bryn – Allt Bryn yn y nofel. O fynd i fyny'r allt, byddid wedi mynd heibio i Siop Coparét (ac fe welir wyneb yr hen siop y tu draw i'r Rheinws ar y dde yn y llun) ac yna Capel Siloam (W) yn uwch i fyny ar y dde eto a hwnnw hefyd wedi ei dynnu i lawr ers blynyddoedd bellach. O fynd ymlaen i fyny'r allt, mae fforch yn y ffordd. Wrth fynd i'r dde, byddid yn mynd drwy ffordd Pant-glas, heibio i gefn Eglwys Crist Glanogwen a'r fynwent a chyrraedd y Gerlan ymhen rhyw dri chwarter milltir. O fforchio i'r chwith, a'r allt yn mynd yn serthach, byddid yn mynd heibio i'r tŷ lle ganed Caradog Prichard, Llwyn Onn, ac i fyny wedyn i'r Carneddi. Ar Allt

Bryn y gwelodd yr hogia' Now Bach Glo yn 'stido Pol y Gasag ... nes oedd hi dest iawn a syrthio yn y llorpia' ac ar ôl bod yn cario llwyth o lo i ben Allt Bryn y syrthiodd ceffyl Eic Wilias Glo yn farw yn y stabl. Roedd tŷ nain yr hogyn bach yn y cyffiniau hyn hefyd.

Ac wrth gloi'r bennod hon ar hanes y Rheinws ym Methesda, mae'n werth cynnwys y llun a ganlyn o dri phlismon yn sefyll wrth gar o flaen y Rheinws. Yn y rhan o'r adeilad ar y chwith y byddai'r Rhingyll yn byw fel rheol a byddai o leiaf un plismon arall yn byw ar y llawr cyntaf a welir ar y dde. Ar y llawr isaf y lleolid y swyddfa a'r ddwy gell.

Mae'n glir fod y llun wedi'i dynnu tua'r cyfnod yr oedd Caradog Prichard yn byw yn Nyffryn Ogwen a phwy a ŵyr nad yw Tad Wil bach Plisman ac/neu Jôs Plisman Newydd yn y llun?

Y Rheinws ym Methesda

Mae hen adeilad y Rheinws yn dal i sefyll ar Stryd Fawr Bethesda o hyd er ei fod bellach mewn dwy ran – siop drin gwallt a chaffi – a'r cloc wedi diflannu!

NODIADAU

1. O. H. Fynes-Clinton, *The Welsh Vocabulary of the Bangor District*, (Oxford, 1913), t. 460.
2. Bedwyr Lewis Jones, *Iaith Sir Fôn* (Dinbych, 1983), t. 64.
3. Ernest Roberts, 'So long, Cesia' yn ei golofn 'Cerrig Mân, *Llais Ogwan*, Medi 1979, t. 10.
4. Ibid. *Llais Ogwan*, Awst 1976, t. 10.
5. *ADA*, t. 164.

ADDOLDAI

Edrych ar Eglwys Glanogwen o gyfeiriad y Lôn Bost
(Trwy ganiatâd Llyfrgell Genedlaethol Cymru)

Eglwys Crist Glanogwen, Bethesda, yw 'Reglwys' yn *UNOL* ac mae
iddi le blaenllaw yn y nofel fel, yn wir, ym mywyd go iawn Caradog
Prichard. O'i blentyndod cynnar, âi Caradog yn selog i'r Ysgol Sul ac
enillai wobrau'n gyson mewn cystadlaethau ac arholiadau. Daw dylanwad
yr Ysgol Sul i'r amlwg yn y cyfeiriadau at yr hogyn bach yn y nofel yn
cofio am y straeon a adroddid wrth y plant ac yna'r athro 'yn rhoid chwech
imi yn Rysgol Sul wedyn am eu hadrodd nhw drwodd heb ddim un
mistêc'. Roedd yn 'gwbod y salm i gyd, wedi'i dysgu hi yn Rysgol Sul' ac
'wedi dysgu'r hanas yn Rysgol Sul am Iesu Grist yn cael ei groeshoelio'
ond bu am hir iawn yn methu coelio'r straeon a gawsai am 'Iesu Grist yn
gneud gwyrthia. Troi dŵr yn win, codi pobol o-farw-fyw a petha felly, ac yn
enwedig y stori honno amdano fo'n porthi pum mil hefo pum torth a dau
bysgodyn'. A hyd yn oed wrth ddisgrifio rhyw chwarae diniwed, daw
dylanwad yr Ysgol Sul i'r amlwg: 'A dyna lle oeddan ni'n rowlio yn y gwair,
ac yn treio taflyd ein gilydd run fath ag oedd yr angal hwnnw hefo Jacob,
oedd Bob Car Llefrith yn deud ei hanas o wrthan ni yn Rysgol Sul dy Sul
cynt. A finna'n cofio'r adnoda ddaru Bob Car Llefrith ddysgu inni radag
honno: *A Jacob a adawyd ei hunan'*.

Fel yr hogyn bach yn y nofel, byddai Caradog yn mynd gyda'i fam i'r Seiat ar nosweithiau Mawrth (a'r Seiat, gyda llaw, yn gyfarfod a gysylltir gan amlaf â'r capeli) ac roedd yn aelod ffyddlon o'r Ysgol Sul ac o Gôr yr Eglwys. Yn Eglwys Crist Glanogwen y cafodd ei fedyddio yn 1904[1] ond yn Eglwys St Mair yn y Gelli, Tregarth, y cafodd ei gonffyrmio ar Ebrill 6 1918[2]. Mae'n berthnasol cofio, hefyd, iddo fod â'i fryd am gyfnod go hir ar fynd yn offeiriad (ac fe sonnir am hynny yn *ADA*[3]).

Codwyd Eglwys Crist Glanogwen yn y flwyddyn 1856 ar dir a roddwyd yn rhodd gan yr Arglwydd Penrhyn (Edward Gordon Douglas Pennant) yng nghanol Bethesda, ryw ganllath oddi wrth y 'Lôn Bost'. Yn ôl erthygl yng nghylchgrawn *Yr Haul* yn 1917, ystyrid Eglwys Glanogwen 'gyda'r harddaf yn y wlad, yn cynnwys eisteddleoedd i saith gant a hanner o bobl … cydaddolai ynddi un o'r cynulleidfaoedd Cymraeg mwyaf lluosog, mwyaf gweithgar a mwyaf diwylliedig yng Nghymru'. Cofiwn ddisgrifiad yr hogyn bach yn *UNOL*: 'A dechra meddwl pob math o betha ar ôl gorfadd i lawr, wrth sbïo ar dŵr Reglwys, ac ar gerrig y walia a llechi'r to. Dew, mae'n rhaid ei bod hi'n hen, meddwn i … ydw i'n siŵr ei bod hi'n edrach yn neis pan oedd hi'n Eglwys newydd, cyn i'r gwynt a'r glaw a'r rhew a'r eira a gwres yr haul i baeddu hi'.

Y tu mewn i Eglwys Glanogwen

Ac wrth edrych ar lun y tu mewn i'r eglwys, cofiwn fod sawl dramodig yn y nofel wedi eu chwarae ar yr y 'llwyfan' arbennig hwn. Yr un a erys yn arbennig yn y cof, efallai, yw'r olygfa honno pan wrthododd Huws Person roi gwin i Gres Elin Siop Sgidia yn ystod gwasanaeth y Cymun a hithau'n

> codi a throi rownd a dechra cerddad i lawr o'r Allor, a llygada pawb ... arni hi. Ond mi fasa'n werth ichi weld Gres Elin. Oedd hi mor larts â neb yn Reglwys. Wrth ein pasio ni dyma hi'n gafael yn ei fêl sbotia gwynion ar dop ei het ac yn ei rhoid hi dros ei gwynab a'i chlymu hi o dan ei gên hefo'i dwy law. Ac yn lle cerddad yn ôl i'w sêt, be wnaeth hi ond cerddad i lawr canol Llawr a throi ar y chwith ac allan a hi trwy'r drws.

Cofiwn, hefyd, fel y byddai'r hogyn bach a'i ffrind, Huw, yn eistedd wrth ymyl ei gilydd bob amser yn y Côr ac am yr adeg honno pan aeth y ddau ati i chwarae pinsio o dan eu gwenwisgoedd:

> ... a faswn i ddim wedi gneud radag honno chwaith taswn i wedi agor fy llygada'n gynt a gweld na fydda Mam Huw byth yn torri'i winadd o. Rho di dy law imi o dan fy syrplan i ac mi rof inna'n llaw i titha, medda Huw. Mi gei di fy mhinsio i ac mi pinsia inna ditha ... dyma fi'n gweiddi O yn ddistaw bach, a Huw yn gwyro i lawr i smalio codi llyfr hymna a throi'i wynab i sbïo arnaf i. Fi sy wedi ennill, medda fo.

Ac er nad oes gwenwisg gan unrhyw un yn y llun a ganlyn, y rhain oedd aelodau Côr yr Eglwys tua 1914. Y bachgen ar y dde yn y rhes flaen yn y llun, yn ddiamheuol, ydi Caradog Prichard, a thybed nad 'Huw' sydd yn eistedd wrth ei ymyl?

Aelodau Côr Eglwys Glanogwen tua 1914

* * *

38

Wrth gerdded i lawr yr allt fach sy'n arwain o'r Eglwys, â beddau o boptu, deuir ym mhen isaf y rhodfa at Borth neu Giât yr Eglwys ar fin y Lôn Bost. Mae'n werth nodi bod Giât Fynwant yn y nofel yn cyfeirio, gan amlaf, at y giât sy'n rhoi mynedfa i'r fynwent o lôn Pant-glas ym mhen uchaf y tir o gwmpas yr Eglwys. Mae'r llwybr sy'n arwain o'r giât honno i lawr at yr Eglwys yn dal yno hyd y dydd heddiw.

Roedd Porth yr Eglwys mewn cyflwr pur ddrwg erbyn dechrau'r 1980au ac oherwydd y pydredd a'r dadfeilio cyffredinol, penderfynwyd ei dynnu i lawr a gosod giatiau metal yn ei le. Dyma lun yr hen borth, neu'r giât fel y galwai Caradog Prichard ef. Mae o leiaf bum golygfa yn *UNOL* lle crybwyllir yr Eglwys neu Giât yr Eglwys.

Porth neu Giât yr Eglwys, ar ochr y Lôn Bost

*   *   *

Roedd rhyw chwarter milltir o ffordd rhwng yr Eglwys a'r Ficerdy a chofia'r hogyn bach yn *UNOL* fel y byddai'r Côr, ac yntau'n aelod ohono, yn cerdded 'o Reglwys trwy'r Fynwant i Ficrej ... ac yn ôl wedyn o Ficrej i Reglwys a'r Fynwant ar hyd Lôn Bost yma'. Ac adroddir am y Côr Sowth yn canu ar lethrau'r Braich, 'A ninna wedi dŵad i fyny o Reglwys ar ôl gwasanaeth i wrando arnyn nhw, a pobol capeli wedi dŵad hefyd, a pobol oedd yn cerddad i fyny-ag-i-lawr Lôn Bost i gyd wedi stopio i wrando'. (Am ragor o drafodaeth ar ble'r oedd y Côr yn canu, gweler 'Braich, Coed Allt

Braich, Pen Braich, Ochor Braich' yn y bennod, 'Llefydd a Chymeriadau Eraill'.) Y drydedd olygfa a ddisgrifir mewn perthynas â'r Eglwys yw'r orymdaith at Ysgol Pont Stabla: 'Oedd yna broseshion ar hyd Stryd, o ben Lôn Newydd reit i fyny at Giat Reglwys, a wedyn i fyny at Ysgol Pont Stabla'. A'r olygfa arall yw'r un a ddarlunnir ar ddiwrnod y gêm bêl-droed fythgofiadwy pan mae'r hogiau bach yn 'Eistadd ar wal ochor arall i Lôn Bost yn gwatsiad pobol yn mynd i mewn i cae ... A dyna lle oeddan nhw yn un rhes hir, dest iawn i lawr at Giat Reglwys'. Ar ddiwedd y gêm, a'r ffradach drosodd, mae'r chwaraewyr a'r reffarî (a'r dorf yn eu dilyn) yn cerdded heibio i Giât yr Eglwys ar eu ffordd i dafarn y Blw Bel lle maent yn newid.

Yn y llun a ganlyn, ceisir rhoi syniad o ddaearyddiaeth y pum golygfa uchod.

Yr olygfa tuag at Nant Ffrancon

1. Yr Eglwys; 2. Giât yr Eglwys; 3. Y Lôn Bost; 4. Y cae pêl-droed;
5. Y Ficerdy (o'r golwg yn y coed); 6. Y Braich;
7. Lleoliad bras 'Ysgol Pont Stabla'

* * *

Fel y gellid disgwyl i raddau, gan gymaint o Eglwyswr oedd Caradog Prichard, prin yw'r cyfeiriadau at gapeli'r fro yn y nofel, a dilornus yw'r dôn yng ngeiriau'r fam pan gyfeiria at 'yr hen Gapelwrs yna'. Yr unig gapel y cyfeirir ato wrth ei enw ydi Capel Salem, capel yr Annibynwyr yn y Carneddi – lle'r 'oedd y rhan fwya'n ei glywad O', sef y 'Llais' adeg y Diwygiad. Yng Nghapel Salem, hefyd, yr ymaelododd Wil Colar Starts ar ôl ei dröedigaeth, meddir yn y nofel, a dyma lle'r oedd Côr Sowth yn cyfarfod i ymarfer.

Capel Salem (A), Carneddi, Bethesda

Ond dod yn aelod yng nghapel 'Bethesda' (Annibynwyr) a wnaeth William Hughes (Wil Colar Starts y nofel). Roedd hynny'n beth cwbl naturiol iddo'i wneud gan fod ei gartref o fewn tafliad carreg i Gapel Bethesda tra byddai wedi gorfod cerdded ryw chwarter milltir i fyny gallt Pen-y-bryn i gyrraedd Capel Salem. Ar sail hynny, felly, mentraf awgrymu nad Capel Salem yn y Carneddi oedd gan Caradog dan sylw ond, yn hytrach, Capel Bethesda, a safai ar ochr y Stryd Fawr. Ac yno, hefyd, yn ôl pob tebyg, yr oedd y Côr Sowth yn ymarfer.

Capel Bethesda (A) yn 1875

*　　*　　*

Roedd aelodau Byddin yr Iachawdwriaeth wedi bod yn weithgar iawn yn Nyffryn Ogwen ers diwedd y 1880au ac yn ymgyrchu'n galed i geisio 'concro'r ardal dros Grist', ys dywed y Parchedig William D. Parry yn ei gyfrol, *Gwaed a Thân*[4], sydd â'r isdeitl, 'Hanes Byddin yr Iachawdwriaeth yng Ngogledd Cymru o 1880 i 1892'. Ychwanega'r awdur hanesyn diddorol yn ymwneud ag un o golofnau'r Achos Annibynnol ym Methesda, yn dilyn oedfa a gynhaliwyd yng Nghapel Bethesda (A) gan y Fyddin tua 1887, lle'r oedd oddeutu mil a hanner o bobol yn bresennol yn 'chwifio eu copïau o'r *Gad Lef*':

Yr oedd arweinydd y Blaid Lafur, Mr W. J. Parry (1842-1927),

42

Coetmor Hall, yn cynorthwyo'r Fyddin yn yr ardal. Wedi'r oedfa bu'n lletya'r ymwelwyr cyn iddynt ddychwelyd adref. Mae'n werth sylwi bod dyn fel Mr W. J. Parry, un o'r rhai a sefydlodd Undeb y Chwarel-wyr yn 1874 ac Ysgrifennydd cyntaf yr Undeb, yn cynorthwyo'r Fyddin ...

Er bod y Fyddin wedi sefydlu cangen o'u 'milwyr' ym Methesda yn ystod y cyfnod hwn, bu'n rhaid disgwyl am ddeng mlynedd cyn cael 'pencadlys' yn yr ardal.

Ym mhen isaf Stryd Fawr Bethesda, mae adeilad o friciau coch ar fymryn o godiad tir uwchlaw'r ffordd. Dyma'n wreiddiol oedd 'barracks' y *Salvation Army*, adeilad a godwyd yn 1899, ar draul o £450, ar dir dan brydles gan Stad y Cefnfaes[5]. Roedd lle i 120 eistedd yn y neuadd ac yno y cynhelid cyfarfodydd a gwasanaethau[6] yn ogystal, wrth gwrs, ag ymarfer-ion seindorf y Fyddin.

Adeilad Byddin yr Iachawdwriaeth ym Methesda[7]

Dywed mam yr hogyn bach yn *UNOL* fod 'Wil Colar Starts yn canu trombôn efo Band Salfesion ar gongol Stryd wrth Rheinws bob nos Sadwrn ...' Ac, yn wir, yr *oedd* y seindorf yn cyfarfod ar nosweithiau Sadwrn naill wrth y Rheinws, fel y nodir uchod, neu wrth geg Lôn Pab, gyferbyn â'r Neuadd leol. Mae Ernest Roberts yn ei gyfrol ddifyr, *Ar Lwybrau'r Gwynt*, yn hel atgofion diddan am seindorf Byddin yr Iach-awdwriaeth – 'Band y Salfesh' – yn cyfarfod yng Ngheg Lôn Pab – '*Hyde Park Corner* Bethesda', ar nosweithiau Sadwrn:

Ceg Lôn Pab, gyda Siop Owen Jones, Lôn Pab, ar y dde

Sais oedd y capten ond Cymry glân gloyw oedd ei lifftenants: Dafydd Jones y crydd, Richard Williams y cariwr, a Robert Hughes, Tŷ'r Afon. Daeth y tri yn flaenoriaid yn eu heglwysi, ond nid yn rhy rispectabl fel ag i gefnu ar Fyddin yr Iachawdwriaeth ... daw atgofion melys am y gynulleidfa werinol honno gynt yng Ngheg Lôn Pab a thomen o geiniogau ar y mat wrth draed y capten. Jac Tan-y-foel a Wil Bach Bera yn croesi'r stryd o'r *Britannia*, a'r ddau yn trio'u gorau i sythu'n barchus a sobr ac yn taflu eu pres ar y mat ac ambell geiniog yn rowlio i'r gwter yn y Stryd Fawr, a ninnau hogiau yn uno'n afieithus gyda'r hen Lowri Ifans gryglyd a charpiog yng nghytgan yr haleliwia ar alaw *John Brown's Body* ...[8]

Nifer cymharol fach a berthynai i'r seindorf yma ac mae'n rhaid cofio bod dwy seindorf arall ym Methesda tua'r un cyfnod – Band y Chwarel (y *Penrhyn Brass Band*) a Band y Pentra (y *Town Band* fel y gelwid ef gan rai). Fel y dywed Ernest Roberts eto:

... dyna beth gwerthfawr i ardal oedd cael band a hwnnw bob amser ar gael i orymdeithiau'r ŵyl Lafur a Gŵyl yr Oddfellows, i ddathlu buddugoliaeth côr a thîm ffwtbol ac i hebrwng hogiau tua'r trên ar gychwyn eu taith i Awstralia ...[9]

Band y Chwarel (y Penrhyn Brass Band)

Byddid wedi hoffi meddwl mai llun 'Band Salfesion' yw'r llun a ganlyn, wedi'i dynnu yng ngwaelod Stryd Fawr Bethesda ychydig lathenni oddi wrth adeilad y Fyddin (sydd allan o'r llun ar ochr dde'r ffordd):

Gwaetha'r modd, nid oes na thystiolaeth na phrawf mai dyna ydyw!

NODIADAU

1. Yn 1985, rhoes Mattie Prichard gopi i mi o blith papurau Caradog Prichard o'r *Cylchgrawn Plwyfol – Eglwys Crist Glanogwen, Rhif XIII, Ionawr 1905* (Atodiad i *Y Perl*). Roedd Caradog yn amlwg wedi ei gadw'n ofalus iawn oherwydd ynddo ceir y cofnod a ganlyn am fedyddio 'Caradoc [*sic*], mab John a Margaret Jane Pritchard [*sic*], 24 Penybryn, Rhagfyr 4 1904'.

2. *Cylchgrawn Plwyfol – Eglwys Crist Glanogwen, Rhif 212, Ebrill 1918* (Atodiad i *Y Perl*), t. 16:

> Dydd Sadwrn, Ebrill 6ed, cynhaliodd Arglwydd Esgob Bangor Wasanaeth Conffirmasiwn yn Eglwys St Mair, Tregarth, pryd y conffirmiwyd y rhai canlynol o Eglwys Glanogwen: John Emlyn Evans, Caradoc [*sic*] Pritchard [*sic*], Gwyneth Morris a Katie Parry ...

3. *ADA*, t. 45

4. William D. Parry, *Gwaed a Thân* (Caernarfon, 1986), tt. 84-85.

5. Cafwyd y manylion hyn o 'Hanes Achos Crefydd ym Mhlwyfi Llanllechid a Llandegai, Arfon' gan W. J. Parry, yn *Y Dysgedydd*, Hydref 1909, t. 465.

6. Mae yn fy meddiant lyfryn bychan yn mesur 11cm wrth 18cm ac yn cynnwys 32 o ddudalennau dan y teitl *Detholiad o Emynau at Wasanaeth Cyfarfodydd Byddin yr Iachawdwriaeth yn Bethesda – Cangen Bethesda*. Argraffwyd ef yn 1936 gan J. Henry Jones, Printers, Port Dinorwic. Mae'n ynddo ychydig dros hanner cant o emynau, a'i bris oedd 'Dwy Geiniog'.

7. Pan ddaeth trai ar weithgareddau Byddin yr Iachawdwriaeth yn Nyffryn Ogwen, ni fu neb yn defnyddio'r adeilad am flynyddoedd. Yna, tua diwedd y 1960au, trosglwyddwyd ef i gangen o fudiad y Sgowtiaid o ganolbarth Lloegr. Erbyn heddiw, diflannodd y geiriau 'Salvation Army' oddi ar wyneb yr adeilad ac yn eu lle 'Yr Hen Neuadd'.

8. Ernest Roberts, *Ar Lwybrau'r Gwynt* (Caernarfon, 1965), tt. 50-51.

9. Ibid, t. 49.

Y GOFGOLOFN A'R MILWYR

Nid anelodd Caradog Prichard at fod yn hanesyddol gywir wrth ysgrifennu am y gofgolofn. 'Blwyddyn ar ôl i Rhyfal ddarfod ...' y cafodd y gofeb ei dadorchuddio, meddir yn *UNOL*. Yn 1919, felly, 'ac oeddan nhw wedi dewis dy Merchar i'w dadorchuddio hi am bod siopa i gyd yn Stryd yn cau bob pnawn dy Merchar'. Nodir ei bod wedi'i lleoli 'wrth Giat Reglwys' a bod 'enwa hannar cant o hogia ar y Gofgolofn' ac mai gŵr lleol, 'John Morus Cerrig Bedda oedd wedi'i gneud hi ... y gwaith gora ddaru John Morus'.

Y Gofgolofn, gydag Ysgol Glanogwen ar y dde

Caradog druan! Roedd ymhell ohoni gyda phob un o'r gosodiadau uchod (ac eithrio bod siopau'r pentref i gyd yn cau ar bnawniau Mercher!). Ym mis Mai 1919 y dechreuwyd *trafod* y syniad o godi cofeb i'r milwyr ym Methesda a bu pwyllgor o bobl leol, dan gadeiryddiaeth D. Pernant Evans, yn cyfarfod yn ystod y flwyddyn ganlynol i drefnu'r gwaith[1]. Rhoddwyd y gwaith o gynllunio'r gofeb i R. J. Roberts, Llanfairfechan, ac o galchfaen Môn y codwyd hi gan Richard Williams, yntau o Lanfairfechan.

A chyda rhaglen bwrpasol iawn[2] wedi'i chyhoeddi ar gyfer y cyfarfod, bnawn Sadwrn, Mehefin 7 1924, dadorchuddiwyd y gofgolofn gan yr Aelod Seneddol, Major David Davies, Llandinam, a chyflwynwyd Rhestr y Dewrion gan y Capten Gwilym Roberts. Cymerwyd rhan yn y gwasanaeth gan y Parchedigion J. Tonlas Hughes, Alun T. Jones a W. H. Williams. Yn dilyn y 'Dead March in Saul' gan Seindorf Arian Bethesda, a'r 'Last Post', canwyd 'Cwsg Filwr Cwsg' gan Gymdeithas Gorawl Bethesda. Y Parchedig Richard Rhys Hughes a ddraddododd y Cyflwyniad ac, ar ran Pwyllgor y Gofeb, trosglwyddwyd y Gofeb gan Dr John Gruffydd i Dr William Pritchard, Cadeirydd y Cyngor Dinesig, yn rhodd gan y Tanysgrifwyr i'r Cyngor i fod yn eiddo i'r ardal.

Cyflwynir Rhestr Anrhydedd yn y rhaglen yn cynnwys enwau pob un o ddewrion yr ardal a gollodd eu bywydau yn y Rhyfel Mawr ac mae enwau'r 91 ohonynt (nid 'hannar cant', fel y nodir yn *UNOL*) wedi eu cerfio ar y Gofeb. Trefnwyd yr enwau yn dair rhes ar du blaen a thu cefn y Gofeb gyda dwy res arall o enwau ar y naill ochr a'r llall.

Y Gofgolofn, gyda Chapel Jerusalem yn y cefndir

Yn y rhestr ganol ar du blaen y Gofeb, enw Robert Jervis (Bob Bach Sgŵl yn *UNOL*) yw'r pumed i lawr ac yn y rhestr ar y dde, enw John Savin Jones-Savin sydd nesaf at y gwaelod. Sonnir am y ddau hyn mewn mannau eraill yn y gyfrol hon.

Ar wyneb y Gofeb, uwchlaw'r tair rhestr o enwau, cerfiwyd englyn enwog R. Williams Parry, 'Ar Gofadail', a gyhoeddwyd yn *Yr Haf a Cherddi Eraill*[3] ac a gerfiwyd hefyd ar gofgolofn ym Mhenygroes, Gwynedd:

48

O Gofadail gofidiau tad a mam!
Tydi mwy drwy'r oesau
Ddysgi ffordd i ddwys goffáu
Y rhwyg o golli'r hogiau.

Y tu ôl i'r Gofeb, saif Jerusalem, capel urddasol y Methodistiaid Calfin-aidd, ac meddai Caradog yn *YRhA*[4]: 'Mae'r gofadail sydd o flaen y capel yma'n dwyn yn fyw iawn i'r cof ddyddiau duon y Rhyfel Byd Cyntaf, yn enwedig wrth graffu ar yr enwau annwyl sydd arni'.

Ond os ystumiodd Caradog Prichard ychydig ar hanes go iawn y Gof-golofn, bu'n driw iawn i atgofion eraill yn gysylltiedig ag enwau milwyr yr ardal a fu'n ymladd yn y Rhyfel Mawr. Yn *UNOL*, mae'r hogyn bach yn cofio fel y byddai Huws Person yn adrodd 'lot o weddïa' ac yn 'dŵad at yr un fyddwn i'n leicio ora ohonyn nhw i gyd … lle bydda fo'n gweddïo dros yr hogia oedd wedi listio hefo'r sowldiwrs a rheiny oedd wedi mynd yn llongwrs [a] … deud enwa'r hogia i gyd yn un rhes, fel hyn …'. Nid yw enwau'r ugain milwr a restrir yn *UNOL* yn cyfateb ag enwau'r rhai a gollwyd (ac ni fwr-iadodd Caradog iddynt fod felly) ond dyma fel y cofia Caradog yn *YRhA* am y gwasanaethau go iawn yn Eglwys Crist Glanogwen:

> Dôi adlais y Rhyfel hefyd ar y glust yn y gwasanaeth hwyrol yn yr Eglwys ac yn y Seiat nos Fawrth. Yno, a ninnau ar ein gliniau, darllenai Canon Jones, ac yn ddiweddarach Rhys Hughes ac wedyn Daniel Thomas, restr hir yr hogiau a wasanaethai eu gwlad ar dir a môr. Ac 'roedd rhyw swyn gyfaredd i mi yn sain yr enwau adnab-yddus a ddisgynnai mor ddwys o enau'r offeiriaid mewn awyrgylch addolgar. Crwydrai dychymyg dros dir a môr i'r gwledydd estron pell, ac i sŵn y gynnau mawr, fel yr enwid hwy. Yng nghwrs yr wythnosau a'r misoedd âi'r rhestr yn feithach. Ac yn ddieithriad, byddai ambell enw yngholl o'r rhestr a gwyddem fod bywyd arall wedi mynd yn aberth.[5]

Yn dilyn yr Ail Ryfel Byd, ychwanegwyd dau faen y naill ochr a'r llall i Gofeb y Rhyfel Mawr a cherfiwyd arnynt enwau pob un o'r ardal a gollodd ei fywyd yn rhyfel 1939-1945. Dadorchuddiwyd y cofebion hynny ar Ebrill 1 1950[6].

NODIADAU

1. Codwyd y manylion hyn o ddyddiaduron David D. Evans. Ceir rhagor o wybodaeth am y gŵr hwn a'i ddyddiaduron yn y bennod 'Defi Difas Snowdon View'.

2. Mae'r rhaglen yn fy meddiant: *Cofeb y Milwyr, Bethesda. Trefn y Gwasanaeth. Dadorchuddio a Chyflwyno y Gofeb*, Dydd Sadwrn, Mehefin 7fed, 1924, am 2 p.m.

3. R. Williams Parry, *Yr Haf a Cherddi Eraill* (Y Bala, 1924), t. 110.

4. *YRhA*, t. 15.

5. ibid.

6. Cyhoeddwyd Rhaglen ar gyfer seremoni dadorchuddio'r cofebion hyn hefyd.

Y CHWAREL

Chwarel y Penrhyn, wedi'i thyllu i grombil Mynydd y Fronllwyd ers 1784,
gyda Charnedd y Filiast, Mynydd Perfedd, Y Foel Goch a'r Garn yn y cefndir

Drwodd a thro, prin iawn yw'r sylw uniongyrchol a gaiff y chwarel –
Chwarel y Penrhyn, wrth gwrs – yn *UNOL*, er ein bod yn ymwybodol yn
aml iawn o'i dylanwad ar drigolion a bywyd y Pentra.

Clywn fod Huw'n awyddus iawn i fynd i weithio i'r chwarel: 'Dw i am
gael trowsus llaes ar ôl pasio Standard Ffôr a ma Mam yn deud y ca i fynd
y munud y bydda i'n bedair-ar-ddeg'. Ond mae dyheadau'r hogyn bach sy'n
adrodd y stori yn bur wahanol. Er bod ei nain am iddo fynd i weithio i'r
chwarel, ei ymateb cadarn oedd: 'Oeddwn i wedi penderfynu nad awn i
byth i'r hen Chwaral gythral yna' ac meddai wrth Huw:

> Dydw i ddim am fynd, Huw. Mae Mam wedi deud y ca i gynnig
> sgolarship a mynd i Cownti Sgŵl os gwna i basio, a wedyn mynd i
> weld y byd a chael lot o bres.

"Chei di byth fynd i weithio i'r hen chwaral 'na ... Gwna di'n dda yn yr
ysgol fel na fydd rhaid i ti fynd i ganol y llwch 'na' – dyna'r math o
gynghorion a glywyd ar sawl aelwyd a gwelwn fel yr adleisir hynny gan
fam yr hogyn bach yn y nofel.

Crybwyllir effeithiau andwyol llwch y llechfaen ar y chwarelwyr ond
mewn dull digon ffwrdd-â-hi a phur gamarweiniol:

> ma llwch Chwaral yn mynd i yddfa dynion Côr Dirwast hefyd. Dyna
> be oedd Mam yn ddeud wrtha i. Dyna pam ma rhai ohonyn nhw'n
> yfad cymaint, yr hen gnafon iddyn nhw, medda Mam.

Wrth gwrs, yn y nofel does neb yn dioddef o'r *silicosis* – yr afiechyd marwol hwnnw a barodd ddioddefaint hir, araf ac eithriadol boenus i gannoedd o chwarelwyr ym mhob chwarel lechi yng Nghymru a'r tu hwnt.

Ceir cyfeiriadau at y 'Caniad' (sef caniad corn y chwarel i ddynodi amser dechrau ac amser gorffen gweithio), y 'swpar chwaral' (y pryd bwyd a baratoid gan wraig y tŷ ar gyfer y chwarelwr pan ddeuai adref o'i waith), 'wagan yn dechra symud ar ben toman' a 'llechi toman Chwaral yn sgleinio yng ngola'r lleuad trwy friga'r coed'[1]. Ac mae sawl cyfeiriad at yr hogyn bach yn clywed 'y llechi'n symud yn hen doman Chwaral' – roedd hynny *yn* digwydd yn bur aml yn yr ardal ac roedd rhywbeth iasol yn y sŵn pan ddigwyddai yng nghefn trymedd y nos. Ond roedd cysur bob amser o wybod na symudai'r hen domennydd fyth gan fod dŵr glaw yn llifo drwyddynt yn rhwydd (heb fygwth i unrhyw domen lithro fel sy'n digwydd gyda thomennydd glo).

Clywn hefyd am 'saethu hannar dydd yn Chwaral'. Gwaith y creigwyr oedd 'saethu', a dyna oedd un o orchwylion John Pritchard, tad Caradog, ar Bonc Fitzroy[2]. Byddai ef a'i gydweithwyr yn defnyddio ebillion o wahanol hydau i dyllu i wyneb y clogwyn at wendid yn y graig; yna llenwi'r twll â phowdwr du, gosod ffiws a chilio cyn gynted ag y byddent wedi tanio'r ffiws. Byddai sŵn y graig yn cael ei chwilfriwio'n fyddarol ac yn peri i'r ddaear grynu dros bellter sylweddol o'r chwarel. Ond nid oedd na chynllun nac amser ar gyfer gwneud hynny yn y blynyddoedd cynnar nes y penderfynwyd yn 1855 bod rhaid cael gwell trefn o safbwynt saethu ar y gwahanol bonciau yn y chwarel. Dechreuwyd saethu ar yr awr bob awr fwy neu lai o hynny ymlaen tan ganol y ganrif ddiwethaf.

Llun a dynnwyd o ran o Chwarel y Penrhyn gan John H. Jones, Bryntirion,
Bethesda, ym mis Mehefin 1905. Chwarelwr cyffredin ond ffotograffydd penigamp

Nid oes ond ychydig iawn o sôn am chwarelwyr yn y nofel (er bod rhai o'r cymeriadau *yn* chwarelwyr). Cofiwn y fam yn dweud bod 'lot o ddynion da'n gweithio'n Chwaral. Dynion run fath â Defi Difas ... A rhai run fath â Wil Colar Startsh'. A rhai'r un fath â'i brawd ei hun, wrth gwrs, a oedd wedi 'dechra mynd i feddwi a cael ei hel adra o Chwaral am fynd ar ei sbri'. Ni ddewisodd Caradog Prichard sôn am ddiwylliant cyfoethog, amlochrog y chwarelwyr ac ni chanfu le i bortreadu gweithwyr â doniau arbennig mewn nifer o feysydd gwahanol.

NODIADAU

1. Mae rhestr o eiriau a thermau a ddefnyddid yn y diwydiant llechi wedi eu cynnwys yn yn y bennod 'Termau'r Chwarel a'u Hystyron' (tt. 123-162) yng nghyfrol werthfawr Emyr Jones, *Canrif y Chwarelwr* (Dinbych [1963]).

2. Roedd dros ddeg ar hugain o wahanol bonciau yn Chwarel y Penrhyn. Enwyd rhai ohonynt, fel y gellid disgwyl, ar ôl teulu'r Penrhyn (e.e. Douglas, Pennant, Penrhyn, Lord, Lady, George, Alice, Fitzroy, Harding, Rushout). Cafodd Ponc Edward ei henw'n dilyn ymweliad â'r Chwarel yn 1864 gan y tywysog ifanc a ddaeth yn Edward VII yn ddiweddarach. Yna, ddeng mlynedd ar hugain ar ôl hynny, daeth Princess May (fel y gelwid y Dywysoges Victoria Mary o Teck cyn iddi ddod yn wraig y Brenin Siôr y Pumed) i Chwarel y Penrhyn ac enwyd ponc ar ei hôl hithau. Enwyd eraill yn ôl eu lleoliad (e.e. Gefnan, Giarat, Tan Giarat, *Ceiling*), eraill wedi eu cymryd o enw lle neu ddigwyddiad hanesyddol (Sebastopol, Agor Boni), ac eraill yn dwyn enw unigolion (e.e. William Owen, William Parry) na ellid bod yn sicr pwy oeddynt erbyn heddiw.

Y COWNTI SGŴL

Ysgol y Sir, Bethesda

Ychydig iawn o gyfeiriadau sydd yn *UNOL* at y 'Cownti Sgŵl' a hynny'n ddigon dealladwy gan nad yw cylch amser y nofel, drwodd a thro, yn cwmpasu cyfnod yr hogyn bach yn yr ysgol uwchradd.

Tri chyfeiriad a geir at yr ysgol, a hynny wrth fynd heibio, fel petai. Sonnir am fenter Arthur Tan Bryn yn 'diengyd o Cownti Sgŵl i fynd at y sowldiwrs'; am addewid y fam i'r hogyn bach: 'Mae Mam wedi deud y ca i gynnig sgolarship a mynd i Cownti Sgŵl os gwna i basio, a wedyn mynd i weld y byd a chael lot o bres'; ac, yn olaf, ar y daith i Bwlch, mae'r hogyn bach yn tynnu sylw'i fam at y Cownti Sgŵl 'i lawr fanacw' yn y dyffryn.

Yn ei hunangofiant, *Afal Drwg Adda*, mae Caradog Prichard yn adrodd hanes y 'sgolarship':

> ... y diwrnod mwyaf cofiadwy oedd hwnnw pan ddaeth canlyniad yr arholiad am ysgoloriaeth i'r Ysgol Sir, – y Cownti Sgwl oedd hi ar lafar ardal yr adeg honno. Nid oeddwn i'n rhyw obeithiol iawn. Mi wyddwn fy mod wedi llithro o leiaf ddwywaith. Roeddwn wedi syrthio i un o faglau Miss Lake, un o athrawesau'r ysgol, pan roddodd ddarn o 'dictation' inni. 'And then the left-tenant ...' meddai Miss Lake. 'And then the left-tenant ...' sgrifennais innau. Yr oedd rhywun hefyd wedi gofyn imi gael hyd i orsaf neilltuol mewn clamp o *time-table* a bûm yn ffwndro drwyddo heb fyth gael hyd iddi. Ond mi

ddois allan yn wythfed, er mawr lawenydd i Mam yng Nglanrafon ac i'r teulu'n gyffredinol.[1]

Y 'Cownti Sgŵl' oedd Ysgol y Sir, Bethesda, a rhydd Caradog Prichard hanes lliwgar ei ddiwrnod cyntaf yno cyn mynd ymlaen i sôn am ei athrawon a'u dylanwad arno. Ymhelaetha hefyd ar bethau eraill a gymerodd ei sylw:

> Adeg hyfryd iawn oedd y blynyddoedd cyntaf hyn yn yr ysgol. Adeg gwneud cyfeillion a syrthio mewn cariad. Dechrau sgrifennu penill-ion i rai o'r genod y byddwn yn cael edrych arnyn nhw drwy'r dydd a breuddwydio amdanyn nhw drwy'r nos, – Nesta, Gwladys, Dilys, Katie, Louisa, Eluned. Mi dorrais fy nghalon am bob un ohonyn nhw yn ei thro a chael ei mendio gan y nesaf o hyd.[2]

Yn rhyfedd iawn, pan oedd ar fin ymddangos ar raglen deledu efo Ernest Roberts i drafod lluniau rhai o gymeriadau a llefydd *UNOL*, mynnodd nad oedd eisiau dangos llun y Cownti Sgŵl — 'mi fuo gas gen i'r lle,' meddai. Ac meddai Ernest Roberts:

> Synnais ei glywed yn deud hynny. Gofynnais pam ond ni ches ateb. Doeddwn i 'rioed wedi ei glywed yn dweud yn angharedig am yr ysgol na'i hathrawon, nac am neb arall chwaith. Bûm yn trio dyfalu pam, ond fedrwn i ddim meddwl am ddim[3].

Yr unig reswm y gellir meddwl amdano yw mai ym mlynyddoedd olaf Caradog yn yr ysgol uwchradd y dechreuodd ei fam amlygu arwyddion cyntaf y gorffwylledd a'i llethodd ymhen ychydig wedyn. Roedd yn gyfnod anhapus iawn yn ei fywyd – dyma'r adeg y chwiliai'n 'wyllt am ryw fodd i atal y chwalfa' a thrwy chwilio am swydd teimlai y gallai 'achub y cartref yn *Long Street*' ac 'atal rhuthr y chwalfa'. Dywedodd wrth brifathro'r ysgol, D. J. Williams, ei fod yn gorfod gadael yr ysgol. A dyna a wnaeth a chael swydd yn brentis golygydd gyda phapurau'r *Herald* yng Nghaer-narfon.

Mae'n bwysig cofnodi nad oes gan Caradog ond y gorau i'w ddweud yn *YRhA* ac *ADA* am Ysgol y Sir, Bethesda, ac am y rhan fwyaf o'r athrawon a fu'n ei ddysgu (ac eithrio'r un athrawes a nodir uchod, sef Miss Ruth Lake, ac fe sathrodd hi'n drwm ar ei gyrn ar un achlysur pan amheuodd ddilysrwydd rhyw damaid o waith a wnaethai iddi[4].

Diflannodd Ysgol y Sir pan unwyd hi â'r ysgol ganolraddol dros y ffordd iddi, sef Ysgol y Cefnfaes, yn 1950 a ffurfio Ysgol Dyffryn Ogwen.[5]

NODIADAU

1. *ADA*, t. 19.

2. *ADA*, tt. 22-23.

3. Ernest Roberts, *Yr Herald Cymraeg*, Awst 5 1985: 'Ceisio gwarchod Cradog [*sic*] rhag brifo neb byw'.

4. Ceir yr hanes yn llawn yn *Byd a Bywyd Caradog Prichard*, t. 37.

5. Gw. J. Elwyn Hughes, *Canmlwyddiant Ysgol Dyffryn Ogwen, 1895-1995* (Llangefni, 1995).

Y 'CASTALL' A THRIP CÔR REGLWYS

Pan aeth yr hogyn bach yn *UNOL* 'hefo trip Côr Reglwys i Glanabar', gwelodd y môr am y tro cyntaf erioed a hynny o 'Ochor Foel', sef Moel Faban.

Cawn ddisgrifiad diddorol o Foel Faban gan un o gyfeillion bore oes Caradog Prichard, sef y Prifardd Emrys Edwards, mewn darlith, 'Pesda i Mi', a draddododd yng Nghapel Jerusalem, Bethesda, Mawrth 10 1976[1]:

> Mynydd digon diolwg a di-ramant i'r dieithryn. Mynydd hyll yr olwg, heb siâp anghyffredin, a'r cerrig mân drosto yn rhoi golwg oer ac annifyr iddo. Gallwn enwi dwsinau o fryniau neisiach o ran ffurf a chymeriad, ond hwn oedd fy Mynydd i. Moel Faban a'r Llefn a Moel Wnion a'r Gyrn a'r Cras a'r Trwsgl. Fe anfarwolodd Syr Thomas Parry-Williams y 'moelni maith' a berthynai i fryniau Rhyd-ddu, ond pa beth a ddywedai pe gwelsai foelni Moel Faban? Ni bu fynydd cyn hylled, na chyn anwyled chwaith.

O ben y Foel y gwelodd yr hogyn bach yn *UNOL* gastell 'yn edrach o bell run fath yn union â castall dol' ac wrth gydgerdded efo Ceri, merch y Canon, dywed hithau stori ramantus am ddau gariad wrtho. Cawn wybod bod yr hogyn bach yn 'ddeg [ym] mis Tachwadd' a hithau'n ddeunaw oed, ac fe noda union amser yr olygfa, sef 'Blwyddyn cyn i Canon farw'.

Pe baem yn glynu wrth ffeithiau'r byd real, byddem yn casglu i'r olygfa hon ddigwydd yn 1916, gan mai yn 1917 y bu'r Canon 'go iawn' farw. Golygai hynny, felly, y byddai Caradog Prichard, ac yntau wedi'i eni ar Dachwedd 3 1904, o fewn ychydig i fod yn bedair ar ddeg oed, a Ceri (a aned yn 1892) yn 24 oed. A dyna enghraifft o'r nofelydd yn gwyrdroi rhyw fymryn bach ar y ffeithiau i bwrpas gwead y cyfanwaith.

Y 'castall' a wêl yr hogyn bach yn y coed yw Castell mawreddog teulu'r Penrhyn heb fod nepell o Landygái[2]. Pan ddaeth Richard Pennant i'r ardal gyntaf a phriodi, yn 1865, ag Anne Susannah Warburton, etifeddes stad y Penrhyn, mewn plasty hardd y trigai'r teulu. Yna, ymhen blynyddoedd ar ôl marw Richard (yn 1808) ac Anne (yn 1816), daeth eu holynydd, George Hay Dawkins Pennant, i fyw i'r plasty ac mae'n amlwg iddo weld yr angen am gartref mwy urddasol.

Tua 1828, dechreuwyd codi castell anferth, wedi'i gynllunio ar batrwm neo-Normanaidd gan bensaer o'r enw Thomas Hopper, ar safle'r hen blasty a oedd yn dyddio'n ôl i'r Canol Oesoedd, a chymerwyd oddeutu deng mlynedd i'w gwblhau. Bu ym meddiant teulu'r Penrhyn, perchnogion stad enfawr a chwarel lechi fwyaf y byd, tan 1951 pan drosglwyddwyd ef i feddiant yr Ymddiriedolaeth Genedlaethol. Heddiw, mae'n denu oddeutu dau gan mil o ymwelwyr bob blwyddyn o bob cwr o'r byd ac yn un o'r prif atyniadau i dwristiaid yng Nghymru.

Castell y Penrhyn, bron fel y gwelodd Caradog ef o ben Moel Faban

*　　　*　　　*

Roedd tripiau blynyddol Ysgolion Sul yr addoldai lleol yn Nyffryn Ogwen (fel mewn llaweroedd o lefydd eraill) yn ddigwyddiadau y byddai edrych ymlaen gyda brwdfrydedd mawr atynt am fisoedd ymlaen llaw.

Trip Ysgol Sul Eglwys Glanogwen ar fin cychwyn ar eu taith

Cofiaf i mi ddangos i Caradog un tro y llun uchod o aelodau Eglwys Crist Glanogwen yn barod i gychwyn ar eu trip Ysgol Sul – ac yntau'n craffu arno i weld a oedd ef ymhlith y criw! Ni chredaf i'r un o'r ddau ohonom allu ei adnabod ond mynnai iddo fod yn un o griw ar gerbyd cyffelyb un waith.

Ond mae hanes trip Côr Reglwys yn *UNOL* ychydig yn wahanol i hynny, gan mai ar y trên yr oedd yr aelodau'n teithio y tro hwnnw. Yng ngorsaf reilffordd Bethesda yr oedd pawb i ymgynnull a byddai'r plant yn mynd yno'r noson cynt i weld yr injan a'r paratoadau'n cael eu gwneud ar gyfer y trip.

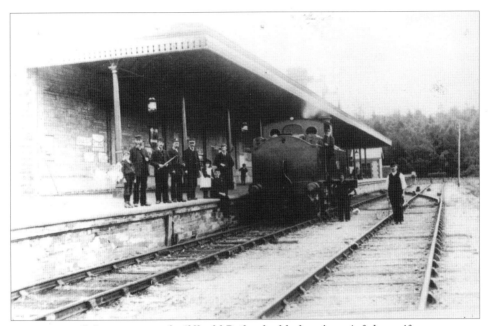

Injan yng ngorsaf reilffordd Bethesda ddechrau'r ugeinfed ganrif

Ond yn *UNOL* nid yw'r hogyn bach a'i ffrindiau'n cychwyn o Fethesda yn y trên:

> yn lle mynd hefo trên be ddaru ni ond penderfynu cerddad dros Ochor Foel i lawr i Lôn Bost a mynd yn y trên o fanno i Glanabar. Oeddwn i erioed wedi bod mewn trên o'r blaen chwaith.

Mae'n anodd gwybod i ble'n union yr aeth y trip Côr Reglwys y cyfeirir ato gan Caradog. Yn *Cylchgrawn Plwyfol – Eglwys Crist Glanogwen*, sonnir am wibdaith y Côr ym 1911:

> Y lle dewisedig eleni gan y Côr i ymweld ag ef ydoedd Llandudno, a

bore Mercher, Gorffennaf 26, gwelid yr aelodau yn prysuro eu camrau tua'r orsaf am y gerbydres gyntaf ...[3]

Yn yr un cyhoeddiad bedair blynedd yn ddiweddarach[4], cawn adroddiad diddorol iawn, dan y pennawd 'Pleserdaith':

> Nid doethineb fuasai gadael pleserdaith aelodau ieuengaf y Côr fyned heibio heb gofnodiad am dani ar dudalennau y *Perl*. Cymerodd y digwyddiad hapus le prydnawn ddydd Mercher, y 18fed o Awst, a'r man dewisedig ydoedd Llanfairfechan. Trefnwyd i gychwyn oddiwrth borth yr Eglwys am un o'r gloch, a hawdd gan bawb gredu nad oedd yr un gopa walltog ohonynt nad oedd wedi cymeryd ei le yn brydlon yn y cerbyd modur eang oedd wedi ei gyflogi. Cychwynwyd yn brydlawn ac yr oedd rhagluniaeth yn gwenu arnom yn siriol, ac yr oedd yr ieuenctyd ysgafnfron yn eu hwyliau goreu yn canu ac yn cymeryd sylw o wahanol bethau ar y daith bleserus.
>
> Cyrhaeddasom yn ddiogel a chyn gwahanu trefnwyd fod i'r fintai gyrchu erbyn 3.30 i dy bwyta fel y caffont eu diwallu ag angenrheidiau y corph, erbyn yr amser penodedig yr oedd y corph a'i angen wedi eu harwain i'r fan a chawsant oll eu digoni a'u gwala o ymborth sylweddol, yna ymwahanwyd am ryw ddwy awr arall o rodianu y lle cyn paratoi i ddychwelyd. Ac ar yr awr nodwyd cychwynnwyd yn ôl, a golwg llafurus ar yr oll o honom, am Bethesda. Cydnabyddodd y plant eu diolchgarwch i Canon Jones am y *treat* yn y dull arferol a thynnwyd y cwbl i derfyn boddhaol, heb i neb fyned i brofedigaeth ...

Credaf mai atgofion am y tripiau hyn ryw hanner canrif ynghynt a ysgogodd stori trip y Côr yn *UNOL*. Ni allwn ond dyfalu lle ydi 'Glanabar' yn y nofel. Ni chredaf mai at Aberogwen nac Abergwyngregyn y cyfeirir (er bod y ddau le hyn yn gyrchfannau poblogaidd i wibdeithiau ym mlynyddoedd cynnar yr ugeinfed ganrif). Er bod sôn am 'am drip ar stemar' a chael 'pas ar gefn mul' yn awgrymu mai Llandudno oedd cyrchfan y trip y sonia Caradog amdano, ni allwn anwybyddu'r hyn a ysgrifennodd Caradog Prichard yn *ADA*:

> A beth am y diwrnod hwnnw pan aeth Ysgol Sul Glanogwen am drip i Lanfairfechan a minnau'n cael bod ar lan y môr am y tro cyntaf yn fy mywyd? ...[5]

Yn Llanfairfechan, felly, y cafodd Caradog fod ar lan y môr am y tro cyntaf erioed ac ni allwn lai na chofio mai ar wibdaith 'Côr Reglwys i Glanabar' yr oedd yr hogyn bach yn y nofel pan welodd y môr am y tro cyntaf erioed.

NODIADAU

1. Cyhoeddwyd y ddarlith, dan y teitl, *Pesda i Mi*, gan Wasanaeth Llyfrgell Gwynedd – Rhanbarth Arfon/Dwyfor yn 1977, yn y gyfres Darlith Flynyddol Llyfrgell Bethesda.

2. Mae'n annhebygol mai Castell Caernarfon a olygid, fel yr awgryma Simon Brooks yn *Tu Chwith*, Ebrill/Mai 1993, t. 20.

3. Roedd *Cylchgrawn Plwyfol – Eglwys Crist Glanogwen* yn cael ei gynnwys bob mis fel atodiad i *Y Perl*. Y rhifyn y cyfeirir ato yma yw rhifyn Awst 1911, Rhif 128.

4. Ibid., rhifyn Medi 1915, Rhif 177.

5. *ADA*, t. 29.

YSGOL PONT STABLA

Ysgol Pont-tŵr

Enw go iawn Ysgol Pont Stabla oedd Ysgol Pont-tŵr (neu Ysgol Pont-y-Tŵr neu hyd yn oed Ysgol Ty'n Tŵr, gan y defnyddid y tair ffurf mor aml â'i gilydd). Codwyd yr ysgol yn 1830 o fewn tafliad carreg i Bont-y-Tŵr a groesai Afon Ogwen ryw ddau gan llath oddi wrthi. Ysgol rydd oedd hon i ddechrau, heb fod yn perthyn i'r Gymdeithas Genedlaethol (ar gyfer plant eglwyswyr) nac i Gymdeithas yr Ysgolion Brutanaidd a Thramor, ac wedi'i chodi ar dir a roddwyd yn rhodd gan yr Arglwydd Penrhyn (Edward Gordon Douglas Pennant). Mewn cyfrol gynhwysfawr ar hanes lleol yr ardal, *Hynafiaethau Llandegai a Llanllechid*[1], rhydd yr awdur fanylion diddorol am yr ysgol. Ym mis Rhagfyr 1864, meddai Hugh Derfel Hughes, dan ofal Mr W. Jones ac Ann Morgan, roedd 148 o fechgyn yn yr ysgol a 144 o enethod – 292 o ddisgyblion dan ofal dau aelod o'r staff mewn dwy ystafell!

Yn y llun, a dynnwyd o ben un o domennydd Chwarel y Penrhyn yn edrych i lawr ar yr adeilad, gwelwn mai cynllun syml iawn oedd i'r ysgol – Tŷ'r Ysgol ar y chwith ac un rhan o adeilad yr ysgol yn rhedeg oddi wrtho, fel petai, i ymuno â rhan arall yn rhedeg yn groes (tuag at flaen y llun). Dwy ystafell fawr oedd y rhain, mewn gwirionedd. Roedd cyntedd bychan ar ochr chwith y rhan groes ac un ystafell fechan yn y cefn (ar y dde wrth edrych ar y llun), gyda'r toiledau i'w gweld yn amlwg wrth y clawdd y tu ôl i'r ysgol.

Mae'n werth nodi i un o'r ystafelloedd mawr hyn gael ei defnyddio fel ysbyty dros-dro ym mis Hydref 1882 ar gyfer rhyw ddeg ar hugain o gleifion yn dioddef o'r teiffoid[2]. Caewyd yr ysgol yn 1915[3] a chafodd yr adeilad ei ddefnyddio i wahanol bwrpasau dros y blynyddoedd wedi hynny; bu'n ganolfan hyfforddi prentisiaid Chwarel y Penrhyn ddechrau'r 1950au, bu'n glwb ieuenctid (lle'r oedd dau fwrdd snwcer), a châi ei ddefnyddio i gynnal dawnsiau, gyrfaoedd chwist, cyngherddau a phartïon ar achlysuron arbennig.

Roedd llain o dir o flaen yr ysgol lle chwaraeai'r plant a lle cynhelid pob math o weithgareddau gan y gymdeithas leol dros y blynyddoedd. Yn y 1920-30au ac wedyn yn y 1950au, dyma gartref Carnifál Pont-Tŵr (neu Garnifál *Ty'n tŵr* ar adegau) ac ar y llain tir y byddai pawb yn ymgynnull wrth baratoi i orymdeithio i lawr y Lôn Bost i Fethesda ac yna i'r Neuadd Gyhoeddus i goroni'r Frenhines Lechi. Ysgrifennodd Ifor Edwards mewn erthygl yn *Llais Ogwan*[4] am weithgareddau eraill yn yr hen ysgol:

> ... yn y 20au cofiaf sioe grwydrol o ddarluniau byw yn dod yno am ryw dair noson – peth newydd y dyddiau hynny – a llawer o siarad ac edrych ymlaen yn y gymdogaeth at yr amgylchiad dieithr ... fe fyddai dawnsio hefyd yn yr hen ysgol noson neu ddwy yn yr wythnos ... gyrfa chwist ... dosbarthiadau cymorth cyntaf Chwarel y Penrhyn am flynyddoedd ...

Yn *UNOL*, adroddir am blant Rysgol yn cael diwrnod rhydd 'i gael te parti yn cae Ysgol Pont Stabla am fod Elwyn Pen Rhes wedi ennill y D.C.M.'. Roedd gorymdaith 'ar hyd Stryd, o ben Lôn Newydd reit i fyny at Giat Reglwys, a wedyn i fyny at Ysgol Pont Stabla ... lle oedd y goitsh yn stopio, a pawb yn mynd i mewn i'r cwarfod lle oeddan nhw'n rhoid y fedal i Elwyn ... Ac i mewn a ni i cae Ysgol Pont Stabla a dechra sglaffio pob math o gacenna a brechdanna efo'r lleill'. Nid oes amheuaeth na chynhelid achlysuron fel hyn ar y safle, yn ogystal ag ambell barti, ond ni lwyddwyd i ddod o hyd i unrhyw dystiolaeth am ddathliad o'r fath yn hanes milwr y D.C.M. (gw. y bennod ar 'Elwyn Pen Rhes').

Tua diwedd yr ugeinfed ganrif, cafodd yr hen ysgol ei throi'n weithdy saer a stordy gan ymgymerwr adeiladu lleol. Ar dro'r ganrif bresennol, derbyniwyd cynlluniau i drawsnewid dwy ystafell fawr yr hen adeilad yn ddyrnaid o anheddau bychain.

NODIADAU

1. Hugh Derfel Hughes, *Hynafiaethau Llandegai a Llanllechid* (Bethesda, 1866), t. 110. Ychwanega'r awdur: 'Ysgol rydd yw hon, a chyfrannodd yr Arglwydd Willoughby, a gweithwyr Cloddfa y Cae [sef Chwarel y Penrhyn] ati yn ehelaeth'.

2. Gw. Glyn Penrhyn Jones, *Newyn a Haint yng Nghymru* (Caernarfon 1962), tt. 102-3.

3. Gw. *Y Genedl Gymreig*, Hydref 25, 1915, t. 8.

4. 'Ysgol Pont Twr', *Llais Ogwan*, Tachwedd 1981, t. 4.

RHAN 2

POBL A CHYMERIADAU

Y Fam, Catrin Jên Lôn Isa, Gryffudd Ifas Braich, Yncl Wil,
    ac Eic Wilias Glo
Guto Bwlch a'i Deulu
Betsan Parri – Nain Pen Bryn
Arthur Tan Bryn
Bleddyn Ifans Garth
Bob Bach Pen Clawdd
Bob Car Llefrith
Y Canon a'i Deulu
Defi Difas Snowdon View
Dr Pritchard
Elwyn Pen Rhes
Harri Bach Clocsia
Huw a Moi
Huw Penwaig
Huws Person
Joni Sowth
Mister Vinsent Bank a'i wraig a'u hogyn bach, Cyril
Now Gwas Gorlan, Robin Gwas Bach Gorlan a Now Bach Glo
Yr 'Oddfellows'
Preis Sgŵl a'i Deulu
Tad Dewi Siop Gornal – a Dewi
Wil Colar Starts
Wil Elis Portar

Y FAM, CATRIN JÊN LÔN ISA, GRYFFUDD IFAS BRAICH, YNCL WIL, AC EIC WILIAS GLO

Mae'r fam yn chwarae rhan flaenllaw iawn yn *UNOL* ac mae nifer o feirniaid llenyddol blaenllaw wedi trafod ei harwyddocâd a'i phwysigrwydd nid yn unig yn y nofel hon ond hefyd yng ngweithiau eraill Caradog Prichard, yn ogystal ag yn ei fywyd yn gyffredinol, wrth gwrs.

Rwy'n siŵr fod pawb sy'n gyfarwydd â hanes go iawn Caradog Prichard yn gallu gweld pa mor agos at y byd go ddifri yw hanes y fam yn *UNOL*. Oherwydd hynny, a chan fy mod eisoes wedi croniclo'r hanes yn bur fanwl yn *Byd a Bywyd Caradog Prichard*, ni roddaf ond braslun cryno isod, yn bennaf er mwyn amlygu'r tebygrwydd rhwng portread y nofelydd o fam yr hogyn bach yn y nofel a'r darlun o fam go iawn Caradog Prichard.

*   *   *

Cawn gyfeiriadau yn y nofel at ddyddiau cynnar y fam. Wrth gerdded 'dros y Mynydd' gyda'i mab, mae hi'n tynnu ei sylw at y tŷ lle cafodd ei magu ac at yr ysgol a fynychai'n blentyn.

Margaret Jane Pritchard   *John Pritchard*

Gwyddom fod Margaret Jane, mam Caradog, wedi'i geni ar Orffennaf 15 1875, yr ieuengaf o bump o blant a aned i Griffith a Margaret Williams, ac iddi gael ei magu yn 2 Tanybwlch, Mynydd Llandygái, ger Bethesda. Mae'n debyg mai wedi i'r teulu symud i Ben-y-bryn, Bethesda, ryw dro yn y 1890au, y cyfarfu Margaret Jane â John, yr ieuengaf o wyth o blant William ac Elizabeth Pritchard.

Priodwyd Margaret a John ar Ionawr 17 1896, yn Swyddfa'r Cofrestrydd ym Mangor, ac mae'n debygol iawn iddynt ymgartrefu gyda'i rhieni hi ar ôl iddynt briodi. Cawsant bedwar o feibion: William (a aned ym mis Mawrth 1897 ond a fu farw ar Ebrill 26 yn 5 wythnos oed); Howell (Awst 8 1900); Glyn (Ionawr 16 1902), a Caradog (Tachwedd 3 1904).

Does dim sôn yn *UNOL* fod gan yr hogyn bach frodyr a chawn yr argraff mai unig blentyn ydyw. Roedd gan y fam feddwl y byd ohono; roedd yn annwyl ei ffordd efo fo (a'i therm anwes amdano oedd "nghyw i'), ac yn awyddus iawn iddo basio'r 'sgolarship a mynd i Cownti Sgŵl'. A chaiff hynny ei adlewyrchu ym mywyd go iawn Caradog Prichard. Pan gyrhaeddodd Caradog ganol ei arddegau, ac yntau'n ddisgybl yn y 'Cownti Sgŵl', roedd Howell a Glyn wedi gadael cartref a'i adael ef a'i fam weddw ar eu pennau eu hunain. Edrychodd ar ei hôl yn ffyddlon drwy gyfnod anodd iawn yn hanes y ddau.

Gwraig weddw oedd y fam yn *UNOL* hefyd a dim ond dau gyfeiriad uniongyrchol sydd at ei gŵr yn y nofel i gyd a hynny pan ddywed wrth ei mab, a oedd wedi sylwi arni'n crio: '... doeddwn i ddim yn crio, medda hitha, a sychu'i llygaid efo'i barclod, a dal i sbïo i'r tân. Meddwl am dy dad oeddwn i'. Ac yna, pan mae'r hogyn bach yn holi am ei dad, ni chaiff ei gwestiwn fawr o groeso:

> Mam, meddwn i, oedd Tada'n medru bocsio pan oedd o'n hogyn ifanc?
> Doedd yna ddim atab am hir iawn, dim ond twrw'r hetar smwddio'n dyrnu i fyny-ag-i-lawr ar y bwrdd.
> Dos i gysgu, yr hen genna bach, medda Mam o'r diwadd, a paid a gofyn hen gwestiyna gwirion.

Ac wrth i'r hogyn bach sôn am Gryffudd Ifas Braich, a gawsai ei ladd yn y chwarel, mae'n amlwg ei fod yn taro tant arbennig o gyfarwydd ym meddwl y fam nes peri iddi stopio smwddio a dechrau crio. Mae'r disgrifiad a geir yn *UNOL* am Gryffudd Ifas Braich 'wedi hollti'i ben pan gafodd o i ladd ar Bonc Rhiwia' yn adleisio'r hyn a ddigwyddasai i John Pritchard, tad Caradog, pan gafodd yntau ei ladd ar Bonc Fitzroy yn Chwarel y Penrhyn ar Ebrill 4 1905. Yn ôl adroddiad am y ddamwain yn *Y Genedl Gymreig*[1], dywedir i garreg syrthio o'r bonc uwchlaw a tharo John Pritchard 'yn ei ben nes ei hollti yn ei ganol a'i ladd yn y fan'.

Ar garreg ei fedd ym Mynwent Eglwys Crist Glanogwen, yn union fel ar garreg fedd Gryffudd Ifas Braich yn *UNOL*, mae'r adnod: 'Yng nghanol ein bywyd yr ydym mewn angau'.

Ponc Fitzroy yn Chwarel y Penrhyn

*   *   *

Cyfeirir yn *UNOL* at ambell aelod o deulu'r fam. Aflonyddu arni a wna'i brawd, sef yr Yncl Wil annifyr yn y nofel:

> Brawd Mam oedd Yncl Wil. Oedd o wedi bod yn byw hefo ni erstalwm, pan oeddwn i'n fabi bach ... fydda Mam byth yn sôn amdano fo, a neb yn gwybod dim byd o'i hanas o.

Ac mor debyg yw'r stori arswyd a ganlyn yn *UNOL* i ddisgrifiad Caradog Prichard o'r olygfa go iawn yn *ADA*:

> Oedd hi'n hannar nos, a Mam a finna yn gwely, pan ddaeth yna gnoc ar drws. A dyma Mam yn codi a mynd i drws.
>
> Pwy sy yna? medda hi, heb agor drws, a finna'n gwrando, wedi dychryn. Agor y drws yma'r diawl, medda llais dyn chwil o tu allan.
>
> Yncl Wil, medda fi wrtha fi'n hun, yn crynu fel deilan. A dyma fi'n clywad Mam yn gweiddi: Dos i fan fynnoch di. Chei di byth roid[2] dy droed yn y tŷ yma.

A Yncl Wil yn gneud sŵn run fath â ci'n chwyrnu tu allan. A wedyn, pob man yn ddistaw. A Mam yn dŵad yn ôl i siambar yn crynu fel deilan ...

Ychydig iawn a newidiodd ar y stori wrth ei hadrodd yn *ADA*:

Testun yr unig atgof arall sydd gennyf am y Bryn Teg yw Yncl Jack, brawd Mam. Ganol nos oedd hi. Brawychwyd fi o gwsg gan lais croch meddw yn gweiddi: 'Agor y drws yma'r diawl'. A llais main crynedig Mam yn ateb: 'Dos di i'r fan fynnoch di. Chei di byth ddŵad i'r tŷ yma eto'. Yna tawelwch. A minnau'n crynu fel deilen ac yn mynd yn ôl i gysgu[3].

Oddeutu 1862 y ganwyd John, brawd hynaf Margaret Jane. Rhyw 'dderyn go frith oedd John o'r dechrau ac ychydig iawn a wyddys amdano (fel sy'n wir am Yncl Wil y nofel). Mae Caradog yn cyfeirio at John fel 'cerddor ifanc disglair fu'n organydd Amana' (sef Capel yr Annibynwyr ym Mynydd Llandygái)[4]. Ar ôl i'r teulu symud i Fethesda, byddai'n ddigon naturiol i John fod wedi rhoi'r gorau i fynychu Capel Amana ym Mynydd Llandygái ac ymuno â chapel Annibynwyr ar lawr y Dyffryn. Ond ymddengys mai ymuno â'r Eglwys yng Nglanogwen a wnaeth ac roedd yn aelod o'r côr yno yn ystod Streic 1896-97 yn y Chwarel ac, yn ôl a ddywedir yn y nofel, 'yn chwara'r organ yn Reglwys weithia'. Dylid nodi bod nifer o chwarelwyr a'u teuluoedd yn troi at yr Eglwys yn ystod blynyddoedd duon Bethesda a'r cyffiniau nid am y credent eu bod yn nes at Dduw yno ond am y teimlent y byddent gymaint â hynny'n nes at ennill ffafr yr Arglwydd Penrhyn a'i swyddogion yn y chwarel!

Ehangir y darlun o John Williams yn *ADA* pan ddywed Caradog fod ei ewythr yn 'peri cymaint o ddychryn imi pan fyddai'n dod i dyngu a rhegi wrth ein drws ganol nos; Yncl Jack y diotwr na fedrai fforddio ei ddiod a gorfod marw yn Wyrcws Bangor'[5]. A chadarnheir ei hoffter o alcohol gan David D. Davies, Rheolwr Chwarel y Penrhyn, wrth drafod cais a wnaethai John Williams yn 1902 i gael ei waith yn ôl yn Chwarel y Penrhyn: 'He had very drunken habits and was suspected of losing time to drink'. Roedd John Williams yn byw yn Llwyn Onn ar y pryd ac yn chwilio am waith yn y Chwarel *yn ystod* y Streic Fawr, gan ddilyn ei dad a'i frawd, Henry, a oedd yn fradwyr yr unfed ar ddeg o Fehefin (1901). Yn *UNOL*, dywedir i'r ewythr gael 'ei hel adra o Chwaral am fynd ar ei sbri. Ac ar ôl hynny mi aeth yn dramp'. Os dyna a ddigwyddodd i'r ewythr go iawn, pa ryfedd i John Williams farw yn y wyrcws ym Mangor (os gwir hynny).

*   *   *

Mary, chwaer hynaf Margaret Jane, yw'r aelod arall o'r teulu go iawn a gaiff sylw yn y nofel. Hi oedd Anti Elin yr hogyn bach a oedd yn byw yn Bwlch 'dros Mynydd'. Roedd hi'n garedig iawn wrth y fam, a'r hogyn bach yn ffrindiau mawr efo'i gefnder Guto, a'i gyfnither Catrin.

> Bob dy Merchar fydda Mam yn mynd, achos erbyn dy Merchar mi fydda bwyd wedi mynd yn brin, a pres plwy ddim yn dŵad tan dy Gwenar. A mi fydda Mam yn mynd a rhwyd fawr hefo hi, a dŵad a hi'n ôl yn llawn dop o bob matha o betha i fwyta, petha fydda hi'n gael gan Anti Elin i ddŵad adra o Bwlch.

Ac mae'r stori hon yn cyfochri â'r hyn a ddigwyddai go iawn. Sonnir rhagor am deulu'r Bwlch yn y bennod, 'Guto Bwlch a'i Deulu'.

Tua diwedd *UNOL*, dywedir bod yr hogyn bach yn cael hyd i lun arbennig sy'n dwyn Anti Elin a'i fam a'i nain yn ôl i'w gof:

> Llun Mam a Nain oedd o, a wedi cael ei dynnu diwrnod cnebrwng Anti Elin. A'r ddwy'n sefyll yn fanno yn eu dillad du, a Mam yn edrach yn ifanc wrth ochor Nain, ac yn gwisgo'r het bach ddu a cantal fflat honno, run fath â het Huws Person. Ac er bod y ddwy wedi gwenu ar y dyn tynnu llunia, oedd digon hawdd gweld bod yna lot o ddagra'n sbâr ar ôl cnebrwng yn eu llgada nhw.

O gyfochri 'diwrnod cnebrwng Anti Elin' yn y dyfyniad uchod â'r byd go iawn, cofiwn i Mary, chwaer mam Caradog Prichard, farw yn 1925. Ond mae'r dyfyniad yn ein hatgoffa am y disgrifiad byr o'i fam a ysgrifennodd Caradog, yn Saesneg, ar dudalen rydd sydd yn fy meddiant yn llawysgrifen Caradog ei hun. Sonia am ei fam mewn cynhebrwng hollol wahanol, sef angladd Nain Pen Bryn yn 1921. Er mai Mary oedd enw iawn 'Anti Elin' yn UNOL, gwyddom nad yr un ydyw â'r 'Auntie Mary' yn y dyfyniad a ganlyn (ac fe drafodir hynny ymhellach yn y bennod ar 'Betsan Parri – Nain Pen Bryn'):

> That photograph on the mantlepiece is just how I like to remember her, in her Sunday black and very shy in front of the camera. It was taken outside Auntie Mary's house, Bryn Hyfryd, on the side of the hill, after the funeral of Nain Penybryn, my father's mother. I remember walking home with her from Bryn Hyfryd after the funeral tea and she was telling me how disappointed she was that Auntie Mary had taken all Nain's furniture without giving her as much as a chair.
>
> 'After all I did for Nain', she said, with the tears left over from the funeral.
>
> 'Never mind, Mam', I comforted her.
>
> Poor Mam, that was not the only disappointment she had.

Margaret Jane Pritchard, mam Caradog

A dyna'r llun ohoni y cyfeiria Caradog ato yn y dyfyniad uchod, 'yn ei du Sabothol ac yn swil iawn o flaen y camera'. Ond nid yr un het sydd ganddi â'r un a wisgai yn angladd 'Anti Elin' bedair blynedd yn ddiweddarach – 'het bach ddu a cantal fflat' oedd ganddi'r adeg honno. Ac ym mrawddeg olaf y dyfyniad, dyna awgrymu rhai o'r elfennau trist yn stori bywyd Margaret Jane Pritchard, mam Caradog.

*   *   *

Rhoddir pwyslais ar dlodi'r fam a'i mab yn y nofel o bryd i'w gilydd a phrin fod y 'pres plwy' yn ddigon i'w cynnal. Meddai'r hogyn bach:

> Cofio am Mam yn deud wrtha i cyn inni ddŵad i Reglwys nad oedd gynnon ni ddim bara i neud brechdan, a dyna lle'r oeddwn i â mhen i lawr yn gofyn i Dduw am fara beunyddiol, a pres plwy ddim yn dŵad tan dy Gwenar.

Er mwyn ceisio cael dau ben llinyn ynghyd, âi'r fam i olchi i'r Ficerdy lleol a byddai'r hogyn bach wrth ei fodd yn cael mynd yno ati hi ar ei ffordd adref o'r ysgol. Roedd gan y fam feddwl mawr o'r Canon a phan fu ef farw nid aeth i'r 'Ficrej' byth wedyn, meddir yn *UNOL*.

A mynd i Ficerdy Eglwys Crist Glanogwen i olchi, manglio a smwddio i'r teulu yno fu hanes Margaret Jane Pritchard ar ôl iddi golli ei gŵr. Ceir rhagor o hanes teulu'r Ficerdy yn y bennod, 'Y Canon a'i Deulu'.

Mae'n werth cofio, wrth fynd heibio, mai mynd allan i olchi a manglio a wnaethai Elizabeth Roberts, 'Nain Pen Bryn' Caradog Prichard. Roedd hithau, hefyd, wedi colli ei gŵr mewn damwain yn Chwarel y Penrhyn, pan nad oedd ei mab, John (tad Caradog) ond ychydig fisoedd oed (a chofier mai dim ond pum mis oed oedd Caradog pan gollodd yntau ei dad). Ni wyddai Caradog y stori hon a dyna pam, efallai, na chlywais ef erioed – na neb arall chwaith, o ran hynny – yn egluro pam y galwyd ei dad yn 'Jac Bach Mangyl'. Pan laddwyd William Pritchard ar Ragfyr 10 1870, sefydlwyd cronfa gan R. Morris, un o brif oruchwylwyr y chwarel, i gynorthwyo'r weddw a'i hwyth o blant (a rhoddodd ef ei hun bunt i ddechrau'r casgliad)[6]. Dyma'r tro cyntaf erioed i gasgliad fel hyn gael ei wneud drwy'r chwarel gyfan ac efallai mai hwn oedd y cynsail ar gyfer trefnu casgliadau tebyg yn y dyfodol. Prynu mangyl oedd un o'r pethau cyntaf a wnaeth Elizabeth Pritchard yn ôl pob tebyg, a glynodd yr enw 'Jac Bach Mangyl' wrth yr ieuengaf o'r plant – John, tad Caradog.

*   *   *

Pan drawyd y fam yn sâl, aeth Nain Pen Bryn i fyw atyn nhw am dri mis nes yr oedd y fam wedi gwella. A'r Nain sy'n camu i'r adwy unwaith yn rhagor i edrych ar ôl yr hogyn bach yn ystod y golygfeydd trist hynny o orffwylledd cynyddol y fam a'i chludo i'r Seilam yn Ninbych.

4 Glanrafon

Roedd y teulu bach go iawn wedi symud tŷ nifer o weithiau ar ôl gadael Llwyn Onn ar Allt Pen-y-bryn, Bethesda. Oddi yno, ymhen ychydig ar ôl i John Pritchard gael ei ladd yn y Chwarel yn 1905, roedd y teulu wedi symud i ardal Bryn-teg ac oddi yno wedyn i Rif 4 Stryd Glanrafon, uwchlaw'r Bontuchaf ym Methesda.

Yna, pan deimlodd Margaret Jane fod y byd yn dechrau gwenu arni unwaith eto – Howell a Glyn wedi dechrau gweithio a Caradog yn gwneud yn dda yn Ysgol y Sir – symudodd i dŷ mwy. Tŷ dan rent oedd hwn eto – 4 Long Street – a'r perchennog yn byw'r drws nesaf iddi yn Rhif 3.

4 Long Street

Ond dechreuodd pethau fynd o chwith ym mywyd Margaret Jane – Howell wedi ymuno â'r fyddin tua 1917-18, Glyn wedi colli'i waith, yn diota a mercheta, ac yna'n gadael y cartref am byth, a Caradog yntau'n siomi'i fam drwy fethu'i arholiadau. Pan oedd Caradog tua phymtheg oed, oddeutu 1919-20, dechreuodd gwallgofrwydd y fam waethygu. Unwaith eto, aeth ar ôl efo'r rhent (fel y gwnaethai yn Llwyn Onn flynyddoedd ynghynt yn ôl tystiolaeth Caradog ei hun)[7]. O gredu y gallai fod o fwy o gymorth i'w fam pe câi hyd i waith, gadawodd Caradog yr ysgol ym mis Mawrth 1922 a mynd i weithio ar *Yr Herald Cymraeg* yng Nghaernarfon. Ond roedd pethau wedi mynd yn rhy bell ac erbyn Ebrill 1923, roedd

Caradog yn bwrw'i fol mewn llythyr trist at ei gyfaill, Morris Williams (llythyr a ddyfynnais eisoes yn *Byd a Bywyd Caradog Prichard* ond a ddyfynnir yma eto er parhad y stori):

> ... Yr oeddwn yn methu â byw yn fy nghroen neithiwr wrth feddwl am yr hen fam yn y tŷ yna ym Methesda, efallai heb ddim tân na dim byd. Wyddost ti, Moi, does ganddi ddim i'w wneud trwy'r dydd. Bydd yn golchi'r llawr a dyna'r cwbl. Nid oes ganddi ddim i'w wnïo, na dim i'w ddarllen ond y Beibl, ac y mae'n darllen cymaint ar hwnnw nes wyf yn credu ei fod yn mynd ar ei hymennydd. Nid oes yna'r un ddalen yn y tŷ ond y Beibl. Y mae wedi llosgi popeth ond hwnnw. A meddwl amdani'n eistedd yn y lle ofnadwy yna ar hyd cydol y dydd heb ddim ar y ddaear i'w wneuthur. O, mae'r syniad yn gwneud imi ferwi o aflonyddwch bob nos. Ac i feddwl fy mod innau yma, yn methu â bod yn ei chwmni. Yn wir, Moi, y mae yn anodd dal. Ond ni ddylwn gwyno fel hyn. Cofia nad cwyno ar ran fy hun yr ydwyf. Nid yfi sy'n dioddef. Petawn i'n cael ei phoenau hi, a hithau fy mhoenau i, rwy'n siŵr na byddai hi'n hir cyn mendio. A mwya yn y byd wyf yn feddwl amdani, cryfaf yn y byd y bydd fy mhenderfyniad i roddi cysur iddi, yn mynd. Yn wir i ti, yr wyf wedi dymuno lawer gwaith, wrth feddwl amdani yn fy ngwely, am iddi gael marw. Os oes yna fyd arall, beth bynnag yw hwnnw, nid wyf yn credu y caiff waeth uffern nag y mae ynddo ar hyn o bryd. Mae sôn, onid oes, mai yn y byd hwn y mae'r uffern. Ond yr wyf yn methu coelio hynny, gan ei bod hi yn cael uffern na haeddodd erioed. Ond, bob tro, bydd dymuniad arall yn codi ynof, ar ôl y dymuniad erchyll yna, sef am gael troi ei huffern yn nefoedd, ac os oes yna Dduw yn bod, fe rydd ynof y gallu i wneuthur hynny ... ac os methaf â rhoddi nefoedd i mam ar ôl yr uffern yma, bydd yn anodd iawn gennyf goelio bod yna Dduw ...[8]

Ac roedd trychineb mawr ar fin digwydd yn y Gerlan.

*　　　*　　　*

Mae llawer o sôn a siarad, a hyd yn oed ysgrifennu, wedi bod am yr olygfa druenus honno o ddodrefn y wraig weddw ddyledus yn cael eu cario o'i chartref a'u gosod yn y ffordd o flaen y tŷ, a hithau wedi'i chloi ei hun yn y cwt glo gyferbyn â'i chartref ac yn gweiddi nerth esgyrn ei phen.

Mae Caradog Prichard yn adrodd y stori hon yn *UNOL* am Catrin Jên Lôn Isa. Dywedir bod ei chartref 'yn ymyl Llidiart Meirch'. Mae'n debyg mai adleisio Llidiart y Gwenyn (neu Lidiart y Gweunydd, yn ôl rhai) yn ardal Carneddi, Bethesda, a wneir yn 'Llidiart Meirch' – a chofier bod 'gwenyn meirch' yn ymadrodd cyffredin ym Methesda, ac mewn mannau eraill, am *wasp*. (Mae'n rhaid nodi, fodd bynnag, nad oedd Llidiart y Gwenyn, mewn gwirionedd, 'yn ymyl' cartref Margaret Jane yn y Stryd Hir, Gerlan – mae'n debyg ei fod tua hanner milltir go dda i gyfeiriad Hen-barc a Rachub.)

Disgrifir yr olygfa fel a ganlyn:

> dau ddyn yn cario'r dodrafn allan a'i roid o'n bentwr ar ganol lôn a Catrin Jên wedi cloi'i hun yn y cwt glo a sgrechian gweiddi: Cerwch oma'r diawlad, sgynnoch chi ddim hawl i fynd i nhŷ i.

Mae 'criw o hogia Chwaral yn sefyll o gwmpas dodrafn Catrin Jên', yn ogystal â Defi Difas Snowdon View, a phan glywant 'sŵn cath yn mewian yn y cwt glo', sylweddolant mai 'Catrin Jên sydd yna o hyd yn crio'. Ac fe ddaw agosatrwydd ac ysbryd Cristnogol y gymdeithas glòs i'r amlwg yng ngeiriau Defi Difas Snowdon View:

> Mae'n rhaid inni neud rhywbath hogia … Fedrwn ni mo'i gadal hi yn fan yma trwy'r nos, neu mi fydd barn Duw'n syrthio arnan ni, run fath ag y daru o syrthio ar Eic Wilias Glo pnawn ma, ar ôl iddo fo 'i hel hi allan o'i thŷ. Be? Chlywsoch chi ddim am i geffyl o wedi syrthio'n farw yn y stabal ar ôl bod a llwyth o lo i ben Allt Bryn?

Y Cwt Glo yn Long Street, a'i ddrws a'i ffenest fach bellach wedi'u cau

75

Cadarnheir yr eglurhad am y troi-allan yn y frawddeg 'A mae nhw wedi hel Catrin Jên Lôn Isa allan o'i thŷ am ei bod hi'n cau talu rhent i Eic Wilias Glo'. Â pawb ati i gario eiddo Catrin Jên 'i hen dŷ gwag Margiad Wilias' ond diweddglo trist y stori, ymhen ychydig amser, yn *UNOL* yw eu 'bod nhw wedi mynd â ... Catrin Jên Lôn Isa i'r Seilam'.

Mae'r stori uchod yn ddrych o'r hyn a ddigwyddodd go iawn yn hanes mam Caradog Prichard ei hun. Cawn yr hanes yn llawn yn ei hunan-gofiant, *ADA*. Roedd Caradog wrth ei waith yn Swyddfa'r *Herald* yng Nghaernarfon pan gafodd y newydd

> fod y landlord ym Methesda, oedd yn byw'r drws nesaf inni, wedi cael archeb llys i droi Mam allan o'i thŷ ar sail ôl-ddyled o ryw deirpunt yn y rhent. Gofynnodd W. G. i Jo Defis, y fforman, fynd hefo mi i ymliw â'r landlord ac aethom ein dau ar ein beiciau i Fethesda y noswaith honno. Ond ofer fu ymliw taer Jo Defis er cynnig clirio'r ôl-ddyled a gwarantu rhent rheolaidd. Ychydig wythnosau cyn hynny cawsai gwraig y landlord strôc a Mam a alwyd i mewn ati ac a fu'n tendio'n dyner arni. Cofiaf hi'n eistedd yn herfeiddiol yn y gadair siglo ac yn dweud na chaffai neb ei throi hi o'i chartref. Ac felly, yn llwfryn euog, y ffoais yn ôl i Gaernarfon a'i gadael yn ei thrybini. Clywais wedyn iddi ei chloi ei hun yn y cwt glo dros y ffordd tra bu'r beilïaid yn cario'i dodrefn allan. A daeth cymdogion caredig (O, mor garedig oeddynt) a chario'i dodrefn yn ôl i Glanrafon, i'r tŷ isaf yn y rhes, a oedd yn wag er pan fu farw Margiad Wilias. Ac fe berswadiwyd Mam i ddod allan o'r cwt glo a'i chael i'w chartref newydd. Ymhen blynyddoedd wedyn cefais gwrdd â'r hen landlordyn ac ysgwyd llaw ag o, heb deimlo gronyn o lid tuag ato, ysgwyd llaw ag o fel un o'r chwaraewyr oedd newydd adael y llwyfan yn 'y chwarae rhyfedd hwn.' A byddaf o hyd yn rhyw hanner gobeithio cyfarfod rhywun fydd yn dweud wrthyf mai hunllef fy nychymyg i oedd y cwbl ac na ddigwyddodd dim o'r fath.[9]

John Richard Roberts oedd enw'r landlord go iawn. Roedd wedi'i fagu mewn tŷ o'r enw Cae'rpoeth yn ardal Cilfodan yn y Carneddi. Adeg yr helynt, roedd Richard Roberts, fel y nodwyd eisoes, yn byw y drws nesaf i fam Caradog Prichard yn Long Street, y Gerlan. Roedd yn flaenor yng Nghapel y Carneddi (MC) ac, fel Eic Wilias y nofel, roedd ganddo'i fusnes glo ei hun. Roedd ganddo hefyd geffylau i dynnu ei droliau-cario-glo a chofiwn y cyfeiriad at '[g]effyl Eic Wilias pan fydda fo'n mynd i fyny Allt Bryn efo llwyth, a Now Bach Glo yn i stido fo' a'r sôn am ei geffyl 'wedi syrthio'n farw yn y stabal ar ôl bod â llwyth o lo i ben Allt Bryn'. A chofiwn, hefyd, wrth fynd heibio, mai 'Pol' oedd enw caseg Now Bach Glo — enw a fenthycodd Caradog oddi wrth gaseg ei ffrindiau, Rol a Wil, Cae

Drain, yn y Bontuchaf. Byddai Caradog wrth ei fodd yn cael marchogaeth Pol o bryd i'w gilydd wrth i'r hogia fynd â hi i'r efail i gael ei phedoli.

Bu Richard Roberts yn byw yn ddiweddarach yn Glasgow House, dros y ffordd i Gapel y Gerlan (MC) ac yno y bu farw'n sydyn iawn, yn 74 oed, ar Fehefin 6 1944. Ychydig dros flwyddyn yn ddiweddarach, ar Orffennaf 23 1945, bu farw ei wraig yn 75 oed.

Hoffwn dynnu sylw at ddau osodiad yn y dyfyniad uchod o *ADA*. Cyfeiria Caradog Prichard at y ffaith 'fod y landlord ... wedi cael archeb llys i droi Mam allan o'i thŷ ar sail ôl-ddyled o ryw deirpunt'. Sylwn hefyd ar y cyfeiriad at y 'beilïaid' yn cario dodrefn ei fam allan o'r tŷ. At hynny, dywedir yn *UNOL* bod 'tad Wil Bach Plisman yn sefyll wrth y drws yn gwatsiad' a bod: 'tad Wil Bach Plisman yn sefyll wrth eu hymyl nhw' yn cadw golwg ar yr hyn oedd yn digwydd. Mae hyn oll, wrth gwrs, yn dynodi bod perchennog y tŷ wedi dilyn y broses

Eic Wilias Glo, sef Richard Roberts, Cae'rpoeth

gyfreithiol briodol o safbwynt troi Margaret Jane o'i chartref. Ond er gwaethaf hynny, ac fel y gellid disgwyl, efallai, gyda Margaret Jane Pritchard yr oedd cydymdeimlad pawb yn yr ardal a'r bai i gyd, yn ôl arfer y natur ddynol, yn cael ei daflu ar y landlord. Ystyrid ef yn ddideimlad, yn greulon, ac yn annynol; prin iawn fu'r sylw a roddwyd i'r amgylchiadau a arweiniodd at yr helynt ac ni roed cyfle i wrando ar ochr perchennog y tŷ.

Felly, gan ein bod wedi cael golwg ar un ochr i'r geiniog, nid yw ond teg i ni edrych ar yr ochr arall. Er mwyn cael yr hanes o lygad y ffynnon, trown at Gofrestr Llys Rhanbarth Llys Ynadon Bangor (yn yr hen Sir Gaernarfon) ar gyfer y cyfnod rhwng Tachwedd 1 1921 ac Ionawr 1 1924. Nodir i'r Llys gyfarfod ym Mangor fore Mawrth, Tachwedd 7 1922. Cadeirydd y Fainc oedd Henry Lewis a'i gyd-ynadon oedd W. P. Mathews, W. R. Jones, a W. D. Hobson.

Yr oedd Richard Roberts, 3 Long Street, y Gerlan, yn dwyn achos o ddadfeddiannu (*eviction*) yn erbyn Margaret Jane Pritchard (a oedd yn byw y drws nesaf iddo). Twrnai o Fethesda, sef Roger Evans, oedd yn cynrychioli Richard Roberts ond nid oes sôn am neb yn siarad ar ran y diffynnydd.

Tri swllt yr wythnos oedd rhent y tŷ ond dyna'r cyfan yr oedd y perchennog wedi ei dderbyn yn ystod y flwyddyn ar ei hyd. Mae'n bur debygol, felly, nad 'rhyw deirpunt' oedd ar ei fam, fel y tybiai Caradog. O ganlyniad, roedd Richard Roberts wedi rhoi rhybudd ar Ebrill 29 1922 i Margaret Jane Pritchard adael y tŷ – ac roedd ef ei hun wedi cyflwyno'r neges yn bersonol iddi. Gan nad oedd Margaret Jane wedi cymryd unrhyw sylw o'r rhybudd i adael nac ychwaith wedi talu'r rhent, anfonwyd plismon i'w chartref ar Hydref 31 1922 i gyflwyno rhybudd arall iddi ac i egluro beth yn union a olygai. Ar ddiwedd yr achos llys ar Dachwedd 7 1922, dyfarnwyd y byddai'n rhaid i Margaret Jane Pritchard adael y tŷ o fewn y mis.

Mae'n rhaid cymryd sylw o'r frawddeg sy'n cloi'r cofnod yn yr adroddiad: 'There is another house for her'. Er ei bod yn cael ei throi allan o'i chartref yn Long Street, mae'n amlwg bod trefniadau wedi eu gwneud i'w hailgartrefu. Ac roedd ei chymdogion a'i chyfeillion yn barod iawn i'w chynorthwyo i symud i'r tŷ isa yn rhes Glanrafon, hen dŷ Margiad Wilias.

Y 'Tŷ Isa' yn Stryd Glanrafon   Margiad Wilias

A chofiwn sut y mae'r hogyn bach yn *UNOL* yn ei gyflwyno'i hun i Wmffra Tŷ Top pan ofynnodd hwnnw iddo pwy oedd o: 'Hogyn Tŷ Isa, meddwn inna'.

Ac i'r Tŷ Isa ar Allt Glanrafon y galwyd ar Dr William Pritchard yn ystod hydref 1923 i weld Margaret Jane pan oedd wedi torri i lawr yn lân ac yn llwyr o'i cho'. Mae'n werth dyfynnu'r disgrifiad byr sydd gan Caradog Prichard yn *UNOL* o'r hogyn bach wedi mynd â'i fam i'r Seilam ac yn gorfod troi ei gefn arni a'i gadael yno:

A wedyn dyma fi'n dechra crïo. Nid crïo run fath â byddwn i erstalwm ar ôl syrthio a brifo; na chwaith run fath â byddwn i'n crïo mewn amball gnebrwng; na chwaith run fath ag oeddwn i pan aeth Mam adra a ngadael i yn gwely Guto yn Bwlch erstalwm.

Ond crïo run fath â taflyd i fyny.

Crïo heb falio dim pwy oedd yn sbïo arnaf fi.

Crïo run fath â tasa'r byd ar ben.

Gweiddi crïo dros bob man heb falio dim pwy oedd yn gwrando ...

Gellir cyfochri'r darn hwn â'r hyn a ysgrifennodd yn *ADA* am y profiad erchyll hwnnw pan oedd yn gweithio yn Llanrwst:

... cefais alwad i Fethesda i fynd â Mam a oedd wedi llwyr dorri i lawr dan faich gorthrymderau, i'r Seilam yn Ninbych. Cofiaf ddych-welyd i Lanrwst, ar ôl y daith ofidus i Ddinbych, yn ddychryn ac yn ddagrau. Mi es yn syth o'r Stesion i Gaffi Gwydr, lle'r oeddwn yn aros ar y pryd ... a rhoi fy mhen ar y bwrdd a chrïo, tuchan crïo'n ddistaw, a heb eto ddod ataf fy hun ar ôl profiad alaethus y dydd ...[10]

Ar raglen deledu ddechrau'r 1970au, addefodd Caradog Prichard:

Mae 'na un digwyddiad yn 'y mywyd i sy'n allweddol i fy holl waith i a hwnnw oedd i mi orfod mynd â fy Mam i'r Seilam pan oeddwn i ryw ddeunaw oed ...

Y Seilam yn Ninbych

Pan ddyfarnodd Dr Pritchard fod rhaid mynd â Margaret Jane i'r ysbyty, anfonwyd am gerbyd i fynd â hi i Ysbyty'r Meddwl yn Ninbych. Y car a logwyd i'r pwrpas oedd Ford Model T 'Tad Dewi Siop Gornal', sef T. J. Roberts y sonnir amdano yn y bennod ar 'Siopau a Thafarnau'r Pentra a'r Cyffiniau', a cheir llun y car (a Dewi) yn y bennod ar 'Tad Dewi Siop Gornal – a Dewi'. Disgrifir yr olygfa drist pan mae'r hogyn bach yn *UNOL* yn hebrwng ei fam o'i chartref (y 'Tŷ Isa') i lawr yr allt at y car sydd yn aros amdanyn nhw yn y gwaelod (a cheir cip ar yr union leoliad yn llun 4 Glanrafon uchod):

> Oedd hi'n dal i fwrw glaw mân, a finna'n gafael ym mraich Mam rhag ofn iddi hi syrthio, a cofio am y tro cynta hwnnw oeddan ni'n mynd i lawr Rallt hefo'n gilydd erstalwm. Hi oedd yn gafael yn fy mraich i radag honno.

Ac mae'r hogyn bach yn cofio

> gwasgu braich Mam yn dynnach pan ddaru ni gyrraedd gwaelod Rallt a gweld Moto Siop Gornal.

Ar Dachwedd 23 1923 yr aethpwyd â Margaret Jane Pritchard i'r Seilam ac yno y treuliodd ychydig dros ddeng mlynedd ar hugain olaf ei hoes. Bu farw yno ar Fai 1 1954 yn 78 oed. Claddwyd hi ym Mynwent Eglwys Crist Glanogwen, Bethesda, gyda'i gŵr a'u baban bach, William.

NODIADAU

1. *Y Genedl Gymreig*, Ebrill 11 1905.
2. Mae sawl enghraifft mewn tafodiaith lle caiff y llythyren '*d*' ei hychwanegu naill ai ar ddiwedd gair neu, weithiau, yng nghanol gair. Mae *rhoi* yn troi'n *rhoid* a *Henri* yn *Hendri*, *Penri* yn *Pendri* a *Penrhyn* yn *Pendrhyn*. Fel y gwyddys, mae *UNOL* yn frith o enghreifftiau o eiriau ac ymadroddion sydd yn eithaf 'lleol' eu defnydd. Dyma rai enghreifftiau (gydag awgrym o'u hystyr mewn cromfachau: *ciw pi* (cyrlan neu dro ym mlaen y gwallt, yn aml yn syrthio dros y talcen); *cnegwarth* (gwerth ceiniog); *cratsian* (moronen); *cricmala* (cryd y cymalau, gwynegon); *feis* (tap dŵr, yn aml y tu allan i'r tŷ); *goleuo dreigia* (mellt yn goleuo'r awyr ond heb daranau'n dilyn); *gneud nada* (gwneud synau uchel, aflafar); *hitia befo* (na hidia beth a fo, paid â phoeni); *i gluo hi / 'i gwadnu hi* (rhedeg i ffwrdd yn gyflym); *lle chwech* (toiled); *peltan* (ergyd â'r llaw ar wyneb rhywun); *pobol ddiarth* (ymwelwyr); *powld* (dig'wilydd, hy); *reit gwla* (pur wael); *rhoid plym i mewn i'r dŵr* (neidio i mewn i'r dŵr, *to dive*); *siambar* (ystafell wely ar y llawr isaf mewn 'tŷ llofft-a-siambar' – tŷ unllawr i bob pwrpas ond gyda llofft fechan, uwchben y siambar, dan ogwydd y to); *stido / stillio bwrw* (tywallt y glaw; daw 'stillio' o 'pistyllio', wrth gwrs); *swadan* (ergyd â'r llaw, ar y glust neu ochr yr wyneb, fel arfer); *tolpia* (tywyrch); *twca* (cyllell fara).

3. *ADA*, t. 16.

4. Yn ystod misoedd olaf 2007, â'r Achos yno wedi'i ddirwyn i ben ers peth amser, roedd gweithwyr wrthi'n dymchwel Capel Amana.

5. *ADA*, t. 37.

6. Gw. *Byd a Bywyd Caradog Prichard* am ragor o fanylion am William Pritchard, tt. 7-9. Ceir adroddiad llawn am y ddamwain a'i lladdodd yn *Baner ac Amserau Cymru*. Rhagfyr 21 1870, ynghyd â hanes y gronfa a sefydlwyd i godi arian i'w weddw.

7. Ceir hanes y cyfnod hwn yn llawn gan Caradog Prichard ei hun yn *ADA*, t. 55.

8. Gw. LLGC-KR-3213-90. Llythyrau Caradog Prichard at Morris T. Williams. Dyfynnir o lythyr dyddiedig 21 Ebrill 1923, 'Ben Bore Dydd Sadwrn', oddi wrth CP, 7 Margaret Street, Caernarfon, at Morris T. Williams.

9. *ADA*, t. 55.

10. *ADA*, t. 67-68.

GUTO BWLCH A'I DEULU

Mae'r hogyn bach yn *UNOL* wrth ei fodd yn cael mynd efo'i fam i dŷ ei gefnder, Guto Bwlch. Meddai:

> Adag holides Ha fyddwn i'n mynd efo Mam dros Mynydd i edrach am Anti Elin yn Bwlch … Mi fydda Mam yn mynd dros Mynydd i edrach am Anti Elin bob wsnos … Bob dy Merchar fydda Mam yn mynd, achos erbyn dy Merchar mi fydda bwyd wedi mynd yn brin, a pres plwy ddim yn dŵad tan dy Gwenar. A mi fydda Mam yn mynd a rhwyd fawr hefo hi, a dŵad a hi'n ôl yn llawn dop o bob matha o betha i fwyta, petha fydda hi'n gael gan Anti Elin i ddŵad adra …

Dynas glên oedd Anti Elin, chwaer y fam yn y nofel, er ei bod yn wraig weddw, ond ni welid hi fyth yn chwerthin, 'Hyd yn oed pan fydda hi'n siarad yn glên mi fydda golwg digalon arni hi, a siâp gneud cwyn ar ei gwefusa hi bob amsar'. Roedd wedi colli ei gŵr, sef 'Yncl Harri … dyn â mwstash du … erstalwm'. Sonnir am ddau blentyn, sef Catrin a Guto. Cawn ddisgrifiad byr ond byw iawn yn y nofel o'r ferch:

> … oedd Catrin, fy nghneithar, chwaer bach Guto, yn eistadd yn y gornal run fath ag arfar yn deud dim byd wrth neb. Oedd Catrin wedi llosgi'i gwynab pan oedd hi'n hogan bach, wedi cael ei sgaldian pan ddaru teciall droi ar y tân, ac oedd golwg ofnadwy ar ei gwynab hi, a'r croen yn sgleinio'n binc, a wedi crychu i gyd. Fydda hi byth yn mynd allan na deud sud ydach chi wrth neb, a hitha dest yn bymthag oed. Dim ond eistadd trwy'r dydd wrth y tân yn darllan neu'n gweu sanna …

Ond un gwahanol iawn oedd Guto:

> Hogyn mawr cry oedd Guto, a gwallt du, du, a gwynab gwyn, main, a llgada duon, a dipyn bach o liw coch ar ei focha fo … Clos pen glin a legins brown a rheiny'n sgleinio fydda Guto'n wisgo pan fydda fo'n dŵad i edrach amdanon ni. Ond pan es i ato fo i Gae Mawr, dyna lle oedd o hefo berfa'n hel cerrig yn ei drowsus llaes, a hwnnw wedi'i neud yn gwta hefo dau linyn wedi'i clymu am ei bennaglinia fo, run fath â Chwarelwrs.

Ac mae Guto yn arwr gan yr hogyn bach yn y nofel. Guto sy'n ei ddysgu i nofio yn y Llyn Corddi yn y Bwlch Uchaf, efo Guto yr â i hel llus, Guto sy'n dangos iddo sut i wneud neclis efo coesau gwair a llus, yn tynnu ei sylw at Frenhines yr Wyddfa, yn addo mynd ag ef 'i Bliwmaras am dro ryw ddiwrnod' (er bod Guto druan yn honni bod Beaumaris 'dest gymaint â

Lerpwl'!), ac efo Guto y mae'n cysgu ar ôl torri'i fraich, ac meddai ar yr adeg honno: 'Dew, dyna un o'r wsnosa brafia ges i rioed yn fy mywyd, yn mynd o gwmpas Bwlch hefo Guto ... A pan ddaeth Mam i nôl i dy Merchar wedyn, oeddwn i ddim eisio mynd adra hefo hi ...'

Nid oes modd cyfochri pob elfen yn y straeon a adroddir am deulu'r Bwlch gyda'r byd go iawn ond mae hanes Anti Elin, Catrin a Guto wedi'i seilio'n ddiamheuol ar deulu go ddifri Caradog Prichard.

Yn y lle cyntaf, mae'n rhaid dod o hyd i'r ardal wirioneddol 'dros y Mynydd' lle mae'r hogyn bach a'i fam yn mynd i ymweld â'r teulu. Cawn ddisgrifiad pur fanwl o'r daith yn *UNOL*:

> Oedd Mam a finna wedi cychwyn dros Bont Stabla ben bora, achos oedd yna waith pedair awr o gerddad dros Mynydd i Bwlch. A oedd hi ddim ond dest wedi dechra goleuo erbyn inni ddringo i fyny trwy Coed Rhiw a dŵad allan wrth Giat Mynydd ... Ar ôl inni gerddad am ryw awr wedyn, a mynd trwy Giat Mynydd nesa, oeddan ni'n medru gweld Bwlch draw'n bell, bell o'n blaena ni. Oedd yna lôn gul yn mynd i fyny'r mynydd rochor arall, ac wrth ymyl y lôn, hannar ffordd i fyny, oedd Bwlch.

Gwyddom mai Pont Stabla oedd Pont-y-Twr ac o ystyried daearyddiaeth ardal Dyffryn Ogwen, gallwn fod yn eithaf sicr mai yn y Gerlan yr oedd Caradog a'i fam yn byw ar y pryd yn ôl y disgrifiad uchod[1]. Byddent wedi cerdded i lawr yr allt drwy Fraichmelyn, croesi'r Lôn Bost, dros Bont-y-Twr, ac ymhen rhyw filltir wedi dewis un o dair ffordd i fynd â nhw i fyny'r llethrau at bentref bach Mynydd Llandygái.

Mae'n briodol nodi nad dyna oedd enw'r pentref hwn yn y cyfnod y sonnir amdano yn *UNOL* ond, yn hytrach, Douglas Hill. Nid oedd y trigolion yn hoffi'r enw hwn o gwbl oherwydd ei gysylltiad â theulu'r Penrhyn – Douglas Pennant oedd 'cyfenw' teulu'r Castell – ac fel 'y Mynydd' y mynnent gyfeirio at eu pentref. Yn wir, ddechrau'r 1930au, aeth trigolion y Mynydd ati i ailenwi eu pentref (yn swyddogol, fel petai, a heb y sibrydiad lleiaf o wrthwynebiad gan deulu'r Penrhyn!) yn Mynydd Llandegai (fel y sillefid yr enw hyd at yn gymharol ddiweddar). A dyma'r ardal lle magwyd mam Caradog Prichard – yn yr ail dŷ (ar y dde yn y llun isod) yn Stryd Tanybwlch, yng nghysgod Moelyci[2], y bryn grugog y rhed y ffordd hyd ei odre tuag at bentref Deiniolen. Cofiwn eiriau'r fam yn *UNOL*:

> A weli di'r rhes o dai acw, yn y gwaelod yn fan acw? Yn fan yna oeddwn i'n byw pan oeddwn i'n hogan bach. Ac yn fan yna ces i ngeni ...

Yn yr ail dŷ ar y dde y magwyd mam Caradog Prichard

Ac wrth gerdded 'dros y Mynydd', gan edrych i lawr tua phentref Bethesda, does ryfedd i'r hogyn bach ddweud: 'Esgob, ylwch Cownti Sgŵl i lawr fanacw. Edrach yn neis mae hi o fan yma, ynte, hefo'r haul arni hi?'. Yn ogystal â gallu gweld yr Ysgol Sir yn y pellter, gallai weld ysgol arall yn llawer nes ato. Dyma sgwrs y fam a'i mab:

Honna oedd Rysgol oeddwn i'n mynd iddi pan oeddwn i'n hogan.
Esgob, un fychan ydy hi. Oes yna neb yn mynd i Rysgol yna rŵan, achos mae yna dylla yn ffenestri.
Na, mae yna ysgol newydd rŵan, rochor arall i Mynydd.

Hen Ysgol Bodfeurig, Mynydd Llandygái, ger Bethesda

Ysgol Bodfeurig, a agorwyd yn 1853 ar dir a roddwyd yn rhodd gan deulu'r Penrhyn, oedd yr ysgol lle'r âi'r fam yn blentyn. Ysgol Eglwys oedd hon, yn gwasanaethu plant Douglas Hill (a Mynydd Llandygái wedi hynny) ac ynddi hi y bu cenedlaethau o blant hyd at 1953 pan godwyd ysgol newydd dros y ffordd iddi hi fwy neu lai (ac nid 'rochor arall i Mynydd' fel y nodir yn *UNOL*). Mae adeilad yr hen ysgol wedi'i ddymchwel ers blynyddoedd bellach.

Wedi cerdded heibio i'r ysgol a phen Stryd Tanybwlch, byddent yn anelu at bentref Deiniolen. Awr o gerdded wedyn cyn dod i olwg Bwlch yn y pellter. Cawn ddiffiniad diddorol o gartref ei fodryb:

> Dew, ffarm fach braf oedd gan Anti Elin hefyd. Dwy fuwch a llo yn beudy, a dwy hwch yn cwt mochyn, a lot o ieir yn rhedeg o gwmpas y lle, a chae o flaen tŷ a choeden eirin ynddo fo, a honno'n berwi o eirin mawr duon. A llyn corddi a thŷ gwair ...

Tri thŷ'r Bwlch Uchaf

Mewn gwirionedd, roedd tri thyddyn ar safle'r Bwlch Uchaf yn Neiniolen ac yn y canol o'r tri y trigai'r teulu yr oedd Caradog yn perthyn iddo. Yn rhyfedd iawn, nid yw Caradog Prichard yn sôn undim am unrhyw aelod o'r Bwlch Uchaf yn *ADA* nac yn *YRhA* ac eithrio'r un cyfeiriad cynnil yn *ADA* at y ffordd dros Fynydd Llandygái 'y bûm yn ei thramwyo ganwaith hefo Mam i dŷ ei chwaer Mary yn y Bwlch Uchaf, Deiniolen'[3]. Wedi cyrraedd y Bwlch Uchaf, roedd yr olygfa'n un eang dros y pentref, ac Eglwys Llandinorwig i'w gweld yn glir islaw.

Ar libart y Bwlch Uchaf yr oedd llyn corddi ac erys ei ôl yno hyd heddiw er bod y dŵr wedi hen ddiflannu a dwy goeden yn tyfu yn y pant lle bu'r llyn y dysgodd Caradog nofio ynddo pan oedd yn ddeg oed.

Edrych dros Ddeiniolen o'r Bwlch Uchaf, gydag Eglwys Llandinorwig ar y dde

Ar y chwith, y tu draw i'r wal, gwelwn olion y Llyn Corddi yn y Bwlch Uchaf

A phwy oedd y teulu go iawn? Dechreuwn gydag 'Yncl Harri'. Ei enw llawn oedd William James Brown, a aned tua 1863 yn Seacombe, Sir Gaer. Ni wyddys dim ynghylch ei ddyfodiad i ardal Deiniolen na sut na phryd yr ymgartrefodd yn y Bwlch Uchaf, ond gwyddom, yn ôl Cyfrifiad 1901, ei fod yn byw yno'r adeg honno gyda'i deulu ac yn gallu siarad Cymraeg a Saesneg. Roedd yn gweithio yn Chwarel Dinorwig ac yn briod â Mary Williams, chwaer hynaf mam Caradog Prichard, a aned tua 1861. O ran sut y daeth y ddau ar draws ei gilydd, ni allwn ond dyfalu. Gwyddom mai ym mhlwyf Llanllechid yr ymsefydlodd y ddau i ddechrau ac mae hynny'n awgrymu bod William James wedi dod i gyffiniau Dyffryn Ogwen i chwilio am waith yn Chwarel y Penrhyn ac i'r ddau gyfarfod yr adeg honno. Wrth gwrs, fe allai Mary, fel llawer o ferched ifanc yr un fath â hi, fod wedi mynd i weini i ardal Caer ac wedi cyfarfod â'i darpar-ŵr yno a'r ddau wedi symud efo'i gilydd i Fethesda. Pwy a ŵyr?

Bu William James farw'n ŵr cymharol ifanc, yn 47 oed, ar Chwefror 10 1907. Claddwyd ei weddillion ym Mynwent Llandinorwig, Deiniolen, a chladdwyd ei fam, Ellen Brown, yn yr un bedd. Bu hi farw ar Ionawr 9 1912, yn 92 oed – mae'n debyg ei bod hi wedi bod yn byw efo'i mab a'i deulu yn y Bwlch Uchaf. Mae'n deg credu bod atgofion Caradog Prichard am ei ymweliadau â'r Bwlch Uchaf gyda'i fam yn codi o'r blynyddoedd rhwng oddeutu 1910 a 1914 a pha ryfedd, felly, fod 'Yncl Harri', ym meddwl yr hogyn bach yn y nofel, wedi marw 'erstalwm'.

Ganed William John Brown, plentyn hynaf William James a Mary, ym mhlwyf Llanllechid ar Fai 1 1885. Yna, y flwyddyn ganlynol ac yn yr un plwyf, ganwyd Margaret (Maggie) E., a fu'n athrawes ar hyd ei hoes. Roedd yn byw ym Mhenrhosgarnedd, Bangor, pan fu farw ar Fai 30 1950. Bu William John farw ar Chwefror 14 1966 a chladdwyd ef gyda'i chwaer ym Mynwent Llandinorwig, Deiniolen. Rhoddwyd sylw eithaf manwl i William John Brown yn *Byd a Bywyd Caradog Prichard*[4] ac afraid ailadrodd y drafodaeth honno yma.

Mae'r brawd ieuengaf, Griffith, a fedyddiwyd yn Eglwys Llandinorwig, Deiniolen, ar Orffennaf 1 1894[5], o ddiddordeb arbennig ond down at ei hanes ef yn y man.

Yr ieuengaf o'r plant oedd Catherine (a elwid weithiau'n Kate ac weithiau'n Katie), hithau wedi'i geni yn Neiniolen ar Hydref 6 1895. Bûm yn chwilio'n hir am hanes y ferch fach hon a chael cadarnhad yn y pen draw o ffynhonnell annisgwyl. Cyd-ddigwyddiad llwyr oedd cyfarfod Mrs May Jones[6], gynt o Fethesda ond yn wreiddiol o'r tŷ drws nesa i deulu'r Browniaid yn y Bwlch Uchaf. Cofiai hi'r teulu'n dda: Mrs Brown yn ddynes dawel ond yn batrwm o lanweithdra, bob amser yn cario llun Griffith, ei mab, ym mhoced ei ffedog, a'r ferch fach, Katie, na fyddai byth yn mynd allan, gan fod rhywbeth o'i le arni – rhyw fath o gochni mawr dros groen ei gwddw i gyd. A dyna, wrth gwrs, gydio stori Catrin y nofel gyda hanes go iawn Katie Bwlch Uchaf. Yn *UNOL*, nodir bod Catrin 'dest yn bymthag oed', sef oddeutu 1910, felly, pan oedd Caradog tua 6 oed.

Bu farw Katie yn ferch ifanc 28 oed ar Fehefin 9 1923. Yn yr adrodd-iad am ei marw yn *Yr Herald Cymraeg*[7], dywedir ei bod yn 'aelod ffyddlon o Eglwys Llandinorwig, ac yn gymeriad tra dymunol' ond nodir hefyd iddi fod 'yn wannaidd ei hiechyd ers blynyddoedd'. Deuthum o hyd i'r wybod-aeth hon yn y papur dan bennawd 'Ebenezer' (sef yr hen enw ar Ddeiniolen, a elwir hefyd yn 'Llanbabo') ac ni ddisgwyliwn ragor am Kate yn y golofn honno. Ond crwydrodd fy llygaid i lawr rai modfeddi a da hynny oherwydd ar ôl sawl eitem o newyddion (a oedd yn amherthnasol i mi), deuthum ar

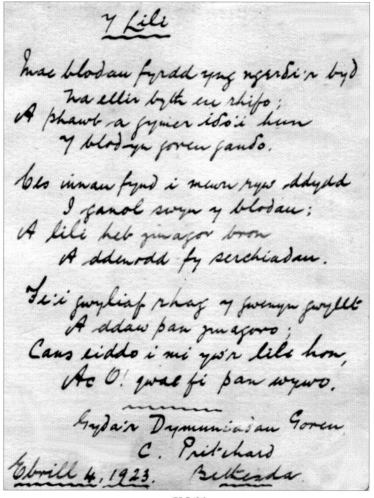

'Y Lili'

draws y pennawd 'Cainc Hiraeth am Katie Brown, y Bwlch Uchaf, gan ei chefnder, Caradog Pritchard [*sic*], Bethesda'. Oedd, roedd Caradog wedi ysgrifennu cerdd goffa am ei gyfnither ifanc ond cyn ei dyfynnu hoffwn gyfeirio at gerdd arall a ysgrifennodd Caradog Prichard gwta ddeufis ynghynt. Cerdd serch oedd honno i un o gariadon cyntaf y bardd ac fe'i hysgrifennodd yn llyfr llofnodion Eleanor Jones o Dal-y-sarn. Nid adroddaf hanes Caradog ac Eleanor yn y gyfrol hon gan fy mod eisoes wedi dweud y stori yn *Byd a Bywyd Caradog Prichard*[8] ond mae'n werth atgynhyrchu'r copi gwreiddiol o gerdd 'Y Lili', yn llawysgrif Caradog ei hun, fel y cyflwynodd hi i Eleanor yn ei Llyfr Llofnodion. Nodwn mai'r dyddiad ar waelod y dudalen yw Ebrill 4 1923.

Er mor wahanol y cymhelliad y tu ôl i'r gerdd hon i Eleanor ddechrau Ebrill 1923 a'r gerdd goffa am Kate Brown tua chanol Mehefin yr un flwyddyn, mae'n syndod fel y mae geirfa'r naill yn cael ei hadleisio ym mhennill cyntaf y llall. Dyma'r gerdd er cof am Kate:

> Fe wywodd un yn rhagor
> O flodau gerddi'r byd;
> Fe wywodd i ymagor
> Lle mae yn haf o hyd.
>
> Cadd brofi blin aeafau
> A hafau pêr eu hin,
> Ond wedi'r cur a'r loesau
> Fe ddarfu'r dyddiau blin.
>
> Os haf sy'n awr ar fröydd
> Daw gaeaf ar ei ôl,
> Ond iddi hi ni dderfydd
> Yr haf ar fryn na dôl.[9]

Bron ddwy flynedd yn ddiweddarach, ar Orffennaf 6 1925, bu farw Mary, gweddw William James Brown a mam William John, Margaret, Griffith a Kate. Roedd yn 64 oed (er mai 63 sydd ar y garreg fedd ym Mynwent Eglwys Llandinorwig, Deiniolen). Yn ôl *Yr Herald Cymraeg*[10], 'yr oedd yn gymeriad tra dymunol ac yn aelod ffyddlon o Eglwys Llandinorwig' – bron yr un geiriau'n union â'r rhai a ddefnyddiwyd yn yr un papur newydd am ei merch, Kate, yn 1923.

Deuwn yn awr at Griffith H. Brown. Hwn oedd Guto Bwlch yn *UNOL*.

Ganed Griffith ym mis Mehefin 1894 a bedyddiwyd ef yn Eglwys Llandinorwig ar Orffennaf 1 yr un flwyddyn[11]. Ar ôl bod yn yr ysgol eglwys leol yn Neiniolen, treuliodd chwe blynedd yn gweithio yn Chwarel Dinorwig lle'r oedd yn boblogaidd iawn ymhlith ei gydweithwyr ar yr un bonc ag ef.

Yn 1913, ar ôl penderfynu symud i chwilio am well byd yn Lloegr, rhoddodd y gorau i'w waith yn y chwarel; ar yr achlysur hwnnw anrhegwyd ef â 'Beibl a Llyfr Gweddi Cyffredin hardd iawn a drudfawr, y rhai a gedwir yn ofalus yn y Bwlch Uchaf, ac sy'n gysegredig neilltuol yng ngolwg y teulu'[12].

Ymhen ychydig flynyddoedd ar ôl ymgartrefu yn Ashton[13], ymunodd Griffith â'r 5th South Lancs ac aeth drosodd i Ffrainc yn nechrau'r flwyddyn 1915. Tynnwyd llun catrawd Griffith Brown ar y maes ymarfer yn St Helens yn 1914, sef y flwyddyn yr ymunodd y creadur anffodus â'r fyddin.

Catrawd Griffith Brown

Yn ystod y flwyddyn honno, bu mewn sawl brwydr egr ond dihangodd yn iach a dianaf ohonynt i gyd. Yn ei lythyrau at ei deulu, byddai bob amser yn cydnabod 'mai oddi wrth yr Arglwydd y deuai'r gwaredigaethau hyn ac yn datgan ei ddiolchgarwch i Dduw'r nefoedd amdanynt'.

Ddechrau 1916, cafodd ddod adref am ysbaid a chafodd dderbyniad croesawus a brwdfrydig iawn gan ei hen gymdogion a'i ffrindiau. Yn ystod ei arhosiad gartref, ni fynnai er dim golli'r un o'r gwasanaethau a gynhelid yn Eglwys Llandinorwig. Fel mae'n digwydd, Griffith Brown oedd y cyntaf o wŷr ieuainc Eglwys Llandinorwig i fynd i ymladd i Ffrainc. Cafodd ddod adref eilwaith ddiwedd Ionawr 1917 ar ôl bod mewn brwydrau erchyll ond, yn ôl pob sôn, roedd 'mewn iechyd da a golwg rhagorol arno' cyn dychwelyd i Ffrainc am y drydedd waith. Ym Medi 1917, enillodd y Fedal Filwrol am ei wrhydri ar faes y frwydr.

Roedd pryder y fam yn fawr yn ystod blynyddoedd y Rhyfel Mawr. Yn ogystal â bod Griffith yng nghanol y brwydrau yn Ffrainc, roedd ei mab arall, William John, hefyd yn brwydro yn yr un wlad. Daeth gwybodaeth i'r Bwlch Uchaf ym mis Ebrill 1918 fod William John wedi cael ei glwyfo (a hynny am y drydedd waith); doedd hynny ond yn gwneud pethau'n waeth fyth i Mary Brown oherwydd ryw bum mis ynghynt, tua dechrau Rhagfyr 1917, derbyniasai wybodaeth fod Griffith ar goll ar ôl brwydr mewn lle o'r enw Cambrai. Ac roedd neges o'r fath yn golygu, gan amlaf, fod yr awdurdodau'n credu bod y milwr wedi'i ladd.

A dyna oedd byrdwn y neges nesaf a gyrhaeddodd y Bwlch Uchaf. Ni wyddys pryd yn union y rhoddwyd yr amlen ymyl ddu yn llaw Mary Brown yn cynnwys llythyr – yn Saesneg – i gadarnhau ei hamheuon tristaf ond mae'n debyg fod ei byd wedi chwalu'n deilchion hyd yn oed cyn iddi agor yr amlen.

Aeth deunaw mis a hanner heibio ar ôl i Griffith gael ei ladd cyn y cynhaliwyd Gwasanaeth Coffa iddo. Dyfynnir isod o adroddiad hir am yr achlysur yn *Yr Herald Cymraeg* (Gorffennaf 1, 1919):

> Prydnawn Sul, Mehefin 22ain, yn Eglwys Llandinorwig, cynhaliwyd gwasanaeth arbennig er cof am y diweddar filwr Griffith Brown, annwyl fab i Mrs Brown, Bwlch Uchaf, Ebenezer. Er bod yr hin yn hynod o anffafriol, daeth tyrfa luosog ynghyd i ddangos eu parch i goffawdwriaeth gŵr ieuanc fu yn Ffrainc yn ymladd yn ddewr dros ei Frenin a'i wlad dros dair blynedd ond o'r diwedd, oddeutu mis cyn y cadoediad, a gwympodd ar faes y frwydr yn agos i Cambrai, ac efe yn 25 mlwydd oed. Gwasanaethwyd gan y Parchn James Salt a John Owen. Canwyd Salm 30, y 'Nunc Dimittis', ac amryw emynau. Ar ddiwedd y gwasanaeth henafol a phrydferth, chwaraewyd y 'Dead March' yn hynod effeithiol gan Mr Willie Thomas, Organydd. Cydymdeimlir yn fawr â'r teulu caredig a pharchus yn eu profedigaeth chwerw. Yr oedd Griffith yn ŵr ieuanc hynaws a thyner-galon ac yn bur boblogaidd bob amser ymysg ei gyfoedion a phawb fyddai yn dyfod i gysylltiad ag ef.

Mae Caradog yn olrhain stori teulu Guto Bwlch yn *UNOL* yn bur agos at hanes y teulu go iawn ond rhoes liw ei ddychymyg arno pan ddywed am Griffith na 'chafodd o ddim ei ladd gan y Jyrmans tan diwrnod dwytha'r Rhyfal' ac nid gwir chwaith fod 'Anti Elin a Catrin wedi marw erbyn hynny, ac ar ben ei hun bach basa fo yn Bwlch tasa fo wedi dŵad adra …'. Fel y nodwyd uchod, yn 1923 y bu farw Katie, a Mary'r fam ddwy flynedd yn ddiweddarach ym mis Gorffennaf 1925.

Carreg fedd y teulu ym Mynwent Llandinorwig

In loving memory of
WILLIAM JAMES BROWN
Bwlch Uchaf
Who died Feb. 10th, 1907
Aged 47 years
'In the midst of life, we are in death'

Also his Mother
ELLEN BROWN
Who died Jan. 9th, 1912
Aged 92 years

Also his son
GRIFFITH H. BROWN
Killed in action at Cambrai
Nov. 30th, 1917
Aged 23 years
For honour, liberty and truth,
He sacrificed his glorious youth.

Also his beloved daughter
KATIE
Who died June 9th, 1923
Aged 28 years
My days are gone like a shadow
And I am withered like grass PS CII

Also
MARY
Wife of the above W. James Brown
Who died July 6th, 1925
Aged 63 years
Rest in Peace

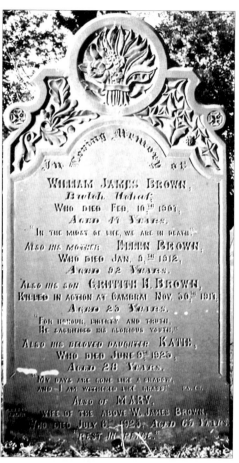

Enw Griffith Brown yw'r un cyntaf yn y rhestr ar wyneb blaen y gof-golofn a godwyd y tu ôl i'r reilins o flaen Llyfrgell Carnegie yn Nein-iolen.

Y Gofeb ym mhentref Deiniolen

92

NODIADAU

1. Yn y cyfnod pan oedd Caradog a'i fam yn byw ar Allt Pen-y-bryn ac, wedi hynny, ym Mryn-teg, byddent wedi dilyn un o ddau lwybr gwahanol i gyrraedd Mynydd Llandygái. Gallent fod wedi cerdded i lawr at y Rheinws ac yna croesi'r Lôn Bost, dros Bont Ring, dilyn y llwybr troed at Grisiau Cochion ac yna troi i'r dde yno wrth ymuno â'r ffordd a ddeuai o gyfeiriad Ysgol Pont-y-Twr. Fel arall, gallent droi i'r dde wrth y Rheinws, cerdded ar hyd y Stryd Fawr a throi i'r chwith i gyfeiriad yr orsaf reilffordd ac yna croesi Pont Sarnau ac ar hyd y llwybr troed nes cyrraedd Tanysgafell. Croesi'r lôn yno a dilyn llwybr cul i fyny drwy'r coed nes dod allan heb fod ymhell o Ysgol Bodfeurig. Pa bynnag lwybr a gymerent, roedd milltiroedd o ffordd rhwng eu cartref ym Methesda a'r Bwlch Uchaf yn Neiniolen.

2. Moelyci yw'r sillafiad cywir, gyda'r pwyslais ar y sillaf olaf ond un – ac mae hynny'n awgrymu'n glir nad fel 'Moel y Ci' y dylid ei ynganu. Un esboniad ar yr enw yw bod y mynydd bychan grugog hwn yn perthyn i rywun o'r enw Lleucu ar un adeg. Mae Lleucu yn hen enw Cymraeg (a chofiwn i Lywelyn Goch ap Meurig Hen ganu marwnad i'w gariad, Lleucu Llwyd, yn y bedwaredd ganrif ar ddeg). Gallai Moel Leucu'n hawdd droi'n Moeleucu ac yna'n Moelyci. Wedi dweud hynny, clywais fod hen ffurf arall yn bosibl ar yr enw, sef Moel Lecci – mynydd o lechi, ac mae hynny'n esboniad digon derbyniol o gofio am yr haenau o lechfeini sydd yn nodwedd mor amlwg yn Nyffryn Ogwen.

3. *ADA*, t. 20.

4. Gw. *Byd a Bywyd Caradog Prichard*, tt. 141-143.

5. Codwyd yr wybodaeth o Gofrestr Bedyddiadau Eglwys Llandinorwig, Deiniolen, drwy garedigrwydd Mrs Eileen Hughes, Deiniolen.

6. Ychydig cyn y Nadolig 2006, roedd Seindorf Arian Deiniolen yn rhoi cyngerdd byr i drigolion Plas Maesincla, Preswylfa'r Henoed yng Nghaernarfon. Mae fy mab a'm merch – Siôn a Manon – yn aelodau o'r Seindorf ac aeth Deilwen, fy ngwraig, â hwy i'r Cartref. Tra oedd yno, tynnodd sgwrs ag ambell un o'r preswylwyr ac un o'r rheini oedd May Jones, a gyhoeddodd iddi gael ei magu yn y Bwlch Uchaf, Deiniolen. Holodd fy ngwraig hi ymhellach ac yna codi'r ffôn arnaf i gyda'r newyddion syfrdanol fod y wraig hon, a oedd tua chanol ei 90au, yn cofio'r teulu Brown yn iawn. Rhuthrais innau yno a chael fy mod yn adnabod Mrs May Jones yn dda ond mewn cyswllt hollol wahanol. Roeddwn yn ei chofio'n byw yn Nyffryn Ogwen ac adwaenwn ei meibion yn dda. Cefais sgwrs hynod ddifyr â hi'r noson honno ac ar adegau eraill wedi hynny, a chael manylion gwerthfawr am deulu Caradog Prichard yn y Bwlch Uchaf yn Neiniolen.

7. *Yr Herald Cymraeg*, Mehefin 19 1923.

8. Gw. *Byd a Bywyd Caradog Prichard*, tt. 55-59.

9. *Yr Herald Cymraeg*, Mehefin 19 1923.

10. *Yr Herald Cymraeg*, Gorffennaf 14 1925.

11. Gw. Nodyn 5 uchod.

12. Codwyd llawer o'r manylion am Griffith H. Brown o ddau adroddiad yn *Yr Herald Cymraeg*, y naill yn rhifyn Chwefror 2 1917, a'r llall yn rhifyn Gorffennaf 1 1919.

13. Ni ellir bod yn sicr ai Ashton-in-Makerfield ynteu Ashton under Lyne a olygir.

BETSAN PARRI – NAIN PEN BRYN

Mae Nain Pen Bryn yn gymeriad pwysig yn *UNOL*. Roedd yr hogyn bach yn meddwl y byd ohoni ac yn ei disgrifio fel 'un dda' a 'hen beth ddigon ffeind', ac unwaith neu ddwy fel 'un arw'. Ganddi hi y câi frechdan a honno'n 'dew o fenyn' ac mae'n clodfori ei lobsgóws i'r uchelderau:

> roedd yn well gen i lobsgóws Nain na dim un lobsgóws ges i rioed ond dwn i ddim sud oedd hi'n medru'i neud o mor dda, achos dim ond amball i asgwrn fydda hi'n gael unwaith yr wsnos o Siop Bwtshiar a fi fydda'n nôl hwnnw iddi, ar ddy Sadwrn. A mi fydda gan Nain lobsgóws ar hyd yr wsnos, waeth pa noson fydda hi.

Cawn wybod ei bod 'dros ei deg a phedwar igain oed' ac yn ddigon ffwndrus ar brydiau. Ond roedd yn wraig dduwiol a sonnir amdani fwy nag unwaith 'hefo'i sbectol ar ei thrwyn a'i phen yn y Beibil' neu 'a'i sbectol ar ei thrwyn yn darllan ei Beibl'. Does dim yn y nofel i awgrymu ar ba ochr i'r teulu yr oedd Betsan Parri (sef yr enw a roddir ar Nain) yn perthyn i'r hogyn bach ond cawn yr argraff mai ei nain ar ochr ei fam ydyw. Mae'r Fam a'r Nain yn amlwg yn agos iawn at ei gilydd a chofiwn i'r hogyn bach fynd yn syth i nôl ei Nain pan oedd ei fam yn sâl: 'Hi ddaeth i edrach ar ein hola ni pan aeth Mam yn sâl ... am dri mis tan nes oedd Mam wedi mendio'. Ac mae'n plesio fwy fyth wrth roi ffisig rhag annwyd iddo yn hytrach nag 'asiffeta' – 'asafoetida' a rhoi iddo'r enw meddygol cywir, yn tarddu o enw planhigyn y *ferula* a dyf yn Irán. 'Baw'r diafol' oedd y disgrifiad addas a arferid amdano yn Nyffryn Ogwen ac mae ffurfiau cyfatebol mewn ieithoedd eraill. Os oedd ei arogl drewllyd yn ddigon i godi cyfog ar unrhyw un, roedd ei flas gwirioneddol erchyll ganmil gwaeth. Byddai coel aruthrol yn ei nodweddion iachusol ac fe'i rhoddid yn gyson i blant hyd at ganol yr ugeinfed ganrif i wella amrywiaeth o anhwylderau ac afiechydon.

Ond mae'n amlwg nad yw Nain yn plesio ym mhob dim, a lleisia'r hogyn bach ei gŵyn yn y frawddeg: 'Nain eisio imi fynd i weithio i Chwaral, a finna ddim eisio mynd' ond, wedi'r cyfan, 'Oedd hi wedi bod yn ffeind iawn wrtha i ers pan aethon nhw a Mam i ffwrdd, er bod ni'n ffraeo o hyd'.

A phwy oedd 'Nain Pen Bryn' go iawn? Wel, er iddo efallai gymryd cyfenw Betsan Parri o gyfenw morwynol ei nain ar ochr ei fam, nid oes amheuaeth nad 'Nain Pen Bryn' yw ei nain ar ochr ei dad (ac fe gadarnheir hynny yn *ADA*: 'Nain Pen Bryn oedd mam fy Nhad ...'[1]). Roedd Elizabeth Jane Roberts, a aned tua 1827 ym Mhlwyf Llanllechid yn Nyffryn Ogwen, wedi priodi â gŵr o'r enw William Pritchard, a ddaethai o Lanrhychwyn, uwchlaw Trefriw, i weithio i Chwarel y Penrhyn tua chanol y bedwaredd ganrif ar bymtheg. Roedd eu cartref cyntaf yn un o dai'r chwarel ond symudasant yn ddiweddarach i fwthyn dwy stafell, sef 14 Pen-y-bryn, o fewn tafliad carreg i Llwyn Onn, lle ganed Caradog.

Cafodd William ac Elizabeth wyth o blant a gwelir hwy yn y llun isod (a dynnwyd, mae'n debyg, tua chanol y 1880au, yn stiwdio'r ffotograffydd Amilius Clarke[2] ar Stryd Fawr Bethesda) gyda'u mam, Elizabeth (a dyna o ble daeth yr enw 'Betsan' yn *UNOL*).

Elizabeth Jane Pritchard a'i phlant tua chanol y 1880au.
Rhes gefn (o'r chwith): William Roderick, Elizabeth (Leusa), Richard, Morgan Roderick.
Yn y blaen: Robert, Jane, Elizabeth (Nain Pen Bryn), John Roderick (tad Caradog),
y ferch hynaf na wyddys ei henw

Doedd William Pritchard ddim yn y llun, wrth gwrs, gan iddo gael ei ladd yn Chwarel y Penrhyn ar Ragfyr 10 1870 pan nad oedd ei fab ieuengaf, John Roderick, tad Caradog, ond ychydig fisoedd oed. Does dim sôn am William yn *UNOL* nac am unrhyw un o'r plant ond nid rhyfedd hynny gan na wyddai Caradog Prichard fawr ddim am deulu'i dad. Ceir hanes manylach am William Pritchard ac am y teulu'n gyffredinol yn *Byd a Bywyd Caradog Prichard*[3]. Bu ei nain ar ochr ei dad – y Nain Pen Bryn go iawn – fyw 'nes bod bron yn gant oed', meddai Caradog yn *ADA*[4]. Ac fe gadarnheir hynny gan fanylion yng Nghofrestr Claddedigaethau Eglwys Crist Glanogwen, Bethesda. Bu farw Elizabeth Pritchard ym mis Ebrill 1921 ym Mryn Hyfryd, Tregarth, cartref ei mab, William Roderick Pritchard

(1866-1948) a'i briod, Ellen[5] – neu Elin, fel y galwyd hi (c.1868-1934). Fe'i claddwyd ym Mynwent Eglwys Crist Glanogwen, Bethesda, ar Ebrill 20. Roedd yn 95 oed[6].

Erys un dirgelwch arbennig ynghylch rhywbeth a ddywed Margaret Jane wrth Caradog ar ôl angladd Nain Pen Bryn. Cefais hyd i'r pwt Saesneg a ganlyn, yn dwyn y teitl 'Mam' yn llawysgrifen Caradog ei hun, ar dudalen rydd o bapur y deuthum ar ei thraws ymhlith papurau Caradog.

> I remember walking home with her from Bryn Hyfryd after the funeral tea and she was telling me how disappointed she was that Auntie Mary had taken all Nain's furniture without giving her as much as a chair.
>
> 'After all I did for Nain', she said, with the tears left over from the funeral.

Bryn Hyfryd, Tregarth

Mae'n deg i ni dybio y gallai Elizabeth Pritchard fod wedi bod angen cwmni, cymorth a gofal a hithau yn ei naw degau. Mae'n rhesymol i ni gredu, hefyd, y gallai aelodau o'i theulu fod wedi cynnig edrych ar ei hôl – efallai yn eu tro. Yr hyn sy'n sicr yw mai yng nghartref William ac Elin y bu'n byw yn union cyn marw ac mai oddi yno y teithiodd ar ei siwrnai olaf i Fynwent Eglwys Glanogwen. Ond pwy oedd 'Auntie Mary' y sonia Caradog Prichard amdani yn y dyfyniad, yr un oedd wedi cymryd holl ddodrefn ei nain? A chofiwn iddo sôn yn y dyfyniad Saesneg am 'Auntie Mary's house, Bryn Hyfryd'. Ni allwn ond casglu mai chwaer William oedd

Mary – y chwaer honno na lwyddais i ddarganfod ei henw, a fyddai wedi
bod yn ei saith degau, efallai, pan fu ei mam farw yn 1921. Bûm yn trafod
hyn gyda William Emyr Morris Jones, ŵyr William Roderick ac Elin.
Cytunai â'r ddamcaniaeth hon ac fe gofiai alw yn nhŷ ei nain a'i daid ym
Mryn Hyfryd, Tregarth, o bryd i'w gilydd a bod 'Modryb' yno – ni chofiai
glywed ei henw erioed. Yr hyn sydd hefyd yn berthnasol i'w gofio ydi bod
Bryn Hyfryd yn *ddau* dŷ ynghlwm wrth ei gilydd (gweler y llun uchod) ac
yn dwyn yr un enw. Mae'n eithaf posibl, felly, fod y 'fodryb' hon yn byw y
drws nesaf i'w brawd a'i chwaer-yng-nghyfraith (sef yn y tŷ ar y dde yn y
llun) ac ni ellir ond tybio y byddai wedi dymuno cael dodrefn ei mam iddi'i
hun. Sut bynnag, erys y dirgelwch hwnnw yng nghysgodion y gorffennol.

Ond mae'n rhaid crybwyll un stori fach yn *UNOL* yn ymwneud â Nain
Pen Bryn sy'n cyfochri'n rhyfeddol o agos â stori o fyd go iawn Caradog
Prichard ac yn codi cwestiwn diddorol tu hwnt. Meddai'r hogyn bach:

> Dew, un arw oedd Nain hefyd.
>
> Fi'n dŵad adra ryw ddiwrnod wedi bod hefo Huw yn Parc Defaid ac
> yn sâl eisio bwyd …
>
> … Ond pan ddwedais i: Ga i frechdan arall, Nain? ar ôl sglaffio pedair,
> un ar ôl ei gilydd, be ddaru Nain yn ei thempar ond taflyd y dorth ar
> draws y bwrdd.
>
> Hwda'r hen gythraul bach byteig, medda hi. Cymera di'r dorth i
> edrach gei di ddigon.

Wrth ddarllen yr uchod, atgoffwyd fi unwaith eto am y dudalen rydd (y
soniais amdani uchod) ac mae hanesyn byr ar y ddalen honno'n cadarn-
hau'r stori a geir yn *UNOL* am y nain yn edrych ar ôl y fam (gan gynnwys
bras syniad am ei hoed ar y pryd):

> … Nain Penybryn had done a lot for her … It was Nain who nursed
> her and looked after us, me and my two brothers, Howell and Glyn,
> when Mam had rheumatic fever and nearly died. Perhaps it would
> have been much better if she had died then; but let that be.
>
> A tough one was Nain. Although she was then well in her eighties …

Yna, cawn y stori sy'n ddrych, bron, o'r stori uchod yn *UNOL* am y nain yn
torri brechdanau:

> … she was much better at bossing us than Mam.
>
> There was that time when we came home after we had been bathing
> in Lake Drowned Field after school, hungry as wolves, and Nain

thought she would never stop cutting the bread-and-butter. When Howell, my biggest brother, the one who always had his own way, kept asking for more all the time, Nain stopped cutting the bread-and-butter and put the knife down. 'There you are. Take the bloody loaf!' she said, and threw the loaf at him across the table. That put him in his place. But a kind one she was, for all her toughness.

Wedi bod efo Huw yr oedd yr hogyn bach yn *UNOL* ond wedi bod efo Howell yr oedd Caradog yn y stori go iawn.

Ymhellach ymlaen yn y nofel, cawn wybod bod Huw yn gadael y fro i fynd i weithio i dde Cymru gyda'i dad a chofiwn fod Howell (neu Hywel yn aml gan Caradog) wedi gadael yr ardal i ymuno â'r fyddin ac yna wedi mynd i Loegr (i Sheffield, maes o law) i weithio fel pobydd. Tua diwedd *UNOL*, gadewir nodyn i'r Nain:

> A dyma fi'n sgwennu ar ddarn o bapur: Peidiwch a poeni amdanaf fi, Nain. Ydw i wedi mynd i ffwrdd i weithio run fath â Huw.

Tybed nad oes elfennau o Howell yn Huw?

NODIADAU

1. *ADA*, t. 20.

2. Gw. erthygl gan Pam Owen, Abergele, 'Amilius Clarke and Son, Photographers, Bangor and Bethesda', yn *Gwreiddiau Gwynedd* (Cylchgrawn Cymdeithas Hanes Teuluoedd Gwynedd), Rhif 53, Hydref/Gaeaf 2007.

3. Gw. *Byd a Bywyd Caradog Prichard*, tt. 6-12.

4. *ADA*, t. 21.

5. Cafwyd yr wybodaeth (ynghyd â llun Bryn Hyfryd) gan William Emyr Morris Jones, ŵyr William Roderick ac Ellen Pritchard.

6. Gwelwyd Cofnodion Claddedigaethau ym Mynwent Eglwys Glanogwen drwy garedigrwydd Gilbert Bowen.

ARTHUR TAN BRYN

Arthur Williams oedd enw iawn Arthur Tan Bryn, y cymeriad yn *UNOL* y dywedir iddo 'redag i ffwrdd at y sowldiwrs amsar Rhyfal'. A dyna, mewn gwirionedd, a ddigwyddodd go iawn yn hanes Arthur Williams[1].

Ganed ef ar Fai 31 1901, yr ieuengaf o chwech o blant Robert Coetmor ac Anne Ellen Williams. Cafodd ei fagu yn ardal y Carneddi, Bethesda, lle'r oedd ei dad yn cario blawd i siopau'r ardal cyn sefydlu'i fusnes ei hun yn cario glo. Wedi derbyn ei addysg gynnar yn Ysgol y Carneddi, llwyddodd Arthur i basio'r *scholarship* i fynd i Ysgol y Sir, Bethesda. Dyma lun ohono'n ddisgybl yn yr ysgol honno.

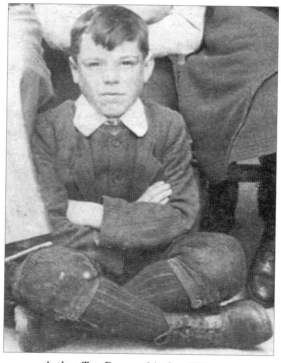

Arthur Tan Bryn, sef Arthur Williams

Gwaetha'r modd, er ei fod yn gwneud yn dda yn yr ysgol, ni châi fawr o flas ar ei addysg yno. Roedd pethau'n dynn iawn yn ei gartref a'i fam yn edliw iddo'n gyson pa mor anodd oedd ei gadw yn yr ysgol. A doedd yr amgylchiadau hynny ddim yn ennyn na chwarae teg na chefnogaeth gan ei athrawon chwaith. Roedd yn mwynhau darllen ac ysgrifennu a threuliai oriau'n cicio pêl wedi'i gwneud o bledren mochyn. Yn ystod y cyfnod hwn, bu'n gweithio mewn becws a chael tair ceiniog yr wythnos am ei lafur. Ar yr adegau hynny pan gâi deisen i fynd adref i'w fam, byddai hi'n ei chymryd ganddo ac yna'n gwerthu tamaid ohoni'n ôl iddo am geiniog!

Pa ryfedd iddo gael llond bol ar fywyd fel hyn – yn y cartref ac yn yr ysgol! Yn ystod yr oriau mân un bore, penderfynodd godi'i bac a gadael cartref heb ddweud dim wrth neb. Ond ni fargeiniodd ar gael cwmni ar ei antur – dilynwyd ef o'r tŷ gan ei gi ffyddlon, Jip. Taflodd gerrig ato i'w yrru'n ôl a thorrodd i grio'n hidl wrth weld y ci'n edrych mor ddigalon wrth droi'n ôl am adref. Ond ymlaen yr aeth Arthur a dal trên cynnar o Fethesda.

Roedd yn gwybod yn union i ble'r oedd yn mynd – i Wrecsam i ymuno â'r fyddin. Yno, fe sgwennodd lythyr adref i esbonio'r hyn yr oedd wedi ei wneud.

Yn y man, cafodd ei anfon i'r India lle bu'n glarc yn y fyddin am oddeutu chwe blynedd. Tra oedd yno, dechreuodd gymryd diddordeb mewn paffio ac, yn wir, fe enillodd gwpan yn wobr am ei gampau. Pan adawodd y fyddin, ni fynnai i'w rieni gael gwybod am y bocsio nac am y cwpan. O ganlyniad, trefnodd i'r cwpan gael ei gadw yn nhŷ ei frawd ym Mhenbedw – ac yno y bu nes i'w frawd symud i gartref henoed ym Mhorth Penrhyn, Bangor, tua 1970!

'Mae nhw am roid i enw fo ar y Gofgolofn', haera Moi yn y nofel ond gwyddom na fu hynny dan ystyriaeth o gwbl gan fod Arthur Williams wedi dychwelyd yn ddiogel i Gymru. Treuliodd gyfnod yn is-reolwr mewn chwarel raean ger Wrecsam ond byddai'n dychwelyd i Fethesda'n rheolaidd ac ar un o'r ymweliadau hynny â'i henfro y cyfarfu â'i ddarpar-wraig, Grace Ellen Owen (1910-1958), a oedd yn byw yn nhafarn y King's Head, Bethesda. Fe'u priodwyd yng Nghapel Siloam, Bethesda, ar Chwefror 27 1930 ond yn Llai, ger Wrecsam, y buont yn byw tan 1933 ac yno y ganed eu merch, Henrietta.

Yn 1933, daethant yn ôl i Ddyffryn Ogwen ac ymgartrefu yn y King's Head gyda thad Grace Ellen. Bu Arthur yn gweithio yn Chwarel y Penrhyn nes iddo ddod yn denant ar y dafarn yn 1937 yn dilyn trafferthion ariannol ei dad-yng-nghyfraith. Bu'n cadw'r dafarn nes y talwyd y ddyled i'r bragwyr ac yn ystod yr holl gyfnod hwnnw, rhwng 1933 a 1940, ni chymerodd Arthur erioed yr un diferyn o alcohol!

Yn y blynyddoedd rhwng 1940 a 1945, ganed i Arthur a Grace dri mab, Robert (Robin) Coetmor, Frank a Ken. Yn ystod yr Ail Ryfel Byd, â'r teulu bellach wedi symud o'r dafarn i fyw i un o dai Bryntirion, Bethesda (a symud wedyn yn 1947 i Faes Bleddyn, Rachub), bu Arthur yn gweithio mewn gwahanol ddiwydiannau nes cael ei benodi'n 'Chief Time Keeper' yn ffatri Saunders Roe, Beaumaris. Pan gyrhaeddodd oed ymddeol, pwyswyd arno i aros yn ei swydd am flwyddyn arall ond rhoes y gorau iddi yn 66 mlwydd oed oherwydd bod yna doriadau gan y cwmni ac ni ddymunai i rai ifainc oedd newydd ymuno golli eu gwaith. Derbyniodd oriawr aur am ei chwe blynedd ar hugain o wasanaeth.

Wedi tair blynedd o ymddeoliad braf – yn mynychu ei gapel (Siloam), yn garddio, darllen, gwylio'r teledu ac ysmygu'i bibell – cafodd drawiad ar y galon a effeithiodd arno weddill ei oes. Bu farw yn ward yr henoed yn Ysbyty Dewi Sant, Bangor, ar Chwefror 22 1973, yn 71 mlwydd oed.

Arthur Williams ('Arthur Tan Bryn' yn UNOL)

Nid anghofiodd Caradog Prichard erioed am ei ffrind bore oes ac ysgrifennai ato o bryd i'w gilydd dros y blynyddoedd (er na oroesodd yr ohebiaeth honno). Byddai Caradog ac Arthur yn arfer cyfarfod â'i gilydd pan ddeuai Caradog i'r ardal ar ei hald a phan fu Arthur farw yn 1973 ysgrifennodd Caradog deyrnged fer iddo yn y golofn a ysgrifennai yn y *North Wales Weekly News*.[2]

NODIADAU

1. Dibynnais yn helaeth am hanes Arthur Williams ar wybodaeth fanwl a gefais drwy law ei ferch, Hettie (Henrietta) Evans, a'i ŵyr, W. Arfon Evans. Elwais hefyd ar sgwrs a gefais â'i fab, Robin Coetmor Williams (a fu farw rai misoedd cyn i'r gyfrol hon gael ei chyhoeddi) a chanddo ef, hefyd, y cefais fenthyg y llun diweddaraf o'i dad.

2. Gw. y *North Wales Weekly News*, ddydd Iau, Mawrth 15 1973, t. 14. Mae Caradog yn dod â'i golofn i ben drwy grybwyll Arthur Williams yn ogystal â chyfaill arall iddo:

> Rhaid imi orffen ar nodyn trist a hiraethus yr wythnos hon. Gwelais y dydd o'r blaen hanes ymadawiad dau o hen gyfoedion plentyndod a chyfeillion cyfnod diweddarach, sef Arthur ac Islwyn, dau o hogiau Bethesda. Roedd Arthur yn fachgen talentog a phe dewisiai byddai wedi dringo'n uchel ar risiau dysg. Ond, os nad yw fy nghof yn chwarae triciau â mi, enillodd ein hedmygedd ni yn yr ysgol fel arwr a fynnodd adael ei lyfrau am y Fyddin.
>
> Ac Islwyn yntau. Onid fo oedd hefo mi mewn damwain un Noson Guy Fawkes pan losgwyd y ddau ohonom gan glecars? Neu a ydyw fy nghof eto'n chwarae triciau? Ond chwith yw gweld yr hen gyfoedion annwyl yn diflannu fel hyn, y naill ar ôl y llall. A melys yr erys y cof amdanynt am weddill y daith.

BLEDDYN IFANS GARTH

Darlun o ŵr caredig iawn a gawn yn *UNOL* o Bleddyn Ifans Garth ac mae'n chwarae rhan allweddol yn y cyflwyniad i hanes y gêm bêl-droed yn y nofel:

> Hei, tyrd yma, medda'r un oedd yn codi'i law, a dyma finna'n cerddad yn fy mlaen ato fo. A pwy oedd o ond Bleddyn Ifans Garth, cefndar Elis Ifas Drws Nesa, hwnnw fydda'n dŵad i fyny Rallt i edrach am Elis a Gres Ifas weithia, a dŵad i tŷ ni am panad o de pan fydda yna neb adra yn Drws Nesa. Gweithio yn Chwaral oedd o.
> Chdi ydi hogyn Tŷ Nesa Elis Ifas Rallt, ynte? medda fo.
> Ia.
> Wyt ti'n mynd i weld Celts yn ennill y cwpan?
> Na. Ydw i ddim yn meddwl.
> Wyt siŵr iawn. Hwda, dyma chdi. Tyrd di i mewn hefo fi. A dyma fo'n mynd i'w bocad a rhoid tair ceiniog yn fy llaw i.
> Esgob. Diolch fawr, medda fi.
> Sud mae dy Fam?
> Iawn diolch. Oeddwn i i fod i fynd hefo hi i neud negesa pnawn yma, ond oeddwn i eisio gweld pobol yn mynd i mewn i cae. Dyna pam ddois i yma efo Huw a Moi.
> O, felly? Lle mae nhw wedi mynd?
> I fyny Lôn Bost am dro.
> Ydyn nhw am fynd i mewn?
> Ydyn, 'dw i'n meddwl.
> Pwy wyt ti'n feddwl wneiff guro heddiw?
> Celts siŵr iawn.
> Mi ddylat ti wisgo ruban gwyrdd run fath â fi i ddangos d'ochor. Hwda, mi dorra i hwn yn ei hannar i ti gael un hannar.
> Esgob, diolch fawr.
> A dyma Bleddyn Ifans yn tynnu'r ruban gwyrdd oddi ar ei frest a mynd i'w bocad i nôl cyllath a'i dorri o yn ei hannar a rhoid un hannar i mi.
> Oes gen ti bin?
> Nagoes.
> Hwda, dyma chdi.
> Esgob, diolch fawr eto.

Mewn erthygl yn *Y Ford Gron* dan y teitl, 'Cael fy Nghoroni', mae Caradog Prichard yn sôn amdano'n ennill y Goron yn Eisteddfod Genedlaethol Cymru, Caergybi. Dyma'r rhan berthnasol o'r ysgrif honno:

Cusan barfog

O haen y niwl sy'n gor-doi f'atgofion i am y prynhawn hwnnw yng Nghaergybi saif allan un atgo perliog yn eglur iawn.

Ymhlith y rhai a'm croesawodd y tu allan i'r babell yr oedd un chwarelwr cyhyrog a roes naid ymlaen a thaflu ei ddwyfraich am fy ngwddw a rhoddi imi glamp o gusan barfog.

Pan gefais gyfle i edrych, a gweld pwy oedd, cynhesodd fy nghalon. Cofiais ar y funud am dro pan safwn yn ddigyfaill ac yn ddigeiniog y tu allan i'r cae ffwtbol ym Methesda flynyddoedd cyn hynny, a'r hogiau'n dylifo i mewn i weld Ogwen Valley United yn chwarae gwŷr Caergybi. Toc daeth B—— heibio, a thalu am imi fynd i mewn.

Nid rhyfedd imi deimlo'n falch o gusan barfog B—— ar faes yr Eisteddfod. 'Roeddwn i'n teimlo fy mod i wedi gwneud rhyw ad-daliad bychan am gymwynas ardderchog y cae ffwtbol.[1]

Mae'n rhaid nodi, wrth fynd heibio, mai tîm y Bethesda Comrades oedd yn chwarae yn erbyn yr Holyhead Railway Institute Reserves yn y gêm bêl-droed ddrwg-enwog ac nid yr Ogwen Valley United fel y nodir uchod gan Caradog Prichard. Diflannodd y Comrades ar ôl helbul y gêm ac ymddangosodd tîm newydd yr Ogwen Valley ddechrau'r tymor canlynol, sef ym Medi 1920[2].

Ond mae'r dyfyniad uchod o gylchgrawn *Y Ford Gron* yn cynnig inni brawf diamheuol o fodolaeth go iawn 'Bleddyn Ifans Garth' yn *UNOL*. Gwaetha'r modd, er holi a chwilio, ni lwyddais i ddod o hyd i ddim am y gŵr hwn ac nid oes gennyf y syniad lleiaf pwy y gallai Bleddyn Ifans Garth y nofel fod. Ond yr un peth sydd yn sicr yw bod y cymeriad hwn wedi'i seilio ar ddyn o gig a gwaed a fuasai'n garedig go iawn wrth Caradog Prichard.

NODIADAU

1. Rwy'n ddyledus i Geraint Percy Jones, Bangor, am dynnu fy sylw at yr erthygl 'Cael fy Nghoroni' gan Caradog Prichard a ymddangosodd yn *Y Ford Gron*, Awst 1931.
2. Gweler y bennod 'Y Gêm Bêl-droed'.

BOB BACH PEN CLAWDD

Bob Bach Pen Bryn

Fel yn achos nifer o'r 'cymeriadau' diddorol a gwahanol hynny a gerddai strydoedd Dyffryn Ogwen a llaweroedd o ardaloedd eraill hyd at ganol yr ugeinfed ganrif, ychydig iawn o ffeithiau gwirioneddol sydd gennym am Bob Bach Pen Bryn. Ni wn hyd yn oed ei enw llawn, gan mai wrth yr enw hwnnw y clywais gyfeirio ato gan bawb erioed. Ond deallaf ei fod yn gymeriad hoffus tu hwnt, bob amser yn cymryd ei ddiffyg taldra yn destun hwyl ac yn barod iawn i chwerthin am ei ben ei hun. Yr un stori a glywais amdano yw'r adeg honno pan ddaeth dyn anghyffredin o dal yn blisman i'r ardal a Bob Bach Pen Bryn yn mynd ato a gofyn: 'Oeddan ni ddim efo'n gilydd yn y Welsh Guards ers talwm?'.

Un cyfeiriad yn unig a geir yn *UNOL* at y corrach acondroplastig hwn. Wrth geisio rhoi disgrifiad o'r dyfarnwr anffodus hwnnw yn rhedeg ar hyd y cae pêl-droed 'yn olagymlaen rhwng yr hogia, a gwyro i lawr i watsiad y bêl ...', dywed yr hogyn bach: 'oedd o'n edrach yn llai na Bob Bach Pen Clawdd', gan ychwanegu: 'hwnnw fyddan ni'n bryfocio am ei fod o'r un hyd a'r un led a fynta'n ddeugian oed.' A dyna'r union eiriau y byddai fy mam yn eu defnyddio i ddisgrifio Bob Bach Pen Bryn. Ac mae'n debyg fod Caradog yn adnabod Bob yn iawn, gan fod y ddau'n byw o fewn tafliad carreg i'w gilydd ar Allt Pen-y-bryn yn ystod plentyndod cynnar Caradog.

BOB CAR LLEFRITH

Seiliwyd Bob Car Llefrith ar William Roberts – Wil neu Wili Robaits Gornal i'w gydnabod ym Methesda.

Dechreuodd William ei yrfa fel saer coed gyda'i dad, John Roberts, Llys Llewelyn, Braichmelyn, a phrentisiwyd ei frawd, Robert John, yn yr un modd. Ond doedd trin y cŷn a'r llif ddim yn ddigon o dynfa i Wil fynd ymlaen â gyrfa yn y maes hwn ac fel dyn llefrith y cofir amdano'n bennaf, yn crwydro drwy'r ardal gyda'i geffyl a'i fflôt.

William Roberts a'i gar llefrith. Mae ei wraig, Dorcas, yn sefyll wrth y giât o flaen eu cartref bychan yn y Gornal (a sylwer mai ffenestri'r tŷ drws nesaf sydd ar ochr chwith y llun)

Pan briododd William Roberts â merch o'r enw Dorcas Davies ar Hydref 7 1914, symudodd i fyw i'r tŷ pen – tŷ eithriadol o fychan – yn rhes dai'r Gornal, lle'r oedd hi wedi ei magu. Roedd eu cartref gyferbyn â thalcen y Rheinws lle'r oedd y cloc a lle mae Allt Pen-y-bryn yn ymuno â'r ffordd bost. Roedd busnes llefrith llewyrchus gan dad Dorcas ac mae'n debyg i Wil brynu'r busnes hwnnw ychydig cyn priodi. Roedd ganddo ddau gant o gwsmeriaid bob dydd ac yn 1916 gwerthai rhwng 150 a 180 o alwyni o lefrith bob wythnos a chael dwy geiniog am bob peint. Gweith-iai'n galed iawn i sicrhau llwyddiant a pharhad y busnes, o chwech yn y bore hyd at wyth yn yr hwyr (a than ddeg o'r gloch y nos ar Sadyrnau)[1].

Roedd William Roberts yn aelod selog a ffyddlon ar hyd ei oes yng Nghapel Jerusalem (MC), Bethesda (ac nid yn 'Reglwys' fel Bob Car Llefrith yn *UNOL*), a hoffai ddweud y byddai'n gwrando ar ddeuddeg pregeth dros y Sulgwyn, rhwng nos Sadwrn a nos Lun, heb feddwl am golli'r un ohonynt!

Yn ei oriau hamdden, doedd dim yn well ganddo na chroesi'r lôn o'i dŷ a thros Bont Ring (sef hen Bont yr Inn) at y maes bowlio ym Mharc Orme. Bu'n Ysgrifennydd Clwb Bowlio Bethesda am dros ddeng mlynedd a dyma'i lun, ar y chwith yn y rhes flaen, gyda'i gyd-fowlwyr yn 1959.

Clwb Bowlio Bethesda ym Mharc Orme 1959
Rhes gefn (o'r chwith): Emyr Evans, William John Williams, Idwal Lewis, David Edwards,
Lloyd Williams, Francis Pleming, Capten Hughes, John Jones, O. J. Jones,
Jack John Eban Jones, Capten Lewis Jones, John Williams
Rhes flaen: William Roberts, Gwilym Evans, Owi Hughes, Arthur Edwards,
Fred Cunningham, Martin Hughes, Richard Roberts

NODYN

1. Gw. y *North Wales Chronicle*, Hydref 13, 1916.

Y CANON A'I DEULU

Mae i'r 'Canon' a'i blant ran bwysig yn *UNOL*. Dim ond fel 'Canon' y cyfeirir ato yn y nofel ond rhoddir enw ar ei fab, sef John Elwyn, a gelwir ei ferch yn 'Ceri' ond, yn rhyfedd iawn, nid oes unrhyw gyfeiriad o gwbl at ei wraig.

Y Canon Richard Thomas Jones

Ond mae hanes go iawn y Canon a'i deulu yn hynod ddifyr a chredir ei fod yn ddigon diddorol i gael ei gofnodi – yn rhannol, beth bynnag – yn y gyfrol hon, yn enwedig o gofio bod Caradog Prichard yn meddwl y byd o'r Canon. At hynny, roedd y Canon yn aelod blaenllaw a phwysig o'r gymdeithas yn Nyffryn Ogwen ac yn fawr ei barch, er iddo fod ar delerau da iawn â'r Arglwydd Penrhyn ac yn hynod flaengar yn yr ymgyrch i recriwtio hogiau'r ardal i ymuno â'r lluoedd arfog yn ystod y Rhyfel Mawr.

Yn yr Hope Inn, 6 Stryd Fawr, Llanbedr Pont Steffan, y magwyd y 'Canon', sef Richard Thomas Jones. Ganed ef ar Ionawr 10 1862, yn fab i John Jones, tafarnwr a chrydd (o Lanfairclydogau'n wreiddiol) ac Elizabeth (a aned yn Abergwili, Sir Gaerfyrddin). Roedd naw o blant yn y teulu – John

Scurrey, Ann, Mary, David Oliver, Elizabeth, Ellen, George Jenkin, Richard Thomas a Sarah Jane, i gyd wedi eu geni yn Llanbed.

Yn 1881, pan oedd Richard yn 19 oed ac wedi ennill gradd B.A. yng Ngholeg Dewi Sant, Llanbedr, cawn iddo fod yn athro cynorthwyol yn Fullands House, Wilton, Gwlad yr Haf. Ysgol i ddisgyblion rhwng 12 a 17 oed o bob rhan o'r byd oedd hon. Cafodd ei ordeinio yn 1875 ond ni wyddys dim o'i hanes wedi hynny nes iddo gael ei benodi'n gurad ym Mhwllheli yn 1885, ac yna'n Ficer Nefyn yn 1888.

Yno y cyfarfu Richard Thomas Jones â'i ddarpar-wraig, Cordelia Mary Savin. Yn Abermo y ganwyd hi yn 1864 (a'i chwaer, Lydia Elizabeth, ym Mhorthmadog ddwy flynedd yn ddiweddarach).

Tad Cordelia a Lydia oedd John Savin, a aned yng nghyffiniau Croesoswallt tua 1830. Roedd ef a'i frawd, Thomas, yn bartneriaid mewn amrywiol fentrau diwydiannol, gan gynnwys mwyngloddio, chwarelydda a chwmnïau rheilffyrdd. Bu John farw yn 1903 a chladdwyd ef gyda'i wraig ym Mynwent Llanfrothen, ger Porthmadog.

Cordelia Mary a'i chwaer, Lydia

Cordelia, hefyd, oedd enw gwraig John Savin (hithau'n ferch i Cordelia a John Jones o blasty Oaklands, ger Llanfair Dyffryn Clwyd). Ganed hi yn 1836 ond bu farw'n 29 oed ar enedigaeth ei hail ferch, Lydia Elizabeth, yn 1866. Serch hynny, nid ymddengys i'r ddwy ferch fod yn brin o ddim ac, yn ôl tystiolaeth un o'r teulu 'they were brought up and educated by nannies and governesses'.

Erbyn 1871, roedd John Savin wedi symud i ffarmio i Parciau Isaf, Cricieth, ac yna, yn ôl Cyfrifiad 1881, roedd wedi symud eto – i Blas Bodegroes, Llannor, a chanddo 'Incomes from land and houses, dividends. Entrust of money'.

Plas Bodegroes, Llannor

Am ba bynnag reswm, doedd Cordelia Mary na Lydia Elizabeth yng Nghymru na Lloegr adeg Cyfrifiad 1881.

Erbyn 1891, roedd y ddwy yn ôl yn Llŷn. Roedd Lydia yn briod ag Owen Ll. Jones Evans, mab Owen Evans, perchennog Broom Hall, Llan-

Cordelia Mary Savin
(a ddaeth yn wraig i'r Canon maes o law)

Broom Hall, Llanarmon

armon, ger Pwllheli. Cawsant bedwar o blant, Rowland Owen Lloyd, Margaret Lydia, John Meredith Jones a William Prys Owen – a chyfenw pob un yn Evans.

Roedd Cordelia wedi priodi yn 1889 â Richard Thomas Jones ac yn byw yn Ficerdy Nefyn. Nid oedd John Savin (a oedd yn dal i fyw ym Modegroes – ac, yn ôl Cyfrifiad 1901, yn gallu siarad Cymraeg) yn hapus o gwbl fod ei ferch wedi priodi offeiriad ac achoswyd cryn ddrwgdeimlad yn

y teulu. Sut bynnag am hynny, meddalodd calon John Savin pan aned ei
ŵyr cyntaf ac unwyd y teulu unwaith eto.

Cordelia Mary Jones (née Savin)

Yn Nefyn y ganed dau blentyn Richard a Cordelia Mary: John Savin Jones (a newidiodd i fod yn John Savin Jones-Savin tra oedd yn fyfyriwr yn Rhydychen) a Cordelia Mary (ie, Cordelia, fel ei mam a'i nain o'i blaen) ond galwyd hi'n Corrie – a dyna o ble y cafodd Caradog Prichard 'Ceri' yn *UNOL*, wrth gwrs.

Llun diweddar o Ficerdy Nefyn

Yn dilyn marwolaeth John Morgan, ficer Eglwys Crist Glanogwen, yn 77 oed, yn Ionawr 1897, penodwyd y Parchedig Richard Thomas Jones yn olynydd iddo. Daeth y teulu i Fethesda yn 1898, a chyda hwy ddwy ferch o Nefyn i weini yn y Ficerdy: Eliza Parry, a oedd tua 30 oed, yn gogyddes, a Jane Jones, 12 oed, yn forwyn fach. Roedd y teulu a'r gweision, yn ôl Cyfrifiad 1901, yn gallu siarad Cymraeg a Saesneg. Tybed nad y ddwy hyn oedd Gwen a Nel, morynion y Ficrej yn *UNOL*?

Ficerdy Glanogwen – Plas Ogwen bellach

113

Roedd y teulu wedi cyrraedd Bethesda mewn cyfnod anodd. Nid oedd y streic un mis ar ddeg yn Chwarel y Penrhyn ond newydd ddod i ben a'r teimladau'n corddi, y drwgdeimladau'n cyniwair drwy'r gwaith a'r ardal, a'r crochan yn ffrwtian nes i'r Streic Fawr dorri ym mis Tachwedd 1900. A'r Canon druan yng nghanol y cyfan – yn gorfod rhannu ei deyrngarwch rhwng yr Arglwydd Penrhyn, a'i penododd i'w swydd, ar y naill law, a'i blwyfolion dioddefus ar y llaw arall (er na lynodd nifer o'r rhain yn driw i achos mawr y streicwyr).

A chyda theulu'r Ficerdy y daeth Caradog Prichard yn gyfarwydd rai blynyddoedd yn ddiweddarach. Fel y nodir yn y bennod, 'Y Fam, Catrin Jên Lôn Isa, Gryffudd Ifas Braich, Yncl Wil, ac Eic Wilias Glo', roedd yn rhaid i Margaret Jane Pritchard, ar ôl cael ei gadael yn weddw, fynd allan i olchi, smwddio a manglio dillad i bwy bynnag yn y gymdogaeth a roddai ychydig o geiniogau iddi am ei gwasanaeth. Un o'r 'cwsmeriaid' hynny oedd teulu'r Ficerdy a châi Caradog fynd yno gyda'i fam o bryd i'w gilydd neu, dro arall, byddai'n galw amdani ar y ffordd adref o'r ysgol i'w helpu i gario dillad adref i'w smwddio.

Nid oes amheuaeth na chafodd y Canon ddylanwad mawr ar y bachgen ifanc. Yn wir, bu Caradog ag 'uchelgais o fynd yn Berson'. Cofiwn ei eiriau yn *ADA*:

> Onid oedd Canon Jones wedi rhoi ei law ar fy mhen ar y llwyfan yng nghwarfod llenyddol Eglwys Glanogwen a dweud wrth y bobol ar ôl imi ennill ar adrodd: 'Mae angen bechgyn fel hyn ar yr Eglwys'? ... Mi fyddwn yn Berson gwisg wen a stôl goch yn sythu a phengrymu o flaen yr Allor ac yn byw fel gwrbonheddig [*sic*] mewn plasdy hardd a helaeth. Onid oedd personiaid yn filionêrs, yn medru fforddio dwy forwyn a gwraig weddw fel Mam i wneud y golchi iddyn nhw bob wythnos?[1]

Ficerdy Glanogwen wrth edrych o'r Lôn Bost

114

Drwodd a thro, ychydig o hanes Ficerdy Eglwys Crist Glanogwen a'r teulu a gawn yn *YRhA* ac *ADA*; cawn lawer iawn mwy yn *UNOL*. A'r hyn sy'n wirioneddol ddifyr yw pa mor agos at y byd go iawn yw'r elfennau a gaiff sylw Caradog Prichard yn ei nofel.

Safai'r Ficerdy led dau gae oddi wrth y Lôn Bost, bron iawn gyferbyn â'r cae pêl-droed lleol. Roedd cae bach arall o flaen talcen y Ficerdy a hwnnw oedd Cae Ficrej y nofel.

O droi i'r chwith oddi ar y Lôn Bost, wrth adael Bethesda i gyfeiriad Capel Curig, safai'r Ficerdy ar y dde ym mhen draw rhodfa goediog fer. Ddiwedd chwe degau'r ganrif ddiwethaf, codwyd ficerdy newydd yn rhan o stad o dai preifat (Rhos y Nant) wrth gefn yr hen ficerdy a throwyd Ficerdy'r Canon yn Gartref Henoed, Plas Ogwen, tua diwedd y 1960au.

Nodwyd uchod mai Eliza Parry a Jane Jones oedd y ddwy forwyn go iawn yn y Ficerdy yn ystod y cyfnod y byddai Caradog yn mynd yno efo'i fam ond 'Nel, chwaer Wil Bach Plisman, a Gwen Allt Bryn oedd y ddwy forwyn yno'r adag honno' meddir yn *UNOL*, a sonnir llawer am garedigrwydd Nel yn arbennig ('yn llenwi bag papur mawr efo lot o grystia a brechdana sbâr ac esgyrn-ar-ôl-cinio Ficrej, efo lot o gig arnyn nhw, nes oedd y bag papur yn llawn dop').

Cofia'r hogyn bach yn y nofel am yr achlysur hwnnw pan oedd 'wedi mynd i Ficrej a chael mynd i'r ffrynt i chwara efo hogyn bach oedd wedi dŵad yno i aros. Yncl oedd o'n weiddi ar Canon, a Seusnag oedd o'n siarad ... mi aeth y ddau ohonom ni i Ardd Ficrej i ddwyn cwsberis' a dyma lun yr union ardd honno, a thalcen y Ficerdy yn y cefndir, lle cawsant eu dal gan Ceri, merch y Canon. Cawn sôn mwy amdani hi yn y man.

Roedd yr hogyn bach yn falch nad oedd Ceri wedi torri'i ben wrth y Canon oherwydd er cymaint ei edmygedd ohono, roedd ganddo hefyd barchedig ofn tuag ato. Meddai'r hogyn bach ar yr achlysur hwn:

'Kitchen garden' Ficerdy Glanogwen

Dew, twn i ddim beth fasa Canon wedi ddeud chwaith. Un gwyllt oedd o weithia. Mi gwelais i o wedi gwylltio unwaith … Roedd o'n cerddad yn olagymlaen, olagymlaen heb stop o un pen i'r stydi i'r llall a dobio'i ben efo'i ddyrna. A tasach chi'n gweld ei wynab o! Roedd ei lygaid o fel tasa nhw'n goleuo mellt a'i wallt gwyn o dros y lle i gyd, nid wedi ei gribo fel bydda fo bob amsar. A'r graith yna wrth ei geg o fel tasa rhywun newydd roi procar poeth arni hi. Ar ben ei hun oedd o, ond roedd ei wefusau fo'n mynd yr un fath â tasa fo'n cael coblyn o ffrae efo rywun … toedd ei lygaid o ddim fel petasa fo'n sbïo ar neb, dim ond run fath â tasa nhw'n goleuo mellt a hithau'n noson ola leuad braf, heblaw bod y coed yn ei gneud hi'n dywyll …

A chawn ddisgrifiad byw yn *UNOL* o'r graith ar wyneb y Canon:

Fasa neb byth yn meddwl bod Canon yn ddyn mor glên wrth edrach ar ei wynab o, achos roedd o wedi cael y frech wen erstalwm a honno wedi gadael craith ar ochor ei geg o nes i fod o'n edrach fel petasa fo'n clywad ogla drwg lle bynnag oedd o'n mynd … Yn y pulpud yn Reglwys roedd hi'n dangos ora, yn enwedig pan fydda fo'n deud y drefn neu'n gweiddi … Wrth edrach ar Canon yn gweiddi'n y pulpud mi fyddwn i'n meddwl bod tafod o dân felly wedi disgyn trwy do Reglwys a sticio ar ochor ei geg o. Mam ddwedodd wrtha i mai craith y frech wen oedd hi …

Un o'r golygfeydd mwyaf cofiadwy yn *UNOL* yw honno sy'n adrodd hanes y Canon yn ymweld â'r ysgol i dorri'r newyddion drwg i'r prifathro fod ei fab wedi cael ei ladd yn y Rhyfel Mawr. Yn Ionawr 1916 yr oedd hynny (a cheir yr hanes yn llawn dan enw 'Preis Sgŵl a'i Deulu' yn y gyfrol hon). Ac meddai'r hogyn bach yn y nofel: '… Chydig oeddan ni'n feddwl, Huw a fi, mai'r adag honno fasa'r tro dwytha inni weld Canon yn fyw. Doedd o ddim yn Reglwys y dydd Sul wedyn, na'r dydd Sul wedyn, na'r dydd Sul wedyn. A dydd Mawrth wedyn roeddan ni'n edrach arno fo yn ei arch …'. Fel mae'n digwydd, ymhen rhyw ddeng wythnos ar ôl i fab y prifathro gael ei ladd

John Savin Jones(-Savin)

116

y daeth profedigaethau i ran teulu'r Ficerdy. Cawn awgrym o'r hyn a ddigwyddasai yng ngeiriau'r hogyn bach:

> ... y peth rhyfadd oedd na chafodd Canon ddim gwybod dim byd am John Elwyn Brawd Ceri yn marw, a chafodd John Elwyn ddim gwybod dim byd am Canon yn marw. Dydd Gwenar ddaru Canon farw a dydd Gwenar ddaru teligram ddŵad i Ficrej i ddeud bod John Elwyn wedi cael ei ladd gan y Jyrmans, run fath â Bob Bach Sgŵl, ac roedd y ddau'r un oed ac yn gymaint o ffrindia efo'i gilydd ag oedd Canon a Preis Sgŵl. Ond roedd pawb yn y cnebrwng yn gwybod, siŵr iawn, bod Canon a John Elwyn wedi marw dest iawn ar unwaith, ac wedyn roeddan ni fel petasa ni'n claddu'r ddau efo'i gilydd, heblaw nad oedd John Elwyn ddim yno. A phan ddaru nhw roi carrag fedd, roedd enw John Elwyn arni hi o dan enw Canon, run fath yn union â tasa fo'n gorfadd yno efo'i dad ...

Wrth geisio dod o hyd i ba mor ffeithiol gywir oedd yr uchod, ni ddychmygais am eiliad y byddai'r ymchwil yn f'arwain i bellafoedd byd.

Dechreuwn gyda hanes y mab y dewisodd Caradog ei alw'n 'John Elwyn' yn y nofel. (Hoffwn ddatgan mai cyd-ddigwyddiad llwyr oedd hyn gan nad oedd Caradog a minnau'n adnabod ein gilydd adeg ysgrifennu *UNOL*.) Fel y nodwyd eisoes, enw go iawn mab y Canon oedd John Savin Jones(-Savin). Ganed ef yn Nefyn ar Fedi 8 1890 a chafodd ychydig o'i addysg gynnar yn Ysgol Glanogwen, Bethesda – ysgol eglwys ei dad – ac yna yn Ysgol y Sir, cyn iddo gael ei anfon i'r Merchant Taylors' School yn Old Charter House Square, Llundain[2]. Derbyniwyd ef wedyn i Goleg Sant Ioan, Prifysgol Rhydychen. Yn *Cylchgrawn Plwyfol – Eglwys Crist Glanogwen*[3] ym 1910, llongyferchir John ar ei lwyddiant yn arholiad y 'Responsions', sef yr enw a roddid ar yr arholiad cyntaf o dri yr oedd yn rhaid llwyddo ynddynt ar gyfer ennill gradd B.A. ym Mhrifysgol Rhydychen. Roedd yn ymddiddori mewn chwaraeon: roedd yn bêl-droediwr medrus, yn gricedwr da (fel y buasai ei dad pan oedd yn ifanc) ac yn aelod o dîm rhwyfo'i goleg. Arbenigai yn y clasuron ond mae'n ymddangos na wnaeth y gorau o'i gyfleoedd yn Rhydychen. Wedi ymgymryd ag un neu ddwy o swyddi na fu'n foddhaol iddo, cafodd gomisiwn gan y Ffiwsilwyr Cymreig ar ddechrau'r Rhyfel Byd Cyntaf. John Savin oedd y cyntaf o Ddyffryn Ogwen i ymuno â'r fyddin – ac roedd ei fam yn ymfalchïo yn hynny, fel y cawn weld ymhellach ymlaen mewn llythyr a ysgrifennodd ato ym mis Mawrth 1917.

Ym mis Awst 1914, nodir yn *The London Gazette* iddo gael dyrchafiad, yn dilyn cyfnod o hyfforddiant, i fod yn 'temporary Second Lieutenant' gyda'r Ffiwsilwyr Cymreig. Flwyddyn yn ddiweddarach, trosglwyddwyd ef i'r 'Army Cyclist Corps' a'i ddyrchafu'n 'temporary Lieutenant'. Nid dim ond cario negeseuon o un lle i'r llall dros dirwedd garw a wnâi'r grŵp hwn o filwyr; roeddent yn aml ar flaen y gad, yn wynebu'r gelyn cyn i unrhyw gatrawd arall gyrraedd gan mai dyna oedd y gofynion milwrol arnynt. Mae'n werth nodi mai aelod o'r 'Cyclist Corps' oedd y milwr Prydeinig cyntaf i gael ei ladd yn y Rhyfel Mawr.

A dyna fu tynged John Savin Jones-Savin hefyd. Llwyddodd fy nghyf-aill ymchwilgar, Iwan Hughes, i ddod o hyd i hanes y gyflafan pan gollodd John Savin ei fywyd ac mae'n werth dyfynnu'r hanes yma yn union fel y cofnodwyd ef:

> Another meeting with the enemy took place in 'No Man's Land' on the 27th March. It had been a fine day, but as night fell it began to rain and the night was very dark. The usual patrol, with Lieutenants T. E. Evans and S.[sic] S. Jones Savin and 2nd Lieutenant T. Row-lands, went out to reconnoitre and occupy the Piton de l'Eglise. They had reached One Tree Hill Ravine when they were joined by a patrol of the 2/19th London Regiment (60th Division), who, under two guides from our battalion, were making for 4 Arbres.

> The London Regiment patrol was put on its way, and Lieutenant Evans led his patrol towards the Piton de l'Eglise. Advancing by bounds, he detailed Lieutenant Jones Savin and 7 men to make good the cottages on the south-west corner of Macukovo village. But before Jones Savin had gone far, a noise of many men moving was heard; suddenly the enemy was revealed to front, right, and left—a strong patrol was advancing in horseshoe formation and the whole of our patrol was inside its horns.

> A burst of rifle fire and machine-gun fire from the cottages dis-covered to Jones Savin the peril he was in; he tried to rejoin the main patrol, but was instantly killed and most of his men were wounded.

> Lieutenant Evans and his party retired hastily, but halted some 70 to 100 yards away to wait for wounded.

> The heavy firing brought the London Regiment patrol back, and their appearance caused some of the enemy to move, as about 20 were seen scampering away in the darkness.

> Casualties were then found to be 2 officers and 2 men missing and 10 men wounded.

> The firing died down, and a relief patrol under 2nd Lieutenants W. A. Pickard, H. A. Allison, and D. J. Meecham arrived to take over. The

evacuation of the wounded and the recharging of Lewis-gun maga-
zines took some time in the dark, but all this was eventually done
and the first patrol withdrew.

Meecham then went forward with a small party and soon reported
finding five enemy dead. Pickard told him to continue his search and
bring in all papers found on the bodies.

Pickard then left Allison in charge of the main body of the patrol,
and with 12 men proceeded to complete the reconnaissance of the
Piton de l'Eglise. He soon came across the body of Jones Savin, and
at the same time the enemy appeared. He opened fire, upon which
Allison brought up the main body of the patrol, and the enemy
vanished.

Unfortunately Meecham, on the outburst of firing, had also attempted
to join Pickard, and was killed while crossing the sunken road.

Dawn was now breaking, and Pickard, taking with him the body of
Jones Savin, withdrew his patrol.

... The result of the encounter was distressing: 2 officers killed, 1
missing and prisoner of war, 1 other rank missing and 13 wounded[4].

Mae'n amlwg fod John Savin Jones-Savin yn cael ei ystyried yn
rhywun o bwys gan i gofnod o'i farwolaeth ar Fawrth 27 gael ei gynnwys
yn y *Times*[5]. Roedd yn 26 oed (ond flwyddyn yn hŷn na hynny yn ôl cofnod
y Commonwealth War Graves Commission – gweler y cofnod isod).

Claddwyd ef ym Mynwent Filwrol Karasouli ger Polikastron, ychydig
i'r gogledd o Thessalonika, ymhlith 1,422 o filwyr eraill. Rhif ei fedd ef yw
D.879 ac, unwaith eto, drwy gysylltiadau rhyfeddol Iwan Hughes, llwydd-
wyd i gael llun ei fedd.

Dylid ceisio taflu rhyw gymaint o oleuni ar gyfeiriad John Savin fel y
cofnodir ef gan y Commonwealth War Graves Commission, sef Hafod-y-
Bryn, Nefyn. Ar Fawrth 30 1904, trosglwyddwyd darn o dir ym mhlwyf
Nefyn o eiddo William Savidge, Cliff Lodge, Morfa Nefyn, i Cordelia Mary
Jones, 'Glanogwen Vicarage, Bethesda', am ddau gant a hanner o bunnau
(oddeutu £14,000 yn ôl gwerth arian yn 2007). Ac ar y darn tir hwnnw,
codwyd tŷ helaeth a'i alw'n Hafod-y-Bryn[6]. Mae'n ymddangos mai Cordelia
Mary, gyda'i harian hi ei hun, oedd y tu ôl i'r fenter hon ac i Hafod-y-Bryn
fod yn rhyw fath o ail gartref i'r teulu ac y gallent fod yn meddwl amdano
fel cartref parhaol iddynt pan ymddeolai'r Canon (er mor bell oedd hynny
o ran blynyddoedd – a'r Canon ond ychydig dros ei ddeugain oed yn 1904).

119

Erbyn dechrau'r Rhyfel Mawr, mae'n eithaf posib y gallai John Savin, y mab, ac yntau tua 23 oed erbyn hynny, fod yn aros yn aml yn Hafod-y-Bryn ac, o'r herwydd, wedi'i fabwysiadu fel cyfeiriad cartref (er mai 'Glanogwen Vicarage, Bethesda' sydd ar garreg ei fedd).

In Memory of
Lieutenant JOHN SAVIN JONES-SAVIN

**Army Cyclist Corps
attd. 11th Bn., Royal Welsh Fusiliers
who died age 27
on 27 March 1917
Son of Canon Richard Thomas Jones and Cordelia
Mary Jones, of Hafod-y-Bryn Nevin, Carnarvonshire.
Remembered with honour
KARASOULI MILITARY CEMETERY**

**Commemorated in perpetuity by
the Commonwealth War Graves Commission**

Carreg fedd John Savin Jones-Savin

Hafod-y-Bryn, Nefyn

Erbyn mis Tachwedd 1916, roedd iechyd y Canon R. T. Jones yn peri pryder. Roedd rhyw aflwydd wedi ei daro yn ei goes a pheri cloffni arno. Aeth i Gaerfaddon am ysbaid i geisio cael adferiad. Ond ni chafodd wellhad ac roedd ei wraig yn bryderus iawn yn ei gylch, a'r meddyg lleol, Dr William G. Pritchard, yn ymweld ag ef yn gyson. Erbyn mis Mawrth 1917, roedd pethau wedi gwaethygu'n arw a Cordelia Mary yn awyddus iawn i anfon gwybodaeth at ei mab am gyflwr trist ei dad. Anfonodd delegram ato ddydd Mercher, Mawrth 28, heb wybod bod ei mab wedi cael ei ladd y diwrnod cynt. Yna, a hithau'n naturiol heb fod yn gwybod a gyraeddasai'r telegram ben ei daith, penderfynodd anfon llythyr ato i ymhelaethu ar y sefyllfa yn y ficerdy. Mae'r dyddiad ar y llythyr yn dangos bod Cordelia Mary wedi dechrau'i ysgrifennu ar y dydd Iau, ddau ddiwrnod *ar ôl* i John Savin gael ei ladd. Ni wyddai hi ddim am dynged ei mab ar y pryd gan na chyrhaeddodd y telegram Ficerdy Glanogwen yn hysbysu'r teulu fod John wedi'i ladd tan ddydd Llun, Ebrill 2 1917[7]. Ac roedd hynny y diwrnod ar ôl i'r Canon Richard Thomas Jones farw.

Am ryw reswm, nid anfonwyd y llythyr (oherwydd bod cyflwr y Canon wedi dirywio'n gyflym, efallai, a'i wraig am aros i roi'r wybodaeth ddiweddaraf i'w mab, o bosib). Yn ffodus iawn, cadwyd y llythyr, rywsut neu'i gilydd, ymhlith rhai pethau o eiddo Cordelia Mary[8]. Ysgrifennodd Cordelia dair tudalen mewn pensel. Ar brydiau, mae'r ysgrifen yn bur annealladwy ac oherwydd bod y tudalennau – o bapur tenau iawn – wedi cael eu plygu bedair gwaith, mae tyllau wedi datblygu ymhob un o'r plygiadau a rhai geiriau, o ganlyniad, wedi diflannu. Mae'n llythyr mor bwysig fel y penderfynwyd dyfalbarhau i'w ddeall (a dyrnaid o eiriau'n unig a erys yn amhosib i'w darllen) ac, yn sicr, mae'n werth ei ddyfynnu yma:

Mar. 29 (Thurs) 1917

Glanogwen Vicarage,
Bethesda,
N. Wales.

My dearest Jack,

I cabled to you yesterday (28th), 'Father very ill' and you can guess how hard it was to send you such news. I hoped against hope that the new treatment might at least give him relief, & he was so plucky and cheerful even last week (up on the sofa even as late as Mon. and when I wrote to you on Sunday). I have been trying to prepare you & I do trust it will not be a very great shock. I know you will be brave & do your duty – these are not ordinary times – & I feel leave is <u>out of the question</u>. Dear Dad changed quite suddenly, [he could] not get up though he wanted to and even to-day he knows us & takes some nourishment. And a great comfort says he has no pain. I've managed to get a nurse from Llanrug (through Bangor Nursing Home). Mrs Pritchard[9] went down & she arrived at 7 on Tues – daughter of the late Rector of Llanddona (Anglesey), married not long ago and husband in France. Mrs P. nice & helpful. Corrie is good beyond words & a splendid nurse, so cheery and plucky too. I am quite well and don't think of me in the least. Rest assured that as Dr Lloyd R. says all has been done & <u>is</u> being done. Your Aunt Sarah came last night & is so good. She meant to come after Easter, but I wrote on Tues & said she had better come this week. Your Aunt Lydia writes every day & offers all kinds of help & I know I can depend on Lloyd. He & [Ruth ? Ruby ? Rowly ?] are working in shifts night & day with a motor plough & some soldiers Nanhoron way & L. takes meals to them – pm. N[?] in bed, so I am glad she is waiting a day or two. People here are wonderfully good – & I have heaps of offers of help – Mrs Hughes Glan: here all one aft & Mrs Prit every day. Nurse & I were up last night, Corrie and I shared before. You can't think how thankful I am. He is free from pain. I've just arranged for help for Easter Sun. (... Mr Rowlands will take one Service with Mr Thomas – Mr M. here this morning). Louie [?] has just come up, full of sympathy & tells me one thing which I hope means you must have guessed how bad Dad was – this in a letter to her – 'Poor old dad does not seem much better for [? Bath]' or such words. One can't help thinking of Evan Ynysfor going out to S. Africa when Uncle had ... to be ill & he never said a word ... while he was away & no chance of leave. Aunt with her 10 children, too. I have had the most touching letters of enquiry & sympathy already (all shall be kept for you). Miss Alice Pennant[10] sent Dad a book & <u>such</u> a nice letter. Mr Wynne (who has just recovered from a most serious illness himself) & others. Mr Trench called y'day & I saw him.

Hugo[?] is in charge of Records & he hopes you're safe. <u>How</u> we do think of you, dear boy. I pray that you may be saved to us. But whatever happens, I am proud to think you were the first in Bethesda to volunteer & few have stuck it so well as you! Dearest Dad's message is 'His love to Jack & he knows he is doing his best as a brave man'. You will wonder why I write at length. I failed yesterday – but this aft I sit in the study (Dad's bedroom now) & I watch him sleeping quietly. Dr to-day says 'Heart very weak but he may go on for a bit'. It is a comfort to write & I wonder where you'll read it. I ought to tell you Dad's old trouble (the two operations he has had when poisoned glands were removed) is the cause of his bad leg with no doubt much rheumatism as well. Dr Paul (L'pool) told me last year he could do no further operation, only massage might relieve it, which, of course, it did for a time. I am thankful he never found out he was in such a bad way & that he had as happy a time as possible.

God be with you, my darling boy – I have every confidence you and Corrie will be my greatest comfort. The love & affection shown by all here – Church and Chapel – is wonderful. And I know I can trust you not to worry about me. I will write as soon as any change. God keep you & protect you.

Your very loving – Mother. Love from all.

Ar Ebrill 1, sef Sul y Blodau, bu farw'r Canon R. T. Jones, yn 55 oed, yn y Ficerdy ym Methesda a chladdwyd ef bnawn Iau, Ebrill 5, ym Mynwent Eglwys Glanogwen. Yn ôl *Yr Herald Cymraeg*[11], roedd tyrfa fawr yn 'angladd tywysogaidd ... y gŵr da a duwiolfrydig yma' ac yn yr adroddiad a gyhoeddwyd gan y *North Wales Chronicle*[12], rhestrwyd enwau yn agos i hanner cant o weinidogion ac offeiriaid a oedd yn bresennol. Cynhaliwyd gwasanaeth coffa am John Savin yr un pryd â gwasanaeth angladd ei dad. Ac eithrio'r emyn cyntaf a ganwyd, cynhaliwyd y gwasanaeth cyfan yn yr iaith Gymraeg[13].

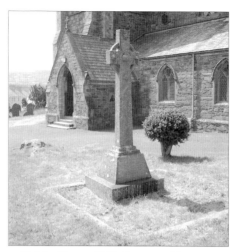

Bedd y Canon R. T. Jones ym Mynwent
Eglwys Crist Glanogwen, Bethesda

Carreg wenithfaen bedair ochrog, â cholofn yn codi ohoni gyda chroes Geltaidd ar y brig, sydd ar fedd y Canon. Wrth sefyll wrth droed y bedd, wynebir ni â'r arysgrif a ganlyn:

IN DEAR MEMORY OF
RICHARD THOMAS JONES
BORN JANUARY 10TH 1862
DIED APRIL 1ST 1917
FOR 19 YEARS VICAR OF
THIS PARISH
R. D. OF ARLLECHWEDD
CANON RESIDENTIARY OF
BANGOR CATHEDRAL
ALSO OF HIS ONLY SON
JOHN SAVIN JONES SAVIN,
LIEUT R.W.F.
BORN SEPTEMBER 8TH 1890
KILLED IN ACTION
IN MACEDONIA,
MARCH 27TH 1917

A dyna brawf o ba mor dda yr oedd cof Caradog a pha mor sicr yr oedd o'r ffeithiau ynghylch y tad a'r mab o'r Ficerdy. Ond ymddengys na wyddai fawr ddim am Cordelia Mary, gwraig y Canon, ac amheuaf a oedd yn ymwybodol o'r arysgrif ar wyneb arall y beddfaen – yr wyneb sy'n wynebu'r eglwys.

ALSO
IN LOVING MEMORY
OF HIS WIFE
CORDELIA MARY
ELDEST DAUGHTER
OF THE LATE JOHN SAVIN,
WHO DIED AT
BUNDABERG, QUEENSLAND,
AUSTRALIA, ON SEPTEMBER 24,
1941
AGED 76 YEARS

A dyna'r cliw a barodd i mi ddilyn trywydd a'm harweiniodd i ben draw'r byd. Dilynwn y trywydd hwnnw i Loegr i ddechrau.

Yn fuan ar ôl marw'r Canon, a cholli John Savin, symudodd y ddwy Cordelia Mary (y fam a'r ferch) o Ddyffryn Ogwen i Lundain, a thrwy'r archifydd John Dilwyn Williams, cefais olwg ar lythyrau a ysgrifennwyd yn ystod y Pasg 1918, oddi wrth y naill a'r llall (yn diolch am roddion gan blwyfolion Glanogwen), a'r cyfeiriad ar y llythyrau ydi 1 Kensington Park Gardens, Elgin Crescent, London W.2. Yn y *Cylchgrawn Plwyfol – Eglwys Crist Glanogwen*[14], 1918, ceir llythyr wedi'i gyfeirio at 'My dear Members of the Glanogwen G.F.S.' oddi wrth 'Corrie Jones' yn diolch am froits a gawsai'n anrheg ganddynt (o bosib ar ei hymadawiad o Fethesda). Roedd mynd mawr ar y Girls' Friendly Society yn Eglwys Crist Glanogwen a'r Canon a'i wraig, yn ogystal â'r curad (Y Parchedig Richard Rhys Hughes) a'r ddau fachgen bach, ymhlith y merched yn y llun isod.

G.F.S Eglwys Crist Glanogwen tua 1905

Ym mis Awst 1892 y ganed Cordelia Mary'r ferch (ac fe'i galwaf yn Corrie o hyn ymlaen i osgoi unrhyw gymysgu rhyngddi hi a'i mam). Yn Ysgol Glanogwen, Bethesda, y cafodd y rhan helaethaf o'i haddysg gynnar ac yno y daeth yn rhugl ei Chymraeg. Aeth i Ysgol St Winifred ac wedyn i Ysgol Godolphin, ysgol breswyl i ferched yn Salisbury, Lloegr, a weinyddwyd gan yr eglwys. Wedi cwblhau ei haddysg uwchradd yn yr Almaen ychydig cyn dechrau'r Rhyfel Byd Cyntaf, bu'n ysgrifenyddes i'w thad a oedd, ar y pryd, yn hynod brysur yn ei ymwneud â datgysylltu'r Eglwys yng Nghymru. Yn ystod yr Ail Ryfel Byd, treuliodd gyfnod go helaeth ym mhrifddinas Lloegr yn gwasanaethu'n wirfoddol gyda'r Groes Goch.

Ond ym Mangor y cyfarfu Corrie â'i darpwr-ŵr, Arthur Harold Osborn. Roedd y caplan ifanc, a oedd yn frodor o Awstralia, wedi bod yn gwasanaethu gyda'r fyddin ar Ynys Wyth a chafodd ei anfon tua diwedd y rhyfel i fod yn gurad yn yr Eglwys Gadeiriol ym Mangor – a dyna fan cychwyn y garwriaeth a arweiniodd at briodas Harold a Corrie yn Eglwys Nefyn ym mis Mehefin 1919, lle buasai'i thad yn ficer, gydag Esgob Bangor yn gwasanaethu.

Llun diweddar o Eglwys Nefyn, â'r ywen yn cuddio'r drws

Mae adroddiad *Y Llan*[15] yn dwyn y pennawd 'Priodas Hardd' yn rhoi disgrifiad manwl o'r achlysur (er yn galw Cordelia Mary, mam Corrie, yn Cornelia May!):

Llanwyd yr Eglwys o wahoddedigion a dymuniadwyr da y pâr ieuanc ymhell cyn adeg dechrau, a gellid gweld cannoedd y tu allan yn disgwyl am eu dychweliad yn ŵr ac yn wraig. Brithid yr holl ffordd o'r Eglwys i'r gwesty, lle y mwynhawyd y boreu-fwyd, â phobl o bell ac agos, yr hyn a arddangosai y parch dyfnaf a fynwesid tuag at rieni parchus y briodasferch yn ogystal â hi ei hunan.

Ac mae'r priodfab yn cael geirda hefyd:

Clywn hefyd mai dyn annwyl iawn ydyw'r priodfab, yn llawn sêl yng ngwaith yr Arglwydd ac felly yn debyg o wneud cydymaith tyner a charedig i'w hoffus briod.

Roedd gan Corrie saith o forynion, gan gynnwys ei chwaer, Lydia. Daethai pobl o bob cwr i'r briodas – 'llu o Lundain, Bangor, Bethesda a Llŷn'.

*Harold Osborn a Corrie
ar ddydd eu priodas*

Tybed a wyddai Caradog am briodas Corrie? Gwyddai, mae'n debyg, gan ei fod yn gweithio yng Nghaernarfon ar y pryd ar bapur *Yr Herald Cymraeg*. Ac mi fyddai'n sicr o fod yn cofio Corrie gan mai hi oedd Ceri yn *UNOL*.

Gyda hi y syrthiodd dros ei ben a'i glustiau mewn cariad pan oedd yn ddeg oed a chofiwn am ddisgrifiad yr hogyn bach yn y nofel pan ddaliodd Ceri ef yn dwyn cwsberis:

O, gyni hi roedd y gwynab neisia welis i erioed. Fedra i mo'i anghofio fo tra bydda i byw.

Faint ydi oed Ceri, hogan Canon, Mam? meddwn i ar ôl inni fynd adra. O, rhyw ddeunaw, medda Mam.

A finna'n mynd i'r siambar a gorfadd ar y gwely a crio am ei bod hi mor hen.

Pan welais i hi'r adag honno, toedd ganddi hi ddim het am ei phen, a gwallt gola, gola ganddi hi, a'r haul yn sgleinio arno fo, a blodyn o'r tŷ gwydyr wedi cael ei sticio ar ochor ei phen hi, a dwy blethan hir o wallt, efo ruban pinc ynddyn nhw yn mynd i lawr ei chefn hi. Ffrog binc oedd ganddi hi a bob math o liwia ynddi hi, run fath ag oedd yn ffenast tŷ gwydyr efo'r bloda i gyd. A phan ddaru hi wyro i lawr i siarad efo ni a'i brest hi yn y golwg i gyd, roedd yna ogla sent dros bob man, a finna'n crynu fel deilan. Mi ddeudais i wrthyf fi'n hun na

127

wnawn i byth ddwyn cwsberis wedyn, na mynd i ddwyn fala efo Huw a Moi, na rhegi na gneud dryga. Dim byd ond meddwl am Ceri.

Roedd Mam yn methu dallt pam oeddwn i'n cerddad mor siarp efo'r bag papur ar y ffordd adra noson honno. A wnes i ddim twtsiad yn y cig na'r crystia chwaith. Dim ond eisio brysio adra imi gael mynd i'r gwely i freuddwydio am Ceri oeddwn i. Ond crio wnes i yn y siambar nes imi fynd i gysgu ar ôl i Mam ddeud bod Ceri'n ddeunaw oed a rhy hen i mi fod yn gariad iddi hi.

Ond mi smalia i nad ydi hi ddim mor hen, meddwn i wrthyf fi'n hun cyn mynd i gysgu. Ac mae'n rhaid ei bod hitha'n fy leicio inna, achos ddeudodd hi ddim wrth Canon bod fi a'r hogyn bach wedi bod yn dwyn cwsberis.

Wrth fynd heibio, dylwn nodi nad oedd syrthio mewn cariad, ac yntau mor ifanc, yn rhywbeth dieithr ym mhrofiad Caradog. Nodais yn *Byd a Bywyd Caradog Prichard* yr hanesyn amdano'n syrthio mewn cariad efo'i gyfnither, Margaret. Pan fu Margaret farw ym mis Gorffennaf 1970, mae Caradog yn ysgrifennu at ei merch, Ceri (Evans), ym Mhwllheli:

> As for your mother, I must have fallen in love with her when I was about eight or ten – she would have been about 25 then – and I thought she was the most beautiful woman I had ever seen – there were about a half dozen such beautiful women in my life at that age ...[16]

Yn sicr, roedd Corrie, merch y Canon, yn un o'r rheini!

Mae'n sôn llawer am Ceri yn *UNOL* a'r cyfan yn pwysleisio cymaint o feddwl ohoni oedd gan yr hogyn bach. Syllodd yn hir arni yn angladd ei thad a gweld 'rhyw ddyn diarth yn gafael yn ei braich hi a hitha'n beichio crio' (ai Arthur Harold oedd hwnnw, tybed?). Ac yn ystod y gweddïau yn yr eglwys:

> Oedd Ceri, hogan Canon, yn eistadd yn yr altos rochor draw imi, wrth yr organ, ac mi fyddwn i'n medru sbïo arni hi trwy mysadd, heb iddi wbod, a meddwl pob matha o betha amdani hi ... Falla nad ydy hi ddim yn rhy hen i fod yn gariad imi chwaith, meddwn i wrthyf fi'n hun. Ymhen deng mlynadd arall mi fydda i'n igian oed, a fydd hitha ddim ond wyth ar higian. Falla basa hi mhriodi fi'r adag honno os gofynna i iddi. ... Does ganddi hi ddim cariad eto, beth bynnag, meddwn i. Peth rhyfadd hefyd, a hitha'n hogan mor dlws. Ond mae'n siŵr bod gormod o hiraeth arni hi ar ôl Canon i feddwl am gariad rŵan. Erbyn bydd hi'n wyth ar higian mi fydd wedi stopio hiraethu ar ei ôl o, dw i'n siŵr ... a finna'n sbïo trwy mysadd ar Ceri.

Ond yr *oedd* gan Corrie gariad. Ac yn fuan ar ôl priodi, hwyliodd Harold a hithau ar y llong *Indarra* i Awstralia bell, lle'r oedd Harold wedi cael swydd yn giwrad cynorthwyol i'w dad, y Canon Edward Castell Osborn, a oedd yn Ficer Lytwyche, un o faestrefi Brisbane. Doedd bywyd ddim yn hawdd ar y dechrau i'r ferch o Gymru yn y wlad ddieithr, fel y tystia Tony Osborn[17], mab ieuengaf Corrie a Harold, mewn llythyr ataf yn 2006:

> I rather think that the young Welsh bride found it fairly hard to adapt to the harshness, heat, vermin & the occasional jibe of being a war bride & stealing Australian men when they were most vulnerable. It was her undying love & faith in her man & returned to her with wonderful tenderness & understanding & with their mutual faith & lifelong steadfast love of God that made such a perfect marriage, a marriage truly made in heaven with never a cross word between them.

Pan fu'r Canon E. C. Osborn farw, penodwyd Harold yn Rheithor yr Eglwys a sefydlwyd gan ei dad, ac yn Lytwyche y ganwyd tri mab Harold a Corrie – Richard (Dick) Edward Savin, John (Jack) Harold Savin ac Anthony (Tony) Castell.

Meibion Corrie a Harold (o'r chwith): Tony, Richard a John

Ym mis Hydref 1928, cafodd Harold ei benodi'n Rheithor Bundaberg, pentref bychan a phur ddiarffordd yr adeg honno ar arfordir dwyreiniol Queensland. Ar ei ysgwyddau ef, gyda chymorth diflino Corrie, y syrthiodd y cyfrifoldeb o godi eglwys yn yr ardal pan oedd y boblogaeth yn cyn-yddu'n gyflym. Tynnwyd y llun isod yng nghanol berw codi Eglwys Crist Bundaberg.

Eglwys Crist Bundaberg

Dyma a gofiai Tony Osborn am y cyfnod hwnnw:

It was during the following years the work of the Rector was greatly enhanced by the love, talents and support of his wife, 'Corrie'. Always a loving and patient mother, she was a devoted wife to her husband, and in her he had a partner who had a complete under-standing of his mission in life. Her talents touched many people and greatly extended the vision of the parish.

During these years, she produced several Grand Pantomimes, some with around a 100 performers, and many performances of the Nativity. She was actively involved in the monthly Guild meetings, and served many years as President. She helped establish the Christ Church branch of that uniquely Anglican extension of our faith – the Mothers' Union. She was interested in and concerned with all facets of parish life. She delighted in the Girls' Guild meetings and activities; she spent Saturday afternoons with the young girls of the Ministering Children's League; and invariably participated in the social evenings in the old Parish Hall. There were also many years of Anzac Day lunches for returned men during the time when the tradition of Anzac was faltering. Her talents were very much utilized in the organisation of the grand Vice-Regal Debutante Balls, and then there were the occasional social parties held at the Rectory for her 'girls' – singing around the piano, challenging each other in competitions, and sharing chatter over supper.

Perhaps of all her talents the one she relished the most was the one bestowed by her Welsh heritage – her love of music. She loved to listen to music and she loved to sing – particularly if it was to the praise and glory of God.

Ac mae'n debyg y byddai wedi cael cefnogaeth lawn ym mhopeth a wnâi gan ei mam a symudodd maes o law i fyw at ei merch a'i mab-yng-nghyfraith yn Awstralia. Yn y cyfamser, roedd Cordelia Mary Jones wedi symud i fyw i'r tŷ a godasai ger y clogwyni yn Nefyn, sef Hafod-y-Bryn, gan ymweld ag Awstralia o bryd i'w gilydd – fel yn 1923, er enghraifft. Yr adeg honno, cafodd ganiatâd (fel yr oedd yn rhaid yr adeg honno, mae'n amlwg) i adael Brisbane, Awstralia, a theithio ar stemar i le o'r enw Rabaul yn Papua Guinea Newydd. Nodir ar y daflen ganiatâd[18] iddi fod yn 59 oed, yn bum troedfedd a phum modfedd o daldra, yn pwyso deg stôn, o bryd golau, a 'Home Duties' a roddwyd gyferbyn ag 'Occupation'.

Cofia Laura Williams, Morfa Nefyn, a hithau ryw ddwy ar bymtheg oed yn 1934, hebrwng Cordelia Mary at y trên ym Mhwllheli am y tro olaf – roedd gweddw'r Canon yn gadael Cymru am byth ac yn bwriadu ymsefydlu yn Awstralia'n barhaol. Roedd Laura Williams yn byw y drws nesaf i Hafod-y-Bryn – yn Gorse Cliff, lle deuai Clement Attlee, y Prif Weinidog Llafur rhwng 1945 a 1951, i aros o bryd i'w gilydd. Byddai Cordelia Mary yn sôn yn gyson wrth Laura Williams am ei mab, John Savin, a'i hiraeth yn fawr ar ei ôl, ond ni chlywid hi fyth yn sôn am y Canon. Roedd Cordelia yn ddigon gwantan ei hiechyd pan adawodd Hafod-y-Bryn ac er iddi lenwi dros ugain o focsys o bethau i fynd efo hi, bu'n rhaid iddi adael llawer o'i heiddo ar ôl, gan gynnwys y rhwyfau yr oedd ei mab wedi bod yn eu defnyddio pan oedd yn y coleg. Aeth y cyfan dan y morthwyl mewn arwerthiant ar ôl i Cordelia hwylio am Awstralia ond cymerodd Laura hi ar ei gair i gymryd beth a fynnai o'r cartref cyn iddo gael ei werthu – a dyna sut, diolch am hynny, y diogelwyd ambell lun a dogfen a fu o gymaint o werth i mi erbyn heddiw.

*   *   *

Bu blynyddoedd yr Ail Ryfel Byd yn rhai arbennig o anodd i Corrie. Bu ei mam, Cordelia Mary Jones, farw ar Fedi 24 1941 yn 76 oed a chladdwyd ei gweddillion ym Mynwent Bundaberg.

Bedd y teulu yn Bundaberg

Yna, ddwy flynedd ar ôl marw ei mam, collodd Corrie ei gŵr, ac yntau'n 56 oed. Buasai'n dioddef o ganser. Claddwyd ef yn yr un bedd â'i fam-yng-nghyfraith. At y ddwy brofedigaeth hyn, roedd pryder Corrie yn fawr am ei dau fab, Richard a Jack, a oedd yn y rhyfel adeg y bu eu tad farw. Yn wir, aeth peth amser heibio cyn y cafodd Richard wybod bod ei dad wedi marw gan ei fod wedi cael ei glwyfo yn ystod y brwydro a'i gymryd yn garcharor rhyfel.

Treuliodd Corrie ugain mlynedd olaf ei bywyd yng Nghartref Nyrsio JB Heaps yn Bundaberg – yn siarad Cymraeg yn gyson er mawr ddirgel-wch i bawb o'i chwmpas[19]. Bu farw yn 1992, o fewn mis i fod yn gant oed. Bu'r gwasanaeth angladdol yn Eglwys Crist Maryborough Street, Bunda-berg, ddydd Llun, Awst 10, gyda gwasanaeth preifat yn Amlosgfa Bundaberg yn dilyn. Claddwyd ei llwch yn yr un bedd â'i gŵr a'i mam, er nad oes arysgrif ar y bedd i ddynodi hynny.

Bûm yn hynod ffodus i allu dod o hyd i ddisgynyddion y Canon mewn gwahanol rannau o Awstralia. Roedd Judith Mylonas, un o wyresau Corrie, yn eithriadol falch o gael bod yn rhan o'r ymchwil am ei theulu a'u hanes. Ac mor braf oedd cael croesawu ei mab deunaw oed, Edward

Demetrius Savin Mylonas, i Gymru ddiwedd 2006, a chael mynd ag ef i weld y gwahanol fannau a olygai gymaint i'w hen-daid a'i hen-nain. Roedd yn gwerthfawrogi'r cyfle i weld bedd Caradog Prichard a Mattie ym Mynwent Eglwys Goffa Robertson yng Nghoetmor, Bethesda, ac yn falch o gael tynnu ei lun wrth fedd y llenor a roes gymaint o fri ar ei deulu.

Edward Mylonas wrth fedd Caradog Prichard

Mae'n debyg mai un o binaclau ymweliad Edward Mylonas oedd cael gweld Ficerdy Eglwys Crist Glanogwen ym Methesda a chael mynd i mewn i'r adeilad i ymdeimlo cymaint ag yr oedd modd ag awyrgylch cartref ei hynafiaid. A'r un oedd y wefr a gawsai ei fodryb Marion, chwaer ei fam, pan ddaeth hi drosodd o Awstralia ddechrau Ionawr 2008.

Yr awdur ac Edward Mylonas wrth ddrws y Ficerdy

Ond aelodau'r genhedlaeth hŷn yn Nyffryn Ogwen sy'n cael tendans yn yr hen Ficerdy heddiw – a theulu'r Canon ym mhen arall y byd.

133

NODIADAU

1. *ADA*, t. 45

2. Ceir nodyn amdano yn *The Taylorian*, Vol. XXXIX, No. 5, June 1917 (London, 1917):

> Lieutenant John Savin Jones-Savin left school from the Classical Sixth in June 1909 with an Exhibition to St John's College, Oxford, where he took a second in Classical Moderations. He played football for the School, rowed for two years in his college boat, and in 1912 was in the Oxford University swimming and water polo team. He received a commission in the Royal Welsh Fusiliers on August 22nd 1914, and went out in October 1915, first to France and then to another Front, where he was killed on March 27th, aged 26.

3. *Cylchgrawn Plwyfol – Eglwys Crist Glanogwen*, atodiad i *Y Perl*, Ebrill 1910, Rhif 112.

4. Dudley Ward, *Regimental Records of the Royal Welch Fusiliers (23rd Regiment), Volume IV, 1915-1918, Turkey, Bulgaria, Austria* (Forster Groom & Co., 1929).

5. Gw. *The Times*, Rhif 41445, Ebrill 5 1917.

6. Bûm yn ffodus iawn i gael copi o weithredoedd gwreiddiol Hafod-y-Bryn gan Steve a Deidre Allinson, perchnogion presennol y tŷ.

7. *The North Wales Chronicle*, Ebrill 25 1917, t. 5.

8. Cadwyd y llythyr gan Laura Williams, Morfa Nefyn. Er nad oedd modd iddi wybod arwyddocâd a phwysigrwydd y llythyr hwn yng nghyd-destun hanes y Canon a'i deulu, mae ein dyled yn fawr iddi am ei gadw'n ddiogel ar hyd y blynyddoedd.

9. Ni ellir bod yn siŵr ai Margaret Jane Pritchard yw'r 'Mrs Pritchard' a'r 'Mrs Prit.' yn y llythyr.

10. Merch George Sholto Douglas Pennant, ail Arglwydd Penrhyn Llandegai.

11. *Yr Herald Cymraeg*, Ebrill 10 1917.

12. *The North Wales Chronicle*, Ebrill 13 1917.

13. Ymddangosodd cerddi coffa, ysgrifau a theyrngedau yng nghylchgrawn *Yr Haul* Mai 1917, t.129, t. 137 a t. 139; ibid, Mehefin 1917, tt. 151-54 a t. 164.

14. *Cylchgrawn Plwyfol – Eglwys Crist Glanogwen*, atodiad i *Y Perl*, Mai 1918.

15. *Y Llan*, Mehefin 11 1919.

16. Gw. *Byd a Bywyd Caradog Prichard* (Llandybïe, 2005), t. 10.

17. Daethpwyd o hyd i Tony Osborn drwy ddilyn cyfres o gamau. Yn y lle cyntaf, ar ôl gweld y cyfeiriad ar garreg fedd y Canon ym Mynwent Eglwys Glanogwen at farw ei wraig, Cordelia Mary, yn Bundaberg, Queensland, Awstralia, deuthum o hyd i wefan Bundaberg ar y rhyngrwyd. Yna, wedi dod o hyd i safle Cyngor y Ddinas, gwelais fod modd chwilio am bobl a gladdwyd ym Mynwent Bundabeg. Ar ôl cael hyd i fanylion am fedd Cordelia Mary Savin Jones a'i mab-yng-nghyfraith, Arthur Harold Osborn, anfonais e-bost at y Cyngor a chael, gyda'r troad, ateb oddi wrth Gayle Read ynghyd â llun y bedd (a atgynhyrchir yn y testun uchod). Yna, rhoes fi mewn cysylltiad â Rhonda Harris yn Bundaberg, a fwynhâi chwilota am hanes teuluoedd. O fewn tridiau i mi anfon neges e-bost ati hi, roedd wedi cael hyd i Tony, mab Arthur Harold a Cordelia Mary. Cefais lawer o wybodaeth ganddo ef ac aelodau eraill o'r teulu.

18. Taflen yn dwyn y teitl: 'Commonwealth of Australia – Permit to Leave Australia'. Mae'r daflen ym meddiant Laura Williams, Morfa Nefyn.

19. Gwybodaeth a gafwyd gan Marion Rivers, wyres Corrie, pan ymwelodd â chartref yr awdur ddechrau Ionawr 2008.

DEFI DIFAS SNOWDON VIEW

David D. Evans, sef Defi Difas Snowdon View

Chwarelwr oedd Defi Difas Snowdon View yn *UNOL*, a chaiff gryn sylw yn y nofel. Ef a ddywedodd mai 'Barn Duw' oedd yn gyfrifol am i geffyl Eic Wilias Glo syrthio'n farw yn y stabl – ac Eic Wilias, wrth gwrs, oedd yn gyfrifol am bentyrru 'dodrafn Catrin Jên' ar y ffordd o flaen ei chartref am nad oedd wedi talu'r rhent. Defi Difas, hefyd, oedd un o'r fintai a aethai i chwilio am Em, brawd Now Bach Glo, ac mae'n flaenllaw iawn pan ddaw Côr Sowth i'r ardal: 'Yn sydyn, dyma Defi Difas a criw o ddynion Côr Dirwast oedd yn sefyll hefo fo ar y blaen, yn ymyl Côr Sowth, yn ei tharo hi wedyn ... Yn sydyn dyma ni'n gweld Defi Difas yn y ffrynt wrth ymyl Côr Sowth yn codi'i law ar y bobol. Gawn ni i gyd ymuno mewn gweddi, medda fo ... A llais Defi Difas yn gweddïo'. Oedd, roedd Defi Difas yn un o golofnau'r gymdeithas a chrynhoir hynny yn y frawddeg hon gan Huw yn *UNOL*: 'Mae yna lot o ddynion da'n gweithio'n Chwaral. Dynion run fath â Defi Difas'.

Ond pwy oedd y gŵr y tu ôl i'r cymeriad hwn? Ei enw iawn oedd David D. Evans (a'r D. yn y canol yn sefyll am 'David' hefyd – nid arfer cwbl anghyffredin oedd rhoi dau enw'r un fath ar blant ers talwm!). Roedd wedi'i eni yn y Gerlan yn 1874 ac yn un o gymdogion teulu Caradog Prichard yn Stryd Glanrafon ar y ddau achlysur y bu Margaret Jane yn byw yno. Ac eithrio ychydig wythnosau mewn gwahanol fannau yn ne Cymru yn 1900, yn y Gerlan y treuliodd ei oes gyfan ac yn 8 Glanrafon, lle ganed ef, y bu farw'n 82 oed ar Chwefror 3 1956. Hyd y gwn i, ffrwyth dychymyg Caradog Prichard ydi'r 'Snowdon View', er bod ambell '—— View' yn yr ardal (megis 'Ffrancon View') a allai fod wedi plannu'r syniad am yr enw ym mhen Caradog.

Ar Hydref 14 1903, priododd David D. Evans â Sarah Jones o Dregarth, a chawsant ddwy ferch: Sarah Mary (ganed Mai 21 1907) a Margaret Jane (g. Awst 25 1910).

Sarah Mary (ar y chwith) a'i chwaer, Margaret Jane (ar y dde), gyda'u rhieni

Fel llawer o'i gyfoedion, i Chwarel y Penrhyn yr aeth David Evans yn syth o'r ysgol ond pan gyhoeddwyd y Cload Allan yn y chwarel ym mis Tachwedd 1900 (a arweiniodd at Streic Fawr y Penrhyn), aeth i chwilio am waith i byllau glo de Cymru. Byr fu ei arhosiad yno, gan iddo gael ei anafu yn y gwaith, a dychwelodd i Fethesda ar Ionawr 17 1901. Ym mis Mawrth yr un flwyddyn, cafodd le i weithio ar y ffordd gyda Chyngor Dinesig Bethesda ond ymhen dwy flynedd roedd wedi cael gwaith yn casglu arian ar ran Dr William Pritchard (y sonnir amdano mewn man arall yn y gyfrol hon) a bu wrth y gwaith hwnnw am 34 o flynyddoedd nes iddo ymddeol yn 1937.

Ychydig iawn o addysg ffurfiol a gawsai David Evans ond roedd yn ŵr galluog a diwylliedig, yn Annibynnwr selog, ac yn ddyddiadurwr toreith- iog. Roedd yn aelod, ac yn flaenor, yng Nghapel Treflys, Gerlan, ac yng nghyfnod yr edwino a'r crebachu, ef fu prif gynhaliwr yr achos yno (a'i ddwy ferch ar ôl hynny). Erbyn diwedd y 1960au, aeth cynnal yr achos yng Nghapel Treflys yn drech na'r ddwy chwaer a'r dyrnaid bach o aelodau; daethpwyd â'r achos i ben a chwalwyd y capel yn 1974.

Capel Treflys (A), Y Gerlan, Bethesda

Yn *ADA*, mae Caradog Prichard yn cyfeirio at y 'cymdogion caredig (O, mor garedig oeddynt)' a ddaeth i helpu'i fam yn ei thrybini pan drowyd hi o'i chartref yn Long Street ac mae'n fwy na thebyg fod David Evans yn un o'r rhain. Yr hyn sy'n rhyfedd yw na chofnododd David Evans y digwydd- iad trist hwn yn ei ddyddiadur, gan ei fod y math o ddigwyddiad a fyddai wedi bod yn destun siarad drwy'r ardal.

Wrth gloi'r sylwadau hyn am David D. Evans, rwy'n siŵr y byddai o ddiddordeb i lawer wybod am lythyr neilltuol o bwysig a ddaeth i'm dwylo wrth i Miss Margaret Evans, merch DDE, baratoi i adael ei chartref am byth i fynd i Gartref Preswyl lleol.

Oherwydd ei bod yn gwybod fy mod yn casglu popeth am Fethesda a Dyffryn Ogwen, roedd yn awyddus i mi gael un neu ddau o lyfrynnau, o eiddo'i thad, yn ymwneud â helyntion Chwarel y Penrhyn. Roedd llond pum bag du o bethau eraill i gael eu taflu, meddai hi, er mor anodd oedd meddwl am daflu llawer o drysorau'i thad. Pwysais arni i beidio â chael gwared â dim a allai fod o werth – yn enwedig o safbwynt hanes lleol. 'Wel, cerwch chi â'r bagia i gyd efo chi,' meddai, 'ac ewch drwyddyn nhw rhag ofn fod rhywbeth o bwys ynddyn nhw'. Ac felly y bu. Roedd nifer o bethau hynod bwysig yng nghrombil y bagiau – er enghraifft, holl ddyddiaduron DDE rhwng 1894 a 1955 ac eiddo'i ferch, Margaret, wedi hynny tan 1982. A'r dyddiaduron yw ffynhonnell y rhan fwyaf o'r deunydd a gynhwysir yn y bennod hon. Nid oes lle i ymhelaethu ar eu cynnwys i gyd yma ond tynnodd un tamaid bach o bapur fy sylw yn un o bocedi dyddiadur 1925 ar arno'r pennill a ganlyn:

> Dyma pam mae'r byd yn gam,
> A phawb mor anghytûn:
> Mae'r naill yn chwynnu chwyn y llall
> Heb weld ei chwyn ei hun.

Pwy oedd yr awdur, tybed?

Ymhlith y 'trysorau' pennaf a achubwyd o grafangau'r domen sbwriel yr oedd dau lythyr a dderbyniasai David Evans oddi wrth T. Rowland Hughes pan oedd 'y dewraf o'n hawduron' wrthi'n ymchwilio ar gyfer ysgrifennu'i nofel fawr, *Chwalfa*, a seiliwyd ar Streic Fawr y Penrhyn (1900-1903). Yn ôl y llythyr cyntaf, na roddwyd dyddiad arno, roedd David Evans yn amlwg wedi cynnig rhoi gwybodaeth i T. Rowland Hughes am y Streic ac ateb unrhyw gwestiynau a allai fod ganddo ar gyfer ei ymchwil. Gan mor bwysig y llythyrau hyn, teimlwyd y byddai'n fuddiol rhannu eu cynnwys gyda darllenwyr y gyfrol hon.

Gwaetha'r modd, ni lwyddwyd i ddod o hyd i ohebiaeth David D. Evans at T. Rowland Hughes.

T. Rowland Hughes

138

59, Windermere Ave,
Caerdydd.
Gwener

Annwyl Mr. Evans,

Teimlaf yn dra diolchgar i
chwi am eich cynnig caredig i'm
helpu ynglŷn â'r stwrie fawr.
Fy mwriad yw ceisio llunio nofel
wedi'i sylfaenu ar yr hanes, ond
y mae rhai pethau nad ydynt yn
hollol eglur imi, a charwn yn
fawr gael gwybodaeth arnynt.

1. Beth yn hollol oedd contractor?
Sylwaf fod contractor weithiau
yn cael ponc gyfan i'w gweithio.
Sut y dewisid ef? Ai cymffonwr
ydoedd? A sut y talai ef i'r
dynion oddi tano? A oedd
chwarelwr da a phrofiadol yn
gorfod gweithio o dan ryw
labrwr o gontractor? Sut y
gwnâi'r contractor ei syflog ei
hun?

2. A oedd aubell i ddyn da a chadarn ymhlith y bradwyr? Hynny yw, dynion yn cael eu gorfodi gan afiechyd gwraig neu blant i fynd yn ôl i'r chwarel.

3. A oedd rhwyg rhwng yr Eglwyswyr a'r capeli pan ddaeth y streic. Hynny yw, a oedd y rhan fwyaf o'r Eglwyswyr o blaid yr awdurdodau ac yn barod i ddychwelyd at eu gwaith? Ai Eglwyswyr oedd y rhan fwyaf o'r Stiwardiaid.

4. Pan ddaeth y rhybudd oddi wrth Mr. Young i ddychwelyd i'r chwarel, a oedd rhywrai ymhlith y swyddogion yn ddigon dewr i aros allan hefo'r dynion?

5. A fedrwch chwi gofio chwi ffrind i gymilo a fabwysiadwyd gan bobl yn

2

ystod y streic — hynny yw,
mewn bwyd, a dillad, ac esgidiau
etc.?

6. A gofiwch chwi unbell stori
am grynu eithriadol — afiechyd,
er enghraifft, yn gysylltiol â
thlodi? A oes llythyrau yn y
cylch?

7. A gofiwch chwi unbell stori
ddigrif o ganol yr holl
helynt? Buasai'r rheini'n dderbyniol
iawn, rhag ofn i'i nofel fynd yn
un rhy drist.

Wel, dyna'r prif
gwestiynau yn fy meddwl, a
hyderaf nad ydwyf yn manteisio
ar eich caredigrwydd gormod ofyn
cymaint.

8. O ia, un arall. A fu'r
gweinidogion yn ennill serch a
pharch yn ystod y streic?
A beth bedd yn effaith ar

4

y capel?

Gyda mawr ddiolch
am eich cynorth,

Yn gywir iawn,

J. Rowland Hughe

TELEPHONE:
CARDIFF
2080.

59, WINDERMERE AVENUE,

CARDIFF.

16:6

Annwyl Mr. Evans,

Dim ond nodyn i ddiolch i chwi am eich llythyr diddorol. Y mae'r darlun yn weddol glir yn fy meddwl erbyn hyn, gan imi fod yn gweithio ar "Y Genedl" am y blynyddoedd hynny, ac y mae'r hanes yn bur fanwl yn y papur hwnnw.

Y mae'n siwr ei fod yn amser pryderus iawn i chwi yn methada a gallaf ddeall mor anehlys i chwi yn troi'ch meddwl yn ôl i'r cyfnod hwnnw a'i bobl a'i bethau.

Gyda'r dymuniadau gorau, ac unwaith eto, diolch cynnes,

J. Rowland Hughes

DR PRITCHARD

Dr William Griffith Pritchard oedd un o'r ychydig gymeriadau yn *UNOL* a gaiff ei enw iawn gan Caradog Prichard.

Dr William Griffith Pritchard

Cofiwn mai gan Dr Pritchard yr oedd Moi yn *UNOL* wedi cael ffisig i'w fam a bocs o dabledi i'w Yncl Now – y tabledi a roddodd Moi fel da-da i fwncïod y syrcas ac a barodd i'r rheini fod yn rhy sâl i gymryd rhan yn y syrcas. A nain yr hogyn bach sydd yn awgrymu anfon am Dr Pritchard pan mae ei fam yn sâl ac yn dweud wrtho am alw yn y feddygfa ar ei ffordd i'r Ysgol – ac fe welwn yn y llun isod gip o'r ysgol y tu draw i'r gof-golofn, dafliad carreg oddi wrth feddygfa Dr Pritchard.

Car Dr Pritchard o flaen ei feddygfa yn Rhes Ogwen

Yn y llun hwn, mae car Dr Pritchard ar y dde o flaen ei feddygfa yn Rhes Ogwen. Ar y chwith, gwelwn y wal a'r reilins o flaen y Rheinws ac yna, gyferbyn â'r feddygfa, y wal gerrig uchel a dwy ddôr ynddi i fynd drwodd i'r cyrtiau tennis – a Dr Pritchard oedd piau'r rheini.

Ymhellach ymlaen yn y nofel, â gorffwylledd y fam wedi cyrraedd ei anterth, mae Nain Pen Bryn unwaith eto'n rhoi gorchymyn i'r hogyn bach:

> ... wyt ti i fod i ddeud wrth Doctor Pritchard bod dy Fam yn reit gwla a bod hi a dy Nain yn gofyn iddo fo ddŵad ... Ac allan a fi trwy'r glaw i nôl doctor ... Fuo raid imi weitiad am hir i weld Doctor Pritchard wrth bod yna lot o bobol sâl yno o mlaen i yn disgwyl am gael ei weld o. Ac erbyn imi gael ei weld o a cerddad adra oedd hi'n naw o'r gloch ... Ma Doctor Pritchard yn deud bydd o yma rhwng deg ac unarddeg, medda fi ... Ma Doctor Pritchard wedi deud bod raid mynd a hi i'r hosbitol, ac mi fydd eisio i ti fynd hefo hi.

Ganed William Griffith Pritchard yn 1869 yn ardal Glynllifon, ger Caernarfon, yn fab i Methusalem a Jane Pritchard. Daeth i Ddyffryn Ogwen tua 1903 yn bartner i Dr John Roberts yn y feddygfa yn Rhes Ogwen, Bethesda. Pan fu farw Dr Roberts, priododd Dr Pritchard ei weddw. Ymddeolodd tua 1937, ar ôl rhoi gwasanaeth cymeradwy yn Nyffryn Ogwen am 34 o flynyddoedd. Symudodd o'r ardal i dŷ o'r enw Bryngwyn yn ffordd Bryn Bia, Llandudno – tŷ yr oedd wedi'i adeiladu ar gyfer blynyddoedd ei ymddeoliad. Yno y collodd ei briod ond ar Fawrth 28 1939, ailbriododd â

Jennie a fuasai'n gweithio iddo fel *dispenser* am oddeutu deuddeng mlynedd ym Methesda. Ganed iddynt un ferch o'r briodas hon, sef Eira (Thompson erbyn hyn), a chanddi hi y cefais y manylion bywgraffyddol am ei thad.

Yn ystod ei gyfnod yn Nyffryn Ogwen, cymerai ran mewn nifer o weith-gareddau lleol ac ef oedd Cadeirydd cyntaf Clwb Golff Nant Ffrancon ddechrau'r 1930au. Bu'n gynghorydd ac yn ustus heddwch ac ef oedd y meddyg cyntaf yn yr hen Sir Gaernarfon i gael yr hawl i roi brechiadau yn erbyn rhai afiechydon.

Bu farw ar Ebrill 30 1946 a chladdwyd ei weddillion, gyda'i wraig gyntaf, ym Mynwent Llanrhos, ger Llandudno.

ELWYN PEN RHES

Elwyn Pen Rhes neu Elwyn Brawd Mawr Ifor Bach ydi'r ddau enw a roddir yn *UNOL* ar y milwr a oedd wedi ennill medal am ei ddewrder ar faes y gad.

Mae ambell arwydd yn *UNOL* yn awgrymu mai'r Stryd Hir (*Long Street*) yw'r 'Rhes', yn enwedig pan sonnir am Elwyn Pen Rhes. Dro arall, ceir yr argraff fod Caradog yn sôn am y Bontuchaf, yng ngwaelod Allt Glanrafon – ac mewn tŷ'n sefyll ar ei ben ei hun ar ben rhes tai Bontuchaf yr oedd Ifan Madog Jones yn byw, gŵr y cawn sôn mwy amdano ymhell-ach ymlaen.

Gwyddom fod oddeutu deunaw o fechgyn o ardal y Gerlan a'r Bont-uchaf wedi colli eu bywydau yn y Rhyfel Mawr ond does yr un ohonyn nhw'n cyfateb o ran enw nac oed (na chyfeiriad os ydym yn meddwl mai'r Stryd Hir ydi Rhes) ag Elwyn Pen Rhes. Nid bod gennym hawl i ddisgwyl hynny mewn nofel, wrth gwrs, ond mae'n rhyfedd fel y mae Caradog yn cyfochri un rhan fechan o'r hyn a ddywed am Elwyn Pen Rhes â hanes milwr go iawn. Sylwer ar y dyfyniad hwn o *UNOL*:

> cofio Elwyn Pen Rhes yn dŵad adra o Ffrainc ... a Huw a finna'n rhedag i'w gwarfod o'n dŵad i fyny Lôn Newydd.
>
> Iesu, mae golwg arnach chi, Elwyn, medda Huw wrtho fo. Lle ydach chi wedi bod yn cael y baw yna ar eich dillad a'ch sgidia.
>
> Lle wyt ti'n feddwl, y cythral bach gwirion, medda Elwyn. Yn y trenshis, siŵr iawn.

Down o hyd i'r hanesyn go iawn sydd y tu ôl i'r stori fach uchod mewn dau le yng ngweithiau Caradog Prichard. Dyma a gawn yn *YRhA*:

> Cofiaf ddod wyneb yn wyneb â'r realaeth ofnadwy ar y Lôn Newydd. (Cymaint o'm hatgofion sy'n gysylltiedig â'r Lôn Newydd, y lôn sydd bellach mor hen). Arni hi y cwrddais ag Ifan Madog, yn ymlusgo'n welw a lluddedig tuag adref ar 'leave' o ffosydd Ffrainc a llaid a baw'r ffosydd hynny'n drwch ar ei esgidiau a'i lifrai. Gallaf ddychmygu pa mor felys fu cwsg Ifan y noson honno yn y cartref croesawus yn y Bontuchaf[1].

Cawn gofnod cyffelyb yn *ADA*:

> Yng ngwaelod yr allt yr oedd cartref teulu Huw Madog ... Ifan, Huw a Dafydd oedd tri mab Huw Madog a byddent hwy bob amser yn dipyn o arwyr gen i. Cofiaf gwrdd ag Ifan ar Lôn Newydd yn dod adref am ysbaid o'r ffosydd yn Ffrainc, ei draed a'i ddillad milwrol yn dew gan laid y ffosydd a golwg lluddedig arno[2].

Ifan Madog oedd y milwr go iawn hwn a dyma'i lun yn fachgen ifanc tua'r cyfnod yr oedd Caradog yn byw yn rhif 4 Glan-rafon, ychydig ffordd i fyny'r allt oddi wrth gartref Ifan yn y Bontuchaf. Roedd Ifan yn fab i Huw Madog Jones a'i wraig, Jane, a chanddo ddau frawd, Huw a Dafydd, a phedair chwaer[3].

Roedd Caradog yn ffrindiau mawr â meibion y teulu hwn; yn wir, roedden nhw'n dipyn o arwyr yn ei olwg. Afraid dweud bod gweld Ifan yn ei lifrai milwrol yn destun edmygedd di-ben-draw a chaiff hynny ei adlewyrchu yn y diddordeb bachgennaidd a ddangosir gan yr hogyn bach a Huw yn *UNOL*.

Cânt wybod beth oedd yr amgylch-iadau yn y ffosydd:

Ifan Madog yn blentyn

Ifan Madog yn filwr

At ein pennaglinia mewn mwd trwy'r dydd, machan i, a trwy'r nos hefyd, am dair wsnos heb symud ...

a chyfle i gael gweld ei fwgwd nwy a chario'i bac trwm:

Fel hyn mae'i roid o, medda Elwyn, a rhoid y mwgwd am wynab Huw ... dyna lle'r oedd rhen Elwyn druan yn rowlio chwerthin am ben Huw. Ylwch, y diawlad bach diog, medda fo, a sefyll yn ochor wal a tynnu'r pac oedd ar ei gefn o. Mi gewch chi gario hwn i fyny i Ben Rhes imi. A'r ddau ohonan ni'n mynd efo fo'r holl ffordd i Ben Rhes ac yn cario'i bac o bob yn ail ...

O weld sut y mae Caradog Prichard wedi defn-yddio'r hanesyn am Ifan Madog wrth adrodd hanes y milwr yn *UNOL*, byddai'n hawdd i ni ruthro i'r casgliad mai Ifan Madog *ydi* Elwyn Pen Rhes y nofel.

Ond yn yr hanesyn uchod y gwelir yr *unig* gymhariaeth rhwng Ifan Madog a milwr y nofel.

'Hogyn Margiad Wilias Pen Rhes' oedd Elwyn, meddir yn *UNOL*. Nid ymddengys mai'r un Margiad Wilias yw hon â'r un a oedd 'â'i thylwyth o wyrion ac wyresau' (fel y dywed Caradog yn *ADA* heb grybwyll gair am unrhyw fab) yn byw yn Nhŷ Isa Glanrafon – ac fe gofir mai i'w thŷ hi, a fuasai'n wag ar ôl ei marw, y symudodd mam Caradog pan orfu iddi symud o 4 Stryd Hir.

'Mi gafodd Elwyn Pen Rhes fedal hefyd cyn iddo fo gael ei ladd gan y Jyrmans ...', meddir yn *UNOL* – ond ni ddyfarnwyd medal i Ifan Madog. Adroddir hanes medal Elwyn Pen Rhes yn y nofel:

> Y D.C.M. gafodd o.
> Diwrnod hwnnw pan ddaru ni redag i'w gwarfod o'n dŵad adra o Ffrainc ar Lôn Newydd, doedd yna neb yn gwybod bod Elwyn Pen Rhes wedi ennill y D.C.M. Ganol dydd diwrnod wedyn, pan oedd Elwyn yn dal i gysgu yn ei wely wedi blino, daeth y teligram i ddeud am y D.C.M. Fi aeth â'r teligram i tŷ Elwyn i Pen Rhes.

Cafodd plant 'Rysgol' ddiwrnod rhydd i fynd 'i gael te parti yn cae Ysgol Pont Stabla am fod Elwyn Pen Rhes wedi ennill y D.C.M.' ac

> [r]oedd yna broseshion ar hyd Stryd, o ben Lôn Newydd reit i fyny at Giat Reglwys, a wedyn i fyny at Ysgol Pont Stabla ... pawb wedi cael fflag i chwifio pan oedd y proseshion yn pasio.
> Ar y blaen oedd Band Llanbabo. Oedd y band wedi dŵad yr holl ffordd o Llanbabo am fod cefndar Elwyn yn chwara trambon yno fo.

Bron nad yw crybwyll y berthynas rhwng Elwyn a'i gefnder yn rhyw fath o gyfiawnhad dros ddod â seindorf yr holl ffordd o Ddeiniolen i bentref Bethesda lle'r oedd *dau* fand yn bod yn barod! Gwaetha'r modd, gan na wyddys pwy'n *union* oedd Elwyn, ni lwyddwyd i ddod o hyd i bwy oedd 'cefndar Elwyn'! Ond cymerwn, am funud, mai 'Band Llanbabo' oedd yn arwain y 'proseshion' (a chofiwn, yr un pryd, am gysylltiadau agos iawn Caradog Prichard â Deiniolen, fel y gwelwyd yn y bennod ar 'Guto Bwlch a'i Deulu').

Roedd hanes anrhydeddus i Seindorf Arian Deiniolen. Sefydlwyd y 'Llandinorwig Brass Band' yn 1835, yna trodd yn 'Ebenezer Silver Band' (ac Ebenezer oedd enw'r pentref hyd yn gymharol ddiweddar nes mabwys-iadu 'Deiniolen'). Ac er mwyn cymhlethu pethau ymhellach, cofiwn mai 'Llanbabo' yw'r enw a ddefnyddir am Ddeiniolen gan lawer o bobl, gan gynnwys Caradog Prichard. Yr esboniad am hynny, yn ôl pob sôn, yw i ryw

149

ddyn o Lanbabo ym Môn ddod i weithio i Chwarel Dinorwig a galw'i ardal newydd wrth enw'i ardal enedigol. Tybed?

Band Llanbabo yw'r enw a ddefnyddir yn *UNOL* ond enw swyddogol y seindorf erbyn heddiw yw Seindorf Arian Deiniolen a thros y blynyddoedd mae wedi ennill bri drwy Gymru a'r tu hwnt.

Tynnwyd y llun a ganlyn o'r Seindorf yn 1913 ar achlysur agor Llyfrgell Carnegie yn Neiniolen, ychydig flynyddoedd cyn i Fand Llanbabo gael dod dros y Mynydd i Fethesda, yn ôl y nofelydd!

Y band y dywedir yn y nofel iddo ddod o Ddeiniolen i arwain gorymdaith Elwyn Pen Rhes

Cawn ragor o hanes y 'proseshion' i anrhydeddu Elwyn Pen Rhes:

> Tu nôl i'r band oedd ceffyl a coitsh Robin Dafydd, a Robin Dafydd yn eistadd yn y ffrynt ar sêt ychal yn dreifio, hefo chwip hir run fath â genwair bysgota.

Wili Dafydd Williams (neu, efallai, ei frawd, Dafydd Henry) oedd yn gyrru'r goitsh, yn ôl pob tebyg. Roeddent yn adnabyddus fel *General Carriers* yn yr ardal a chanddynt hers geffylau yn ogystal â choitsh amlbwrpas at alwadau gwahanol. Weithiau, câi'r goitsh ei defnyddio mewn priodasau (fel yn y llun a ganlyn a dynnwyd mewn priodas o flaen Capel Jerusalem, Bethesda, yn 1907). Sylwir bod y to wedi'i godi, yn wahanol i fel yr oedd yn ôl y disgrifiad a geir o'r goitsh yn *UNOL* yn ystod yr orymdaith i anrhydeddu Elwyn Pen Rhes.

Priodas yng Nghapel Jerusalem, 1907

Yn y 'proseshion' y tro hwnnw, dyma'r darlun a gyflwynir:

> Oedd top y goitsh i lawr er mwyn i bawb gael gweld i mewn iddi, a dyna lle oedd Elwyn Pen Rhes yn eistadd yn y goitsh run fath â Lord, yn codi'i law arna ni a bowio, ac yn wên o glust i glust. A Misus Wilias Pen Rhes, ei fam o, yn eistadd wrth ei ochor o, yn ei dillad gora, ac yn edrach run fath â'r Frenhinas adag Coroneshion. A Ifor Bach a'i dad yn eistadd ar ochor arall yn edrach yn bwysig iawn a dim gwên ar eu gwyneba nhw ...

A dyma'r union goitsh honno:

Wili Dafydd a'i goitsh o flaen yr hen Ogwen Hotel[4] a'r stablau ger Ffordd yr Orsaf, Bethesda

Mae angen ymhelaethu ychydig yn awr ar hanes y fedal a gafodd Elwyn Pen Rhes yn y nofel, sef y D.C.M. – y *Distinguished Conduct Medal.*

Mewn llyfr nodiadau'n cynnwys deunydd a ysgrifennodd Caradog Prichard tua diwedd y 1950au, mae dwy restr o'r hyn sy'n ymddangos fel pe baent yn 'syniadau' ar gyfer *UNOL.* Cynhwysir y rhestrau cyflawn yn Atodiad 5 ond yng nghyswllt hanes y milwr, Elwyn Pen Rhes, yn y nofel, hoffwn ddyfynnu'r ddwy linell a ganlyn, y gyntaf o Restr 1 a'r ail o Restr 2:

> 13. War Memorial, Yr enwau. Ifan Madog. Jack Melangthon.
> 6. Jack Melangthon. D.C.M. Evan Madog homecoming.

Mae'r ffaith i Caradog Prichard gyfeirio (yn yr un gwynt, fel petai) at 'Jack Melangthon [*sic*], D.C.M.' ac at Ifan Madog yn dod adref yn ein harwain i gredu'n ddiamheuol mai paratoi ar gyfer ysgrifennu stori Elwyn Pen Rhes yr oedd Caradog Prichard yn y nodiadau hyn. Ac yr oedd Jack Melancthon Williams *wedi* ennill y D.C.M – y fedal ar gyfer milwyr cyffredin, a ystyrid yn ail agos iawn at y *Victoria Cross* – ac a ddyfarnwyd am 'distinguished, gallant and good conduct'. Ymddengys fod Ifan Madog yn awr wedi ildio'i le i filwr arall a thrwy fanylu ychydig ar hanes go iawn Jack Melancthon, cawn weld i ba raddau yr oedd y ffeithiau'n cyfochri â'r hyn a geir yn *UNOL.*

Yn ardal Tregarth, ger Bethesda, y ganwyd ac y magwyd John (neu Jack) Melancthon (a'i enw canol, gyda llaw, yn enw priod hynafol iawn yn yr iaith Roeg). Roedd ganddo dri brawd a thair chwaer: Catherine Mary, Robert (Bob), William (Wil), Thomas (Tom), Maria, a Maggie. Bu'n ddisgybl i ddechrau yn Ysgol Fabanod y Gelli, ysgol a berthynai i Eglwys y Santes Fair, y Gelli, Tregarth, lle'r oedd teulu Jack yn aelodau[5]. Yna, ar gyrraedd rhyw chwech oed, rhaid oedd symud ymlaen i Ysgol Llandygái, oddeutu dwy filltir a hanner o Dregarth. Cofiwn mai yn Ysgol y Gelli ac yna yn Ysgol Llandygái y cafodd Syr Ifor Williams ei addysg gynnar a chawn hanes y ddwy ysgol ganddo yn ei sgwrs radio ddifyr 'Aelwyd ac Ysgol' a gyhoeddwyd yn *Meddwn I*[6].

Aeth Jack yn syth o'r ysgol i weithio i Chwarel y Penrhyn ac oddi yno wedyn at 9fed Bataliwn y Ffiwsilwyr Cymreig. Cyflawnodd wrhydri arbennig ar faes y gad:

> Lance Sergeant John Williams performed an act of devotion at Festubert on September 25 1915 … Although badly wounded himself, he assisted to bandage all the wounded near him, refusing to receive assistance from stretcher bearers. He finally walked down the Communication Trench to the First Aid Post without assistance. While

bandaging the wounded, he found time to encourage and cheer on the rest of his Company as they passed him. Mr Williams' arm was so badly damaged that it had to be amputated[7].

John (Jack) Melancthon Williams

Tra oedd Jack mewn ysbyty yn ne Lloegr ym mis Hydref 1915 yn cael trin ei glwyfau (a'r rheini'n cynnwys anafiadau pur ddifrifol i'w ysgwydd a'i droed yn ogystal ag i'w fraich), roedd ei frawd iau, William Melancthon, yntau wedi'i anafu mewn brwydr, mewn ysbyty yn Boulogne. Yn ddiwedd-arach, yn 1918, enillodd Wil hefyd fedal, sef yr M.M. (y *Military Medal*). Ond nid oes unrhyw arwydd i awgrymu mai William (na chwaith un o frodyr Ifan Madog, o ran hynny) oedd Ifor Bach yn y nofel.

Pan glywyd bod Jack wedi ennill y D.C.M am ei ddewrder anghyff-redin, penderfynwyd ei anrhydeddu pan ddychwelai adref i'w fro ei hun. Cawn ychydig bach o hanes hynny mewn adroddiad papur newydd sydd ym meddiant y teulu. Rai blynyddoedd ar ôl marw Jack, cyflwynwyd ei fedal D.C.M i Amgueddfa'r Ffiwsilwyr Cymreig yng Nghastell Caernarfon. Dyma a ddywedodd Bert Williams, mab Jack Melancthon, ar yr achlysur hwnnw (yn ôl y toriad papur newydd sydd yn ddiddyddiad ond o'r *Daily Post*, o bosib):

… when his father returned to Bethesda in 1916, there was a civic welcome. 'He was greeted at the station by officials and was paraded through the streets with a band playing' …

Mae dilyn y trywydd hwn yn angenrheidiol i brofi i ba raddau y seiliodd Caradog Prichard yr hanes yn *UNOL* am filwr y D.C.M a'i groeso'n ôl i'r ardal – y proseshion, y seindorf, y te parti, ac ati – ar yr hyn a ddigwyddodd go iawn i Jack Melancthon Williams pan ddaeth adref o'r fyddin.

Yn dilyn y croeso 'dinesig' a gawsai pan gyrhaeddodd yr orsaf reilffordd ym Methesda (na welais unrhyw adroddiad amdano mewn papurau newydd, gyda llaw), darllenwn am gyfarfod croeso arall. Ar drydedd dudalen y *North Wales Chronicle*, Tachwedd 11 1915, dan benawdau bras 'A TREGARTH SOLDIER WELCOMED – PRESENTATION TO THE HOLDER OF A DCM', cawn adroddiad bod y 'schoolroom' yn Nhregarth, nos Lun, Tachwedd 9, yn orlawn ar achlysur 'a public reception to Sergeant John Williams'. Roedd Jack wedi cael ei hebrwng o'i gartref i'r ysgol gan y 'Tregarth Volunteers under Platoon Commander Brock'. Traddodwyd 'patriotic speeches' gan nifer o ddynion blaenllaw yn yr ardal a chan Jack ei hun a'i dad, Melancthon Williams. Canwyd caneuon 'gwladgarol', megis 'Khaki and Blue' a 'The Navy' ynghyd ag anthemau cenedlaethol Rwsia, Gwlad Belg a Ffrainc. Cyflwynwyd cas sigaréts arian yn rhodd i Jack Melancthon, 'this to be followed by a silver matchbox and a cigarette holder', a phan gododd Jack i dderbyn y rhodd, rhoddodd y gynulleidfa fawr gymeradwyaeth fyddarol iddo am rai munudau cyn canu 'For he's a jolly good fellow'. Ar ddiwedd y cyfarfod, ar ôl i bawb gael cyfle i ysgwyd llaw'r arwr a'i longyfarch ar ei wrhydri, hebryngwyd ef adref gan y Tregarth Volunteers.

Ar dudalen 8 yr un rhifyn o'r *North Wales Chronicle*, cyhoeddwyd y bwriad i roi croeso unwaith eto i Lance Sergeant J. Melancthon Williams y dydd Sadwrn canlynol. Y trefniant oedd i'r *Volunteer Training Corps*[8] lleol gyfarfod am ddau o'r gloch ar groeslon Brynbella (ryw filltir i'r gogledd o Fethesda a thua thri chwarter milltir o gartref Jack yn Nhregarth). Roedd plant ysgol i arwain gorymdaith at y Neuadd Gyhoeddus ym Methesda lle'r oedd croeso cyhoeddus wedi'i drefnu i'r milwr dewr. Ac fe gyhoeddwyd bod y Pwyllgor yn ceisio cael seindorf ar gyfer yr orymdaith

A dyma'r orymdaith a roes fod i'r 'proseshion' yn *UNOL*. Cawn adroddiad manwl am yr achlysur, yn cynnwys dros fil o eiriau, yn y *North Wales Chronicle*, Rhagfyr 8 1915. Dan dri phennawd: BRAVE QUARRYMAN-SOLDIER – BETHESDA'S PUBLIC WELCOME – INTERESTING PRESENTATIONS, dywedir i'r *procession* gychwyn o gartref Jack yn Nhregarth, gydag ef ei hun a'i fam a'i dad (ond heb sôn am frawd) yn dilyn y seindorf a oedd yn arwain yr orymdaith. A'r seindorf? Na, dychymyg Caradog a roes i ni Fand Llanbabo. Dywed yr adroddiad: '[The] procession [was] headed by the band of the 'Clio' Training Ship'. Roedd y *Clio* wrth angor bob amser yn Afon Fenai ac i hogiau bach direidus Bethesda ers talwm 'Llong-Plant-Drwg' oedd y *Clio* a 'Dyn-Llong-Fawr' oedd y *school-attendance officer*! Ac mor barod oedd rhieni'r ardal i ddefnyddio'r *Clio* a'r gŵr oedd yn gapten y llong i fygwth eu plant am gamymddygiad o unrhyw fath (ac nid am chwarae triwant yn unig!).[9]

Croesodd yr orymdaith Afon Ogwen at Brynbella, lle'r oedd aelodau'r Cyngor Dinesig ac eraill yn aros, a ffurfiwyd gorymdaith ar hyd rhyw filltir o ffordd at y Neuadd Gyhoeddus yng nghanol Stryd Fawr Bethesda, lle'r oedd y cyfarfod croeso i'w gynnal. Roedd tanysgrifiadau wedi eu derbyn i brynu rhodd arall i Jack, sef 'a handsome silver-mounted walking stick'. David Llewelyn, Cadeirydd Cyngor Dinesig Bethesda, oedd yn cadeirio'r cyfarfod ac ymhlith y rhai oedd yn bresennol, yr oedd y canlynol:

> Canon R. T. Jones and Mrs Jones, the Rev. W. Morgan (St Ann's) and Mrs Morgan ... Dr R. Lumley Roberts and Mrs Roberts. Mr W. R. Lloyd and Mrs Lloyd and Master Noel Lloyd, Dr W. G. Pritchard and Mrs Pritchard, Mr J. Elias Jones, H. M. Inspector of Schools, and Mrs Jones, Dr John Gruffydd and Mrs Gruffydd, Mr W. Brock and Mrs Brock, Mr T. Jervis and Mrs Jervis ... D. J. Williams, M. A. ...[10].

Derbyniwyd ymddiheuriadau am eu habsenoldeb oddi wrth W. J. Parry a'r Parchedig J. T. Job ymhlith eraill.

Cafwyd nifer o anerchiadau'n cynnwys cyfeiriadau canmoliaethus at yr arwr ond manteisiwyd yr un pryd ar bwysleisio pa mor bwysig oedd hi i ddynion ifainc yr ardal ymuno â 'Lord Derby's recruiting scheme' a gwneud eu rhan dros ryddid. Meddai'r Canon Morgan: 'If a man was not prepared to defend his country he had no right to live in it'. Wrth fynegi balchder yr ardal gyfan yn yr anrhydedd a enillodd, ac a haeddodd, John Melancthon Williams, gwelodd y Canon R. T. Jones (Glanogwen) ei gyfle i roi pwt o anerchiad arall yn yr ymgyrch recriwtio y chwaraeodd ran mor flaenllaw ynddi yn Nyffryn Ogwen:

> With regard to the young men who had not yet enlisted he pointed out that after the war there would be bad blood between families who supplied the Army with men and those who had not lifted a hand to defend their country. It was grossly unfair that some families should send one, two and, in some cases, three sons, while others had not contributed one. Could they imagine the feelings of the widow and six children at Llanllechid, recently bereaved of her soldier husband in the war, as she saw stalwart young men passing her door to their work every day? The worth of a man in the future would be estimated by his readiness to defend his country, as Sergt Williams had done (hear, hear). Things would change after the war; there would

be a new religion – a religion which would lay more stress on deeds and duty rather than on attendances at church or chapel.

Sylwn nad oes sôn am y te parti a grybwyllir yn *UNOL* ac ni ellir ond dyfalu mai dychymyg Caradog Prichard oedd ar waith yma.

Er gwaethaf ei anabledd, dychwelodd Jack Melancthon i weithio yn Chwarel y Penrhyn ar ôl y Rhyfel – cafodd waith yno fel stiward. Ar Fedi 6 1916, ac yntau'n 29 oed, priododd yn Eglwys Llandygái, ag Elizabeth Owen, 23 oed, hithau o Dregarth, a chawsant saith o blant: Catherine Elin, Menai, Bert, John, Wil, Annie, a Margaret. Bu Jack farw'n 69 oed yn 1956.

*   *   *

Yn wahanol i Ifan Madog ac i Jack Melancthon, y ddau ohonynt wedi dychwelyd yn fyw o'r Rhyfel Mawr, adroddir i Elwyn Pen Rhes gael ei ladd ac yntau ond newydd '[d]dwad adra o Ffrainc fis cyn hynny'. Tybed a oedd milwr *arall* ym meddwl Caradog – milwr go iawn a allai fod wedi cael ei ladd yn fuan ar ôl ennill medal yn y Rhyfel Mawr. Daeth hanes un milwr ifanc arbennig i'm cof y gallai Caradog Prichard fod yn gwybod amdano, sef John Pritchard.

Cyfeiriad John Pritchard (a aned tua 1897) oedd 2 Pen-y-bryn Place, Bethesda, bron yn union dros y ffordd i Llwyn Onn, lle ganed Caradog Prichard yn 1904, ac oddeutu canllath oddi wrth gartref 'Nain Pen Bryn'. Roedd John yn fab i Owen Pritchard ond nid oes sôn am fam yn y cartref (lle'r oedd rhieni Owen hefyd yn byw, sef Owen Pritchard, a fu farw'n 76 oed yn 1914, a Phoebe Ann Pritchard, a fu farw'n 70 oed yn 1922).

Ond ni chafodd John Pritchard ei fagu gyda'i dad a'i daid a'i nain yn y cyfeiriad uchod – a hynny efallai am nad oedd ei fam yno (am ba bynnag reswm) ac oherwydd, efallai, nad oedd amgylchiadau na wyddom ddim amdanynt yn golygu ei bod yn angenrheidiol i John gael ei roi mewn cartref plant. A dyna'n wir a ddigwyddodd i John Pritchard. Cafodd ei fagu yng Nghartref Plant Maesgarnedd yn Llanfair Pwllgwyngyll, Ynys Môn. Yr hyn a'm harweiniodd ar drywydd y milwr ifanc hwn oedd canfod plac yn ei goffáu wedi syrthio oddi ar ddodrefnyn yn Ysgol y Cefnfaes, Bethesda.

Roedd Ysgol y Cefnfaes wedi'i sefydlu yn 1874 yn yr ystafelloedd dan Gapel Bethesda ond bu'n rhaid symud i ysgol newydd yn 1907. Dathlwyd codi'r adeilad hwn mewn cyfarfod a drefnwyd i lansio llyfr yng Nghanolfan Gymdeithasol y Cefnfaes ym mis Tachwedd 2007[11].

156

Er bod hen Ysgol y Cefnfaes wedi peidio â bod yn ysgol swyddogol yn 1950, cafodd yr adeilad les ar ei fywyd fel cartref i ddosbarthiadau o blant tan 1974 – union gan mlynedd ar ôl sefydlu'r ysgol wreiddiol. Yn y flwyddyn honno, llwyddwyd i gael disgyblion uwchradd y dalgylch i gyd dan yr unto yn Ysgol Dyffryn Ogwen ond nid yr un fu ffawd y cyfan o'r dodrefn a oedd ar ôl yn yr hen ysgol. Serch hynny, llwyddwyd i achub y plac diddorol a ganlyn:

SUBSCRIBED FOR BY THE MEMBERS OF THE BANGOR AND BEAUMARIS UNION AND PRESENTED TO MAESGARNEDD CHILDREN'S HOME, IN MEMORY OF JOHN PRITCHARD A NATIVE OF BETHESDA, AND BROUGHT UP AT THIS HOME.
HE JOINED THE 10TH BATTALION R.W.F., WAS AWARDED THE MILITARY MEDAL FOR CONSPICUOUS BRAVERY, AND, A FEW MONTHS AFTERWARDS WAS KILLED IN ACTION IN FRANCE, AGED 19 YEARS.

Plac yn coffáu John Pritchard, M.M.

Yn *Llais Ogwan*, Medi 2005[12], mewn erthygl yn trafod 'Y Rhyfel Byd Cyntaf – Cofeb y Milwyr, Bethesda', mae André Lomozik yn tynnu sylw at y ffaith i John Pritchard dderbyn y M.M. ar Hydref 11 1916. Lai na mis yn ddiweddarach, ar Dachwedd 2 1916, cafodd ei ladd ac fe'i claddwyd ym Mynwent Filwrol Mendinghem yng Ngwlad Belg.

Mewn cyfrol yn dwyn y teitl *Soldiers Died in the Great War 1914-18: The Royal Welsh Fusiliers*, ceir y cofnod a ganlyn:

14th [*sic*] Battalion RWF
Pritchard, John, b. Bethesda, Carn., e[nlisted]. Llangefni, Anglesey (Bethesda), 15689, Pte. d[ied] of w[ounds] F[rance] & F[landers] 2/11/16. MM.[13]

Nid ymddengys ei enw ar y gofgolofn ym Methesda ond, yn hytrach, ar y gofeb yn Llanfair Pwllgwyngyll. Yn wahanol i Elwyn Pen Rhes yn *UNOL*, y dywedir iddo gael ei ladd ac yntau newydd gael ei ben-blwydd yn ddwy ar hugain oed ryw fis ynghynt, dim ond pedair ar bymtheg oed oedd John Pritchard pan gafodd ef ei ladd. Fel y gwelir o edrych ar y llun ar y dud-alen ganlynol, ei enw ef yw'r pumed o waelod y rhestr o fechgyn Llanfair Pwllgwyngyll ar y gofgolofn.

Ond ni ellir fyth fod yn sicr mai'r John Pritchard hwn oedd gan Caradog Prichard mewn golwg wrth gyflwyno'r bennod olaf, fel petai, yn hanes y milwr yn *UNOL*. Gellir hyd yn oed awgrymu nad oedd ganddo unrhyw filwr arbennig o gwbl dan sylw ac mai dod â'r stori i ben yn ddramatig daclus a wnaeth wrth beri i'r milwr ifanc gael ei ladd.

Y Gofeb yn Llanfair Pwllgwyngyll

NODIADAU

1. *Y RhA*, t. 15.

2. *ADA*, t. 17.

3. Gw. llun teulu Huw Madog a Jane Jones yn *Byd a Bywyd Caradog Prichard*, t. 35.

4. Codwyd yr Ogwen Hotel tua 1884 pan ddaeth y rheilffordd o Fangor i Fethesda. Roedd David Williams – Dafydd Siôn y Felin fel y gelwid ef – yn teimlo'n ddigon hyderus y byddai torfeydd yn dod i'r ardal ac y byddent yn chwilio am le cyfleus ger yr orsaf i aros noson neu ddwy. Gwaetha'r modd, nid felly y bu. 'Fu dim llewyrch o gwbl ar yr Ogwen Hotel o'r cychwyn cyntaf. Cafodd David Williams ei ladd pan daflwyd ef oddi ar ei geffyl ger Pen-y-gwryd yn 1909 ac er i'w feibion, Wili Dafydd a Dafydd Henry,

ddefnyddio'r stablau am gyfnod go hir, ychydig iawn o ddefnydd fu ar yr adeilad ei hun dros y blynyddoedd; erbyn canol y 1970au roedd mewn cyflwr mor ddrwg nes y bu'n rhaid ei ddymchwel; gwnaed hynny ddydd Sul, Hydref 24 1976.

5. Bûm yn ffodus iawn i gael gwybodaeth am John Melancthon Williams gan ei ferch, Margaret Pritchard, Tregarth.

6. Ifor Williams, *Meddwn I* (Llandybïe, dim dyddiad), tt. 22-25.

7. *The North Wales Chronicle*, December 8 1915.

8. Rhyw fath o '*Home Guard*' yn ystod y Rhyfel Mawr oedd y *Volunteer Training Corps*.

9. Gw. hefyd Glyn Penrhyn Jones, *Newyn a Haint yng Nghymru* (Caernarfon 1962), t. 103.

10. Mae'n ddiddorol sylwi bod ambell un o'r rhai a enwir ('Mr W. R. Lloyd and Mrs Lloyd and Master Noel Lloyd, Dr W. G. Pritchard ... Mr T. Jervis') wedi cael lle yn *UNOL* – dan enwau gwahanol, wrth gwrs, a chânt sylw yn y gyfrol hon. D. J. Williams oedd Prifathro Caradog Prichard yn Ysgol y Sir.

11. Gweler: J. Elwyn Hughes ac André Lomozik, *Canmlwyddiant Ysgol y Cefnfaes, Bethesda: Ynghyd â Hanes Canolfan Gymdeithasol y Cefnfaes*.

12. Gw. *Llais Ogwan*, Medi 2005, t. 23.

13. Cyhoeddwyd yn *Soldiers Died in the Great War: Roll of Honour, Part 28, The Royal Welsh Fusiliers* (HMSO, 1920/21).

HARRI BACH CLOCSIA

Harri Bach Clocsia, sef James Pandy

Wrth i Harri Bach Clocsia a Wil Elis Portar benlinio yn ystod y gwas-anaeth Cymun yn Reglwys, byddai'r hogyn bach a'i ffrind Huw yn sylwi bod tyllau yng ngwadnau esgidiau'r ddau bob amser. Ond caiff Harri Bach Clocsia lawer mwy o sylw ar ail dudalen *UNOL* pan adroddir stori arbennig am un o'i arferion:

> ... pwy ddaeth i fyny Lôn Stabla i'n cwarfod ni wrth Giat Pen Lôn ond Harri Bach Clocsia a'i fasgiad ar i fraich yn chwerthin hi! hi! hi! trwy'i locsyn. Un golwg bach, Harri, medda Huw, a dyma Harri'n rhoid i fasgiad ar lawr, a dyma fo'n agor i falog a tynnu'i bidlan allan. Hi! hi! hi! medda fo trwy'i locsyn a'i thynnu hi i mewn yn i hôl mewn hannar chwinciad run fath â jacynbocs. Hi! hi! hi! medda fo wedyn a codi'i fasgiad ac yn i flaen a fo ...

Y gŵr go iawn y tu ôl i Harri Bach Clocsia oedd James Jones – James Pandy i bawb o'r ardal neu, fel y gelwid ef weithiau, James Glanmeurig. Cymeriad diniwed iawn oedd na wnelai ddrwg i neb. Wedi dweud hynny, ar gorn yr un olygfa honno yn nechrau'r nofel (ac un a oedd â sail wirion-eddol iddi yn ôl tystiolaeth trigolion yr ardal), byddai James Pandy wedi ei labelu heddiw yn bedoffeil diamheuol. Yn yr oes bell-yn-ôl honno, fodd bynnag, ni roddwyd i'r weithred y difrifoldeb a gâi heb os nac oni bai yn ein dyddiau ni – roedd pawb yn deall diniweidrwydd James Pandy, neb yn ei gymryd o ddifri', a'r plant yn cael hwyl wrth dynnu arno a'i gael i 'berfformio'i dric'!

Tybiaf iddo gael ei eni a'i fagu yn un o dai Glanmeurig, rhes o dai ar y ffordd gefn rhwng Pont-y-twr a Thregarth a chwalwyd tua diwedd y bedwaredd ganrif ar bymtheg. Yn ffodus, erys llun o'r stryd fach hon yng nghasgliad John Thomas yn y Llyfrgell Genedlaethol.

Glanmeurig
(Trwy ganiatâd Llyfrgell Genedlaethol Cymru)

Pan chwalwyd tai Glanmeurig, ailgartrefwyd y preswylwyr mewn tai eraill yn y cyffiniau. Bu James yn lletya i ddechrau yn rhif 44 Braichmelyn, oddeutu chwarter milltir i ffwrdd (a chael ei ddisgrifio yng Nghyfrifiad 1901 fel '*imbecile*' 55 oed) cyn symud i rif 23 – ryw chwe thŷ ymhellach ymlaen na'r tŷ cyntaf ar y dde yng nghornel y llun o stryd Braichmelyn isod. Ychydig yn nes na hynny at gornel dde isaf y llun, yn rhif 20, y magwyd fy mam. Roedd hi'n cofio'r hen ŵr yn iawn a thrwyddi hi y deuthum i sylweddoli mai James Pandy oedd Harri Bach Clocsia'r nofel. Cofiaf fel y byddai'n ei ddisgrifio – bob amser â'i freichiau ymhleth, â'i ddwylo wedi'u gwthio i lewys ei gôt, yn cerdded yn fân ac yn fuan ac yn chwerthin yn barhaus efo fo'i hun. Ac mae'r disgrifiad hwn yn cael ei adlewyrchu'n rhyfeddol o agos gan Caradog Prichard yn *UNOL* pan fo'n sôn am weinyddu'r gwasanaeth Cymun yn yr eglwys:

... dyma Harri Bach Clocsia'n dŵad heibio, a'i ddwy law yn ei lewys, a'i wynab o run fath â tasa fo'n chwerthin hi-hi-hi wrtho fo'i hun, ac yn cymryd cama bach bach, nes oedd o fel tasa fo'n rhedag at yr Allor yn lle cerddad.

Braichmelyn yn 1902

Fel Robat Jôs Gwich (Wil Elis Portar y nofel) a'r 'cymeriadau' eraill a frithai'r ardal, doedd James Pandy ddim yn gweithio yn unman, dim ond yn cyflawni rhyw fân orchwylion i'r bobl leol. Ef, er enghraifft, oedd neg-esydd cyffredinol pobl Braichmelyn – yn mynd yn ôl a blaen i lawr i'r pentref ar eu rhan; pa ryfedd fod ei esgidiau yntau, fel rhai Wil Elis Portar yn *UNOL*, 'bob amsar a twll yn eu gwadna ...'! Byddai hefyd yn chwythu'r organ, â llaw, yn Eglwys Glanogwen (er mai Now Bach Glo yw'r un a wna hynny yn y nofel).

James Pandy

162

HUW A MOI

Mae perthnasu cymeriadau Huw a Moi yn *UNOL* ag unrhyw gymer-
iadau go iawn yn Nyffryn Ogwen yn orchwyl anodd.

Huw oedd arweinydd y triawd o hogiau bach y nofel a fo oedd yn cyn-
llwynio ac yn dechrau pob direidi a drygioni – cymryd eu hudo ganddo a
wna'r ddau arall. Roedd yng nghanol sawl golygfa – yn yr Eglwys, yn y
syrcas, yn angladd Moi, yn y gêm bêl-droed, ar y trip Ysgol Sul, gyda'r Côr
Sowth, ac yn y blaen. A Huw a gaiff y bai gan fam yr hogyn bach am ei
arwain ar ddisberod: 'Lle buost ti ar ôl ysgol trwy'r pnawn? Fuost ti ddim
yn gneud dryga efo'r hen Huw na heddiw? ... Pe basat ti yn dy Feibil
hannar cymaint ag mae Wil Colar Starts bob diwrnod o'i fywyd, mi fasat
yn well hogyn o lawar, yn lle mynd i neud dryga bob nos efo'r hen Huw
yna'.

Clywais sôn mai ar Hugh Alun Jones o'r Gerlan y seiliwyd Huw'r nofel.
Roedd Caradog ac yntau'n ffrindiau mawr yn ystod eu plentyndod. Ym-
fudodd Hugh Alun a'i deulu i Sydney, Awstralia, tua diwedd y 1950au.
Ond na, meddai nith iddo, sef Marian Jones o Fethesda, *nid* arno fo y
seiliwyd Huw'r nofel.

Mewn sgwrs â'r ddiweddar Florrie Jones, Ffordd Ffrydlas, Bethesda,
ym mis Ebrill 2006, awgrymodd hi'n gryf a phendant mai Hughie Jones,
Braichmelyn, oedd Huw yn *UNOL* (ac fe gadarnhawyd hynny gan ddwy
nith i Hughie, sef Miss Meriol Twigge, Braichmelyn, a Miss Nesta Hughes,
Pont-y-Pandy, ger Bethesda)[1]. A chofiwn i Caradog Prichard sôn yn *ADA*
am y bachgen o Braichmelyn fel a ganlyn:

Hughie Jones, Braichmelyn

> Wedi cyrraedd y Rheinws yn y Stryd Fawr a gweld ar y cloc ar ei
> dalcen nad oedd ond chwarter wedi wyth, troais ar y chwith a cherdded
> i fyny'r Lôn Bost gan obeithio cyfarfod Hughie Jones Braichmelyn.
> Roedd Hughie ar ei ail neu ei drydedd flwyddyn yn yr Ysgol Sir ac
> roeddwn am gael ei gwmpeini gan fy mod i braidd yn ofnus wrth
> wynebu'r anturiaeth newydd. Roeddym yn perthyn 'o bell' i'n gilydd
> ac roedd Gruffydd Jones, tad Hughie, yntau wedi ei ladd yn y
> Chwarel, a minnau wedi bod hefo'r côr yn ei gnebrwng yn canu 'Mae
> 'nghyfeillion adre'n myned/o fy mlaen o un i un.' A dacw Hughie'n
> dod i 'nghyfarfod ger y Ficerej a minnau'n troi ar fy sawdl ac yn cyd-
> gerdded hefo fo i'r ysgol.[2]

Yn ôl a ddywed Caradog Prichard yn y dyfyniad uchod, cadarnheir yr
argraff a gawn yn y nofel fod Huw ychydig yn hŷn na'r ddau fachgen bach
arall – mae'n amlwg fod Hughie, yn y byd go iawn, flwyddyn neu ddwy
yn hŷn na Caradog (wedi'i eni rywdro rhwng 1901 a 1903). Ac roedd y
ddau'n perthyn – 'o bell', meddai Caradog – ond ni lwyddais i sefydlu'r
union berthynas.

Mab Griffith ac Ellen Jones, 51 Braichmelyn, oedd Hughie ac unig frawd
Mary, Jennie, Elinor, Edith, Maggie, a Louisa. Roedd Caradog Prichard
bron yn gywir pan ddywedodd fod tad Hughie, fel ei dad ef, 'wedi ei ladd'
yn y Chwarel. Ddechrau Gorffennaf 1913, cafodd Griffith Jones, a oedd yn
42 oed, ddamwain tra oedd wrth ei waith yn Chwarel y Penrhyn. Trawyd
ef yn ei ochr gan wagen wedi rhedeg yn wyllt a bu farw ar Orffennaf 5 o
ganlyniad i'w anafiadau[3].

Yn 'Rysgol' (sef Ysgol Glanogwen) y cafodd Hughie ei addysg gynnar
ac yna aeth i Ysgol y Sir, Bethesda. Yn ogystal â chael ei gwmni ar y ffordd i
Ysgol y Sir, roedd Caradog a Hughie yn eistedd wrth ymyl ei gilydd yn yr
Eglwys a chofiwn yr hyn a ddywed yr hogyn bach yn y nofel:

> Roedd Huw a finna'n eistadd wrth ochra'n gilydd bob amsar yn y Côr
> … Dim ond unwaith wnes i chwarae pinsio o dan ein syrplis hefo
> Huw, a faswn i ddim wedi gneud radag honno chwaith taswn i wedi
> agor fy llygada'n gynt a gweld na fydda Mam Huw byth yn torri'i
> winadd o.
>   Rho di dy law imi o dan fy syrplan i ac mi rof inna'n llaw i titha,
> medda Huw. Mi gei di fy mhinsio i ac mi pinsia inna ditha … dyma
> fi'n gweiddi O yn ddistaw bach, a Huw yn gwyro i lawr i smalio codi
> llyfr hymna a troi'i wynab i sbïo arnaf i.
> Fi sy wedi ennill, medda fo.

Bu Hughie am gyfnod yn glarc yn swyddfa W. J. Parry ym Methesda ar
ôl gadael yr Ysgol, ond codi'i bac, fel Huw'r nofel, a wnaeth Hughie a mynd

i chwilio am amgenach gwaith – nid yn ne Cymru ond yng nghanolbarth Lloegr (Birmingham, efallai) ond ni lwyddwyd i ddod o hyd i ragor o wybodaeth am hynny.

Wrth ddweud 'Rhyfadd fydd hi yn Rysgol bora fory heb Huw' yn *UNOL*, awgrymir fod y ddau fachgen bach yn dal yn yr ysgol gynradd ac o ran cronoleg y byd go iawn, byddai hynny rywdro cyn Medi 1916 (pan ddechreuodd Caradog Prichard yn Ysgol y Sir a chydgerdded yno efo Hughie). Ychydig ddryswch cronolegol eto, felly – pe bai unrhyw ots am hynny. Yr hyn sydd yn sicr ydi i Hughie ddychwelyd i Ddyffryn Ogwen a chael gwaith yn Swyddfeydd y Cyngor Sir yng Nghaernarfon ac, wedi hynny, gyda chwmni bysys Crosville ym Mangor.

Bu Hughie Jones farw tua 1949, cyn cyrraedd hanner cant oed, ar ôl cael damwain ar ei feic ac i hynny esgor ar afiechyd blin. Claddwyd ef ym Mynwent Eglwys Crist Glanogwen.

*   *   *

Mae Moi yn peri mwy o benbleth ar ryw ystyr. Roedd Moi ryw hanner ffordd rhwng yr hogyn bach a Huw, ac yn wahanol i'w ddau ffrind, roedd yn gapelwr ac yn gweithio yn y Chwarel (efo'i Yncl Now). Llais rhybudd a doethineb oedd Moi yn aml. Roedd 'yn medru smocio dail carn rebol', yn *deud* bod Arthur Tan Bryn 'wedi lladd lot o Jyrmans', ac yn *gwybod* hanes Em, brawd mawr Now Bach Glo. Cawsai Moi ei fagu ar aelwyd ddigon cythryblus, gyda'i fam a'i Yncl Now yn ffraeo'n giaidd ond meddai Moi: 'Wnaiff o ddim byd iddi hi. Fel yna mae nhw o hyd ...' ac ar yr aelwyd honno y clywai lawer o'r straeon lleol a'u hailadrodd wrth ei ddau ffrind.

Wrth ymchwilio ar gyfer *Byd a Bywyd Caradog Prichard*, cefais wybodaeth ddiddorol iawn ynghylch pwy allai Moi'r nofel fod.

Pan symudodd Margaret Jane Pritchard a'i thri mab i rif 4 Glanrafon, uwchlaw'r Bontuchaf ym Methesda, cawn wybod yn *ADA* mai'r wraig a oedd yn byw yn 'y tŷ isaf' ar yr allt oedd 'yr hen Fargiad Williams, a'i thylwyth o wyrion ac wyresau, Blodwen a Tomi a Moi, yn gofalu'n dyner amdani hyd y diwedd'. Daeth Caradog a Moi (Morris Williams, a rhoi iddo'i enw llawn) yn ffrindiau mawr ac yn ôl ei ferch, Violet Williams, roedd Caradog wedi dweud wrth Moi ei hun ryw dro mai ar ei ôl ef y cafodd Moi, y cymeriad yn *UNOL*, ei enw. Ac mae hynny'n eithaf posibl, wrth gwrs – bod Caradog, wrth chwilio am enw ar y cymeriad hwn, wedi cofio am un o'i ffrindiau bore oes, sef Moi, ac wedi rhoi'i enw ar un o gyfeillion yr hogyn bach yn y nofel. Clywais awgrymu hefyd mai Morris Williams *arall* a roes fenthyg ei enw i'r cymeriad yn y nofel, sef un o ffrindiau pennaf Caradog Prichard yn ystod ei gyfnod yng Nghaernarfon.

Bu'r Moi hwnnw, a ddaeth yn ŵr Kate Roberts yn ddiweddarach, yn eithriadol o garedig wrth Caradog a buont yn gyfeillion agos iawn – nes i ffrae chwerw dorri rhyngddynt[4].

Ond mae dirgelwch rhyfeddach wedi codi wrth ymchwilio mwy ynghylch Moi'r nofel. Yn ddiweddar, deuthum ar draws llungopïau a gawswn ryw dro gan Mattie Prichard ac yn eu plith gopi yn llawysgrifen Caradog o seithfed bennod *UNOL*. Yn y nofel gyhoeddedig, cawn:

> A dyna lle'r oedd Moi druan, yn ei wely o hyd ac yn dal i bwyri gwaed.
> A dyna'r tro dwytha inni weld yr hen Foi. Nos Sul wedyn ddaru Huw alw acw a'i wynab o'n wyn fel calch.
> Ydach chi wedi clywad? medda fo yn y drws cyn dŵad i mewn.
> Clywad beth? medda Mam.
> Tyrd i mewn o drws Huw, meddwn inna. Be sy?
> Moi wedi marw, medda fo'n ddistaw bach.
> Moi? Naddo, deud celwydd wyt ti, Huw.

Ond dyma a gawn yn y drafft yn llawysgrifen Caradog:

> A dyna lle'r oedd Stan druan, yn i wely o hyd ac yn pwyri gwaed pan aethon ni i weld o'r tro wedyn, ddiwedd yr wythnos honno.
> A dyna'r tro dwytha inni weld yr hen Stan. Nos Sul ddaru Huw alw acw a'i wynab o'n wyn fel calch. Ydach chi 'di clwad? medda fo yn y drws cyn dŵad i mewn. Clwad be? medda Mam. Tyrd i mewn, Huw, medda finna. Be sy? Stan wedi marw, medda fo'n ddistaw. Stan? Medda fi. Na, deud celwydd wyt ti, Huw.

Er bod mân newidiadau rhwng y dyfyniad cyntaf a'r ail, y newid mwyaf trawiadol yw mai 'Stan' ydi 'Moi' bob tro yn y drafft llawysgrifen. Casglwn, felly, nad 'Moi' oedd y dewis cyntaf yn enw ar y cymeriad hwn.

Ceir rhagor o dystiolaeth i'r perwyl hwnnw mewn llythyr a anfonodd Caradog Prichard ataf ym mis Mehefin 1975 (neu, fel y nododd ef y dyddiad ar frig y llythyr: 'Dydd Refferendym a Dydd Talu Biliau'). Roedd yn awyddus i mi wybod yn union at bwy y cyfeiriai mewn llythyr a anfonasai ataf ryw fis ynghynt. A minnau, wrth ei ateb, yn amlwg wedi cymysgu rhwng dau ddyn o'r un enw, dyma sut yr ysgrifennodd Caradog: 'Ofnaf i chi gael y Wil Jos rong!' ac ychwanegodd mai'r un a olygai ef oedd 'Wil Jos Castle yn byw yn Lock-up St … un o griw Huw a Stan'.

A thystiolaeth eto, mewn erthygl yn dwyn y teitl 'Howell fy mrawd' a ymddangosodd yn *Yr Herald Cymraeg*, Medi 19 1972. Sonia Caradog am ddwyn 'dyrnaid go dda' o sigaréts o boced ei frawd a'u 'smocio'n ddirgel gyda chymorth parod Huw neu Stan, nid wyf yn cofio p'run'.

A Stan, nid Moi, ydi'r cymeriad a gaiff ei grybwyll yn *YRhA*[5] pan mae Caradog Prichard yn adrodd stori yn null *UNOL* am blant 'Rysgol' yn canu i fyddigions y Goits Fawr.

Stan, hefyd, sy'n cael ei enwi yn y cynllun bras a wnaeth Caradog cyn dechrau ysgrifennu *UNOL*. Roedd wedi llunio dwy restr, gan rifo pob 'cofnod' unigol, o'r hyn a allai fod yn syniadau neu ganllawiau ar gyfer ei nofel arfaethedig (gweler Atodiad 5 am y rhestrau cyflawn). Gyferbyn â rhif 8 yn y rhestr gyntaf, ysgrifennodd: 'Marw Stan'.

Pwy, felly, oedd Stan? Ai Stan oedd enw go iawn y plentyn a gawsai ei alw'n Moi yn y nofel. Mae'r dystiolaeth uchod – o'r llythyr, o'r erthygl yn y papur newydd, o *YRhA* ac o gynllun bras y nofel – yn awgrymu'n gryf bod Stan yn bod go ddifri' ac yn gyfaill cig-a-gwaed i Caradog (fel Huw hefyd, wrth gwrs).

Gwaetha'r modd, er chwilio'n ddyfal am Stan, a chael hyd i o leiaf bedwar yn dwyn yr enw hwn yn Nyffryn Ogwen, doedd yr un ohonyn nhw rywsut yn gweddu i'r cymeriad yn *UNOL*. Wrth chwilio am 'gliwiau', canfûm mor anwadal y gallai Caradog fod ar brydiau. Mewn un lle, mae Mam Moi yn pwyso arno i beidio â bod yn hwyr yn dod adref a 'chditha eisio codi'n fora i fynd efo Yncl Now i Chwaral' ond eto, pan mae Moi'n wael yn ei wely ond yn edrych ymlaen at wella, dywed wrth ei ddau ffrind: 'Mi gwela i chi fory yn Rysgol'. Cawn wybod, hefyd, na châi Moi ganu yng Nghôr yr Eglwys am mai capelwr oedd, ond addawa'i fam i'w ddau ffrind: 'Mi gaiff Moi yma fynd i Reglwys bob dydd Sul hefo chi ar ôl iddo fo fendio'. A phan fu Moi farw, Huws Person sy'n ei gladdu.

Troi wedyn i amau tybed a oedd Stan, hefyd, yn enw 'gwneud' *arall* gan Caradog i guddio person go iawn – nad oedd yn Moi nac yn Stan?

Mae'r unig ddamcaniaeth sydd gen i ynghylch y cymeriad yn y nofel yn seiliedig ar dir digon simsan. Seiliaf fy nadl ar un agwedd yn unig ar stori Moi yn *UNOL*.

Mae Moi yn marw o'r diciâu yn fachgen ifanc iawn. Mae'n weddol ddiogel i ni gymryd ei fod yn dal yn 'Rysgol' pan fu farw (ac mae'r rhan fwyaf o'r 'dystiolaeth' yn *UNOL* yn awgrymu hynny – ac eithrio'r cyfeiriad ato'n mynd i'r chwarel efo'i Yncl Now). Cymerwn hefyd ei fod tua'r un oed â'r hogyn bach yn y nofel. Trosi hynny wedyn i'r byd go iawn a chael bod Caradog Prichard yn dal yn Ysgol Glanogwen tan fis Gorffennaf 1916 (ar Fedi 12 y flwyddyn honno, pan oedd bron yn ddeuddeg oed, y dechreuodd Caradog yn Ysgol y Sir, Bethesda). Ond, fel y profir sawl gwaith, ni ddylem gymryd dim yn ganiataol wrth geisio pwyso a mesur cronoleg y byd go iawn gan Caradog Prichard.

Awgrymaf, er yn ddigon petrus, y gallai Caradog fod wedi seilio Moi ar Georgie Bach, ei ffrind yn Ysgol Glanogwen (fel y crybwyllir, wrth fynd heibio, yn y bennod ar 'Preis Sgŵl a'i Deulu').

Mae gan Caradog ddau gyfeiriad, y naill yn *YRhA* a'r llall yn *ADA*, sydd yn werth eu hystyried yn ofalus.

Yn *YRhA*, mae Caradog Prichard yn sôn am 'un stori am y Goits Fawr' a '[d]dylai fod wedi cael ei lle yn *Un Nos Ola Leuad*' ac mae'n ei hadrodd … 'yn iaith y nofel honno … yr unig iaith', meddai, 'y byddaf yn ei siarad â mi fy hun wrth ddwyn i gof yr hen ardal yma, iaith atgof ac iaith plentyndod'. Un o'i ffrindiau yn 'Rysgol', Tomi Morris, sy'n sbarduno'i gof y tro hwn a chawn ei hanes yn ymweld â Mynwent Coetmor – mynwent yr Ymneilltuwyr sydd bellach yng ngofal Cyngor Gwynedd:

> Cerddad i fyny heibio Parc Moch ddaru neud imi feddwl amdano fo. Oeddwn i wedi troi i fyny Lôn Rachub a mynd i mewn trwy giât ar y chwith [ar y *dde* y mae'r giât, gyda llaw] i fynwent Coetmor. A dyna lle oedd lot o bobol yn eu dillad dy' Sul yn sefyll o gwmpas bedd a charreg a llun neis arni. 'Bedd pwy 'di hwnna?' medda fi wrth un ohonyn nhw. 'Bedd Williams Parry, siŵr iawn,' medda hitha. 'Pwy oedd hwnnw?' medda finna. 'Y bardd enwog, siŵr iawn,' medda hitha. 'Dydach chi ddim yn 'i nabod? Mae pawb yn gwbod am Williams Parry.' 'Nagdw i,' medda finna. 'Ydw i wedi bod i ffwrdd am hanner can mlynedd, a newydd ddŵad yn ôl.' A dyma fi'n symud at y bedd nesa, a pwy oedd yn hwnnw, medda'r garreg, ond Georgi [*sic*] bach fyddai yn Rysgol hefo fi erstalwm. 'Bu farw yn un ar bymtheg oed,' medda'r garreg. 'Yng nghanol ein bywyd yr ydym mewn angau.'[6]

Cawn olygfa debyg yn yr un fynwent yn *ADA*:

> A'r gybolfa i gyd yn dwad i *full stop* mewn lle fel Mynwent Coetmor — lle mae Taid, roddodd gymaint o ddychryn imi, yn gorwedd, heb un esgid yn gwasgu; lle mae'r bardd Bob Williams Parry, ddaeth â chymaint o heulwen Haf i 'mywyd i, a lle mae Georgie [*sic*] bach, fu farw yn bedair ar ddeg, Georgie bach, fyddai'n eistedd wrth f'ochor i yn yr ysgol, a'i wyneb o bob amser yn llwyd a'i drwyn o'n rhedeg a minnau'n

Georgi(e) Bach (efallai!) yn ddisgybl yn 'Rysgol'

168

rhoi benthyg fy hancaits boced iddo fo pan fydda fo eisio chwythu'i drwyn.[7]

Er nad yw Caradog Prichard yn sicr ynghylch oed ei ffrind pan fu hwnnw farw ('Georgie bach, fu farw yn bedair ar ddeg' yn *ADA*[8], ac yn *YRhA* 'medda'r garreg': 'Bu farw yn un ar bymtheg oed'[9]), dyma'r unig grybwyll sydd gan Caradog at ffrind yn marw'n ifanc, ac yn hynny o beth gallem yn hawdd dybio bod 'Georgi(e) bach' a Moi *UNOL* yn bur debyg i'w gilydd. (Sylwer, wrth fynd heibio, mai 'Yng nghanol ein bywyd yr ydym mewn angau' sydd ar garreg fedd Georgie fel sydd ar garreg fedd tad Caradog Prichard ac ar garreg fedd Gryffudd Ifas Braich yn *UNOL*. Nodwn, hefyd, bod Caradog yn rhoi 'e' ar gynffon enw'i ffrind wrth ysgrifennu amdano yn *ADA*.)

Gwaetha'r modd, ni lwyddais i ddarganfod pwy oedd 'Georgi(e) bach'. Yn sicr, nid ei fedd ef yw 'y bedd nesa' at fedd Bardd yr Haf (ac nid yw bedd Taid Caradog Prichard yn yr un fynwent chwaith!). Chwiliais y fynwent drwyddi draw am fedd Georgi(e) bach a chwiliais drwy gofnodion y claddedigaethau yn drylwyr – ond chwilio ofer fu.

Ac erys y dirgelwch: ai Moi oedd Stan, a phwy oedd Stan? Ac ai Georgi(e) oedd y tu ôl i'r ddau?

NODIADAU

1. Trwy holi Meriol Twigge a Nesta Hughes y cefais y manylion am eu hewythr Hughie.

2. *ADA*, t. 22.

3. Gw. *Cylchgrawn Plwyfol – Eglwys Crist Glanogwen*, yr atodiad i *Y Perl*, rhifyn Gorffennaf 1913, Rhif 163, tt. 27-28. Dan y teitl 'Cwyn Coll', adroddir am y ddamwain a ddigwyddasai i Griffith Jones a cheir adroddiad am ei angladd.

4. Gw. *Byd a Bywyd Caradog Prichard*, tt. 58-59.

5. Gw. *YRhA*, tt. 12-13.

6. Ibid., t. 12.

7. Gw. *ADA*, t. 11.

8. Ibid.

9. *YRhA*, t. 12.

HUW PENWAIG

Cyfeirir yn *UNOL* at 'Huw Penwaig yn mynd o gwmpas y Pentra yn cario'i fasgiad ar ei ben heb dwtsiad ynddi hi hefo'i ddwylo ac yn gweiddi dros y lle: Pe Nwaig Ffre Snewyddwado'r Môr'. Yn 'Yr Hen Fro', sef Darlith Flynyddol Llyfrgell Bethesda 1978, mae Huw Davies yn codi atgof o gyfnod ei blentyndod yn Nhregarth:

> O gyrion pella'r ardal hyd at 'bont-lein-bach' fe ffroenem ni'r plant ogla da'r lobscows, y cig a'r tatws rhost, y llysiau'n berwi a'r nionod, a'r pysgod yn ffrio (pysgod, pan ddeuai 'Maggie Pennog' neu ei gŵr i dramwy'r ardal efo llond basged o bysgod gan rwygo'r fro â'r frolgri heintus – 'Penwaig ffres, newydd ddŵad o'r môr'! ...[1]

Mae'n anffodus na roddwyd enw i ŵr 'Maggie Pennog' ond roedd cri'r gwerthwyr pysgod yn un ddigon cyfarwydd mewn sawl ardal, wrth gwrs, a phrin y gellid ei phriodoli i unrhyw un gwerthwr. Mentraf awgrymu, fodd bynnag, y gallai Huw Penwaig yn *UNOL* fod wedi cael ei seilio ar ŵr cloff a adwaenid fel Enoc Hen-barc, un a welid yn aml yn crwydro'r ardal gyda'i drol a cheffyl yn gwerthu amrywiol nwyddau – pysgod, llysiau a ffrwythau – ac yn llawn hwyl a ffraethineb bob amser. Un tro, pan glywodd un o wragedd y pentref ef yn gweiddi *'Fresh fish, fresh fish'* ar dop ei lais yn y stryd, cystwyodd ef am beidio â chyhoeddi ei nwyddau yn Gymraeg. Ymatebodd yntau fel chwip: 'Ffish ffresh, ffish ffresh'. Roedd William Griffith, awdur 'Defaid William Morgan', 'Mollie Lloyd' a cherddi eraill, yn un o gymdogion Enoc ac yn gyfarwydd iawn â rhai o straeon a dywediadau Enoc. Cynhwysodd nifer ohonynt yn ei gyfrol, *Casgliad o Ddywediadau Ffraeth ynghyd ag Englynion a Phenillion* – dyma un enghraifft:

> Yr oedd briw ar ferlyn Enoc, Hen-barc, ac meddai un o aelodau Cymdeithas Atal Creulondeb at Anifeiliaid wrtho:
> *'Haven't you any mercy, Enoc?'*
> *'No, ma'am, only red herrings and cabbage,'* meddai Enoc[2].

Gwelwn ef yn sefyll ar y chwith yn y llun isod gyda rhai o fasnachwyr y Stryd Fawr. Wrth ei ochr mae Mr Roberts (clarc ym Manc y National Provincial) ac wrth ei ymyl yntau, yn dal yr arwydd 'Yes, we have no bananas', y mae Tom Owen, rheolwr siop esgidiau Briggs, dros y ffordd i'r lle y tynnwyd y llun. Y nesaf wedyn ydi George Austin, perchennog Siop Tsips yng ngwaelod Stryd Fawr Bethesda. Yna, Harri Rowlands, yn y cefn, deintydd nad oedd gyda'r tyneraf ei law, â'i ddeintyddfa y drws nesaf i siop George Austin. Wedyn, yn ei gôt wen, Idris Ogwen Owen, a etifeddodd gan ei dad y siop sydd yn y cefndir – lle byddai'n torri gwalltiau dynion, gwerthu a thrwsio ymbarelau, gwerthu genweiriau ac offer pysgota, etc.), a Sid Orme ar y pen, sefydlydd yr Orme's Park ym Mharc Bryn Meurig (lle'r oedd maes bowlio a chyrtiau tennis) a pherchen siop lle'r oedd betio'n mynd ymlaen yn y dirgel ac y gwaherddid ni, blant Ysgol Dyffryn Ogwen, rhag mynd dros ei throthwy gan Ronald Pardoe, y Prifathro rhwng 1951 a 1971, gan yr ystyriai ef y lle yn *'den of iniquity'*. Yn nrws y 'Gentlemen's Toilet Saloon', y mae Morfudd Owen, chwaer Idris y Barbwr, ond ni wyddys pwy oedd y gŵr nad oes ond ei ben i'w weld yn y cefn na'r bachgen bach nad oes ond ei gap a'i goesau i'w gweld y tu ôl i'r drol!

Enoc a masnachwyr lleol

   Bu Enoc Williams farw'n 70 oed ym Mehefin 1950 a chladdwyd ef ym Mynwent Coetmor, Bethesda.

NODIADAU

   1. Traddodwyd 'Yr Hen Fro', Darlith Flynyddol Llyfrgell Bethesda 1978, gan Huw Davies yng Nghapel Jerusalem, Bethesda, Mawrth 15 1978. Cyhoeddodd Gwasanaeth Llyfrgell Gwynedd – Rhanbarth Arfon/Dwyfor y ddarlith yn 1978 dan yr un teitl, *Yr Hen Fro*. Ceir y dyfyniad ar dudalen. t. 26.
   2. William Griffith, *Casgliad o Ddywediadau Ffraeth ynghyd ag Englynion a Phenillion* (Bangor, dim dyddiad), t. 12.

HUWS PERSON

Gallai'r ffaith fod Caradog Prichard wedi dewis cael Huws Person *a* Huws Ciwrat yn *UNOL* fod wedi gwneud pethau'n bur gymhleth o ran gwybod pwy oedd pwy go iawn. Fel mae'n digwydd, dim ond mewn tair golygfa y deuwn ar draws Huws Ciwrat: yn gyntaf, pan fo pawb allan yn chwilio am Em, brawd mawr Now Bach Glo; yn ail, yn yr olygfa ddifyr honno pan mae'r hogyn bach yn gwrando ar bregeth Saesneg Huws Ciwrat:

> Huws Ciwrat oedd yno ac nid Huws Person, a hwn oedd y tro cynta iddo fo fod yn y gwasanaeth Seusnag ... Seusnag run fath â Chymraeg oedd Huws Ciwrat yn siarad ... Dim ond un gair ydw i'n gofio o'r bregath honno, a dyna pam rydw i'n cofio hwnnw, am mod i'n methu dallt beth oedd o'n feddwl. Monotonousness oedd y gair ddwedodd Huws Ciwrat, run fath yn union a tasa fo'n siarad Cymraeg. Mo-no-to-noss-ness, medda fo'n slo bach ... Mae'n rhaid mai'r adag honno, pan oedd Huws Ciwrat yn deud Monotonossness y daru fi fynd i gysgu.

Mae'r drydedd olygfa yn dechrau gyda Huws Person a Huws Ciwrat yn cerdded efo'i gilydd i fyny at yr Allor yn 'Reglwys' i baratoi ar gyfer gweinyddu'r Cymun. Dyna pryd y gwrthodwyd y Cymun i Gres Elin Siop Sgidia a hithau wedi rhoi genedigaeth i 'blentyn siawns':

> Erbyn hyn oedd yna res wedi llenwi'r reilins o flaen yr Allor a Huws Person yn mynd ar hyd y rhes hefo Huws Ciwrat. Huws Ciwrat oedd yn rhoid y bara yn llaw bob un, a Huws Person yn mynd ar ei ôl o hefo'r cwpan gwin. Corff ein Harglwydd Iesu Grist dy-dy-dy-dy, medda Huws Ciwrat wrth bob un ... Oedd Huws Person a Huws Ciwrat wedi mynd yn ôl at yr Allor ... Wedyn dyma Huws Ciwrat ... yn deud Corff ein Harglwydd Iesu ... Mi ddaru Huws Ciwrat roid bara iddi hi, ond mi wrthododd Huws Person roid gwin iddi hi ...

*　　*　　*

Caiff Huws Person fwy o sylw yn y nofel. Ef oedd olynydd y Canon ond, er ei fod yn ŵr caredig, meddai'r hogyn bach, doedd o 'ddim pats i Canon'. Ac ni wnaeth gwrthod rhoi'r gwin i Gres Elin Siop Sgidia yn ystod y gwasanaeth Cymun ddim lles i'w achos. Daeth dan lach Mam Moi pan glywodd honno'r stori amdano:

Yr hen gythraul iddo fo. Fo a'i Eglwys. Na chaiff wir, erbyn meddwl, chaiff Moi ddim mynd i Reglwys hefo chi ar ôl iddo fo fendio. Ddim tra bydd yr hen gythraul Huws Person yna yma beth bynnag. Gres druan. Yr hen ddiawl iddo fo.

A rhegi Huws Person buo Mam Moi tan nes daru ni adael.

Ond yn y byd go iawn, doedd y Parchedig Richard Rhys Hughes ddim cymaint o 'ddiawl' ag y credai Mam Moi iddo fod o safbwynt y ffordd yr ymdriniodd â Gres Elin. Bu Ann Grenet, ei or-wyres, yn pori yng Nghof-restr Bedyddiadau Plwyf Llanllyfni 1894-1915 a chael bod Rhys Hughes, pan oedd yn Ficer Llanllyfni, wedi bedyddio sawl plentyn a aned y tu allan i briodas (arfer nad oedd yn ddieithr yn y plwyf hwnnw chwaith gan fod rhagflaenydd Rhys Hughes yn arfer gwneud yr un peth).

Ond beth bynnag oedd barn Mam Moi amdano, Huws Person sy'n cynnal gwasanaeth angladd Moi druan ymhen ychydig ar ôl yr olygfa yn y gwasanaeth cymun. Dywedir bod y diciâu ar Huws Person (er nad oes unrhyw dystiolaeth o hynny yn hanes go iawn y cymeriad hwn), a dyna hefyd oedd yn bod ar Moi – 'Yr hen ddiciâu yna, medda Mam. Mae o'n mynd a'r ifanc a'r hen fel ei gilydd'. Ac wedi marw'r Canon, nid aeth mam yr hogyn bach fyth wedyn 'i Ficrej i olchi i Huws Person'.

Adroddir yn *UNOL* am y rhan a chwaraeodd Huws Person yng ngwas-anaeth dadorchuddio'r Gofgolofn yn y Pentra:

> Meddwl am bobol wedi marw oedd pawb y diwrnod hwnnw, yn enwedig ar ôl pregath Huws Person ar ôl y dadorchuddio.
>
> Diwrnod trist ydy hwn yn ein hanes ni, medda Huws Person ar ei bregath. Ond diwrnod inni fod yn falch ohono hefyd. Diwrnod galar a llawenydd. Galar am ein hanwyliaid sydd wedi eu cymryd oddi arnom ni; galar am aelwydydd gwag; galar am wŷr a phlant sydd heb ddyfod adref; galar ein hiraeth dwys am rai a gymerwyd oddi arnom ym mlodau eu dyddiau.
>
> A'r merchaid i gyd â'i hancetsi pocad allan yn crio'n ddistaw bach, a rhai ohonyn nhw'n gneud nada hefyd, nes oedd pawb yn eu clywad nhw. A'r dynion i gyd a'u penna i lawr yn edrach yn ddigalon.
>
> A Huw a finna'n deud dim byd, dim ond meddwl am Moi druan yn Fynwant.
>
> Ond wedyn dyma Huws Person yn mynd yn ei flaen, a'r gwynt yn chwalu'i wallt gwyn o dros ei ben o i gyd. Ond balchder hefyd, medda fo. Balchder am aberth ein bechgyn; am eu parodrwydd i offrymu eu bywydau ar allor rhyddid ac i amddiffyn eu gwlad rhag trais a gorth-rwm.
>
> Ac nid balchder yn unig, medda Huws Person, a dechra codi'i lais a mynd i hwyl. Nid balchder yn unig, ond llawenydd hefyd. Llawenydd am y fuddugoliaeth a gawsom trwy eu haberth hwy; llawenydd am y

sicrwydd sydd gennym yng Nghrist y cawn eu gweled eto ryw ddydd a ddaw, oll yn eu gynau gwynion ac ar eu newydd wedd, yn debig oll i'w Harglwydd yn dod i'r lan o'r bedd.

Caradog Prichard biau'r cyfan o'r 'bregeth' uchod. Yn ôl Rhaglen a gyhoeddwyd ar gyfer yr achlysur, dan y teitl 'Trefn Gwasanaeth Dadorchuddio a Chyflwyno y Gofeb', Rhys Hughes oedd yn gyfrifol am 'Y Cyflwyniad' – a dyma'r anerchiad hwnnw yn ei gyfanrwydd:

Hollalluog Dduw, Duw ysbrydoedd pob cnawd, coffawn ger Dy fron ein brodyr a fu farw fel y byddem fyw mewn rhyddid. Rhynged bodd i Ti dderbyn gennym y Cofeb [*sic*] hon o'u hanrhydedd hwy a'n diolch ninnau. Cysegra er Dy Ogoniant, ni atolygwn i Ti y rhodd a gyflwynwn yr awr hon yn Enw yr Hwn a roddodd ei Einioes drosom, Dy Fendigedig Fab, Iesu Grist, ein Harglwydd. Amen.

O Dduw'r diddanwch, ni atolygwn i Ti, gysuro yn eu galar y rhieni a'r perthynasau gollasant eu hanwyliaid yn y rhyfel; cynorthwya a chalonoga hwynt a'r datguddiad o'th Gariad yn dy Fab Iesu Grist. Dysg hwynt i orffwys a phwyso arnat Ti. Dyro iddynt ffydd i dreiddio trwy drallodion yr amser presennol ac i ymgynnal wrth y gobaith o ail-gyfarfod gan fod yn ddiogel ganddynt na all nac angau nac einioes eu gwahanu oddi wrth gariad Duw yr Hwn sydd yng Nghrist Iesu ein Harglwydd. I'r Hwn gyda'r Tad a'r Ysbryd Glân y byddo anrhydedd a gogoniant yn oes oesoedd. Amen.

Eir ymlaen yn *UNOL*:

Erbyn hyn oedd y rhan fwya o'r merchaid wedi stopio crio, a pawb yn codi a canu hefo'n gilydd:

Os rhaid im roi yn ô-ôl i Ti-i
Y-y gorau pe-eth sy ge-ennyf fi
Mi-i geisiaf ddwe-eud er hyn yn hy-y
Dy-y wy-yllys Di-i.

Ac wrth bod yna lot o Seuson yno, dyma ni'n canu Abide with me i orffan.

Ond, yn wahanol i'r uchod, yr emyn 'Iesu! Cyfaill f'enaid cu!' a ganwyd (ar y dôn 'Aberystwyth') a chyda'r emyn 'Duw Mawr y Rhyfeddodau maith' y gorffennwyd y gwasanaeth.

* * *

Pan ŵel yr hogyn bach Azariah Jenkins yn y stydi yn y Ficerdy, dywed mai 'Fo ddaeth yma ar ôl Huws Person, ddaeth yma ar ôl Canon'. Mae'n wir mai 'Huws Person', sef y Parchedig Richard Rhys Hughes, oedd olynydd y Canon (Richard Thomas Jones) yn ficer Eglwys Crist Glanogwen, Bethesda, ond achosir peth dryswch wrth ddod â gŵr ag enw fel Azariah Jenkins i fod yn olynydd Huws Person a hynny, yn ôl pob golwg, o fewn cwmpas amser y stori yn *UNOL*. Yn y byd go iawn, roedd blynyddoedd i fynd heibio cyn y penodid unrhyw un i fod yn ficer 'ar ôl Huws Person'.

'Huws Person', sef Richard Rhys Hughes (gyda'i
briod, Anne, a'u dau blentyn hynaf)

Ac wrth awgrymu'r penrhyddid a gymerai Caradog Prichard o bryd i'w gilydd, mae'n werth nodi ambell enghraifft arall sydd yn *UNOL* – nid bod hynny, wrth gwrs, mewn unrhyw ffordd yn feirniadaeth ar ryddid yr awdur i 'ystumio' (a defnyddio gair Caradog ei hun) a gwyrdroi ffeithiau hanes-yddol i bwrpas ffuglen.

Crybwyllwyd un enghraifft yn y bennod ar 'Huw a Moi'. Dywedir bod Moi yn dal yn 'Rysgol' pan fu farw o'r diciâu. Cymerwn ei fod tua deg oed ac yn dal yn yr ysgol gynradd. O ystyried digwyddiadau eraill yn y nofel a'u cyfochri gyda ffeithiau yn y byd go iawn, mae'n deg i ni dybio mai tua 1914 y bu farw Moi. Ond yr argraff a gawn mai dim ond newydd farw yr oedd Moi cyn gwasanaeth dadorchuddio'r Gofgolofn a hynny, yn ôl *UNOL*, 'Blwyddyn ar ôl i Rhyfal ddarfod ...', sef yn 1919, wrth gwrs. Ond, ar yr un pryd, cofiwn fod Moi efo'i ffrindiau yn y gêm bêl-droed – a gwyddom mai yn 1920 y digwyddodd y gêm go iawn. Ni welaf fod gronyn o ots fod awdur yn chwarae fel hyn efo cronoleg mewn nofel hunangofiannol.

*   *   *

Roedd perthynas y Canon R. T. Jones a'r Parchedig R. R. Hughes yn mynd yn ôl i tua 1904 pan benodwyd Richard Rhys Hughes yn gurad i'r Canon yn Eglwys Crist Glanogwen, swydd y bu ynddi am oddeutu chwe blynedd. Ac mae'n werth nodi mai Rhys Hughes a fedyddiodd Caradog Prichard ar Ragfyr 4 1904.

T. Herbert Hughes (Prifathro Ysgol y Bechgyn, Glanogwen) yn eistedd ar y chwith yn y rhes flaen, y Canon yn ei gadair yn y canol, a'i gurad, Richard Rhys Hughes, ar yr ochr dde. Dosbarth Ysgol Sul y Canon yn ôl pob tebyg.

Yn y *Cylchgrawn Plwyfol – Eglwys Crist Glanogwen* yn 1911[1], cawn hanes Rhys Hughes yn gadael Glanogwen:

> Nos Wener, Mawrth 10fed, ymgynullodd nifer da ynghyd i Ysgoldy y Bechgyn i gyflwyno tysteb i'r Parch, R. Rhys Hughes ar ei ymadawiad o'r plwyf i gymryd gofal Eglwys y Gelli, Llandegai. Cadeirydd y Cyfarfod ydoedd y Parch. Ganon R. T. Jones, B.A. Cafwyd caneuon ac adroddiadau yn nechrau'r cyfarfod. Siaradwyd gan y boneddigion canlynol am y gwaith da wnaeth y Parch. R. R. Hughes yn ystod y chwe blynedd y bu yn gweinidogaethu yn y plwyf: Mri. T. H. Hughes, B. Thomas, H. Williams, Richd Hughes, a'r Parch. Ganon Jones. Cyflwynwyd Pwrs o Aur i'r Parch. R. R. Hughes gan Mrs Canon Jones y Ficerdy, a gwnaeth ychydig o sylwadau ymarferol wrth eu trosglwyddo. Diolchodd Mr Hughes yn garedig i bawb am yr arwydd yma o'u teimladau da tuag ato ef a'i deulu ar eu hymadawiad o blwyf Glanogwen. Cynigiwyd diolchiadau arferol i bawb am wasanaethu gan y Parch. J. W. Roberts, ac eiliwyd gan Mr J. H. Jones. Cyfeiliwyd yn y cyfarfod gan Mr John Roberts yr Organydd.

Ryw dro yn ystod cyfnod y Rhyfel Mawr, gwyddom fod Rhys Hughes wedi symud o'i ofalaeth ym mhentref Glasinfryn i fod yn Rheithor Llanllyfni ond yn dilyn marwolaeth y Canon R. T. Jones ar Ebrill 1 1917, darllenwn adroddiad yn rhifyn Hydref 1917 *Y Perl* am benodi Richard Rhys Hughes yn ficer newydd yn Nyffryn Ogwen:

> Gwyddoch erbyn hyn fod y Parch R. R. Hughes, Rheithor Llanllyfni, wedi ei benodi gan Arglwydd Penrhyn i fywoliaeth Glanogwen. Adwaenoch ef yn dda. Bu yma yn llafurio fel Offeiriad cynorthwyol am lawer blwyddyn, ac yn ôl pob hanes cyflawnodd waith da. Perchid ef gan bawb yn ddiwahaniaeth. ... Ar hyn o bryd nis gwn pa bryd y mae yn meddwl ymgymryd â'i ddyletswyddau yn y Plwyf hwn.

Yn rhifyn Tachwedd yr un cyhoeddiad, cyhoeddir llythyr oddi wrth y darpar-ficer, wedi'i anfon o Reithordy Llanllyfni ar Hydref 31 1917.

> Annwyl Gyfeillion,
>
> Gyda chaniatâd caredig y Golygydd, dymunaf gymryd mantais ar y cyfleusdra hwn i ysgrifennu gair neu ddau at Blwyfolion Glanogwen trwy gyfrwng y misolyn. Gyda gradd helaeth o bryder a theimlad dwfn o bwysigrwydd y swydd y penderfynais dderbyn cynigiad Arglwydd Penrhyn i ddychwelyd i Glanogwen. Nid hawdd olynu fy niweddar Ficer o fendigaid goffadwriaeth. Fel Offeiriad Plwyf yr oedd yn ddihafal

o ran ynni, doethineb, dysg a dawn. Rhydd ambell blwyf argraff ar yr offeiriad a diamau gennym fod hyn yn wir am Glanogwen, ond rhoddodd Canon Jones ei argraff ar y plwyf hefyd. Cefais y fraint o gydweithio ag ef am ysbaid o chwe blynedd a hefyd fantais arno fel cynghorwr am y pum mlynedd ddiweddaf ynglŷn â phlwyf eang a phwysig Llanllyfni. Yn wir, hyn i raddau helaeth a'm cymhellodd i ddychwelyd i'r hen gartref. 'Er yn farw, llefara eto, a'i waith a'i ddylanwad a erys'. Nid hawdd torri cysylltiad â phlwyf diddorol Llanllyfni, lle mae llu o Eglwyswyr a swyddogion parod a hunanaberthol yn cydweithio yn galonnog a hapus. Ond y mae gennyf adgof am y cyfryw yn Glanogwen hefyd a gwn fod eu ffyddlondeb a'u teyrngarwch yn parhau. Nid oes gennym ond erfyn am eu cydymdeimlad â'm gwendidau ar fy ailddyfodiad i'w plith, a'u cydweithrediad yng ngwaith y Winllan yn y dyfodol fel na lesteirir y gwaith ardderchog a gyflawnwyd ar hyd y blynyddoedd gan yr Offeiriaid galluog a'm rhagflaenasant. ...

Gorffwysaf
Yr eiddoch yn rhwymau Eglwys Crist,
R. Rhys Hughes

Bu'n rhaid aros tan Ionawr 22 1918 cyn i'r Parchedig R. R. Hughes gael ei roi 'mewn llawn feddiant o Fywoliaeth Glanogwen gan yr Hybarch Archddiacon Morgan' a symud gyda'i wraig a'i chwech o blant – Edward, John, Richard, Humphrey, Nesta Gwenllïan a Margaret (a alwyd yn Peggy, hefyd) – i'r Ficerdy lleol. Ef oedd y pedwerydd Ficer ar Eglwys Crist Glanogwen. Ei gurad oedd y Parchedig Daniel Thomas, B.A. a oedd wedi bod mewn swyddi cyffelyb yn Llanrug a Llandudno. Ai hwn, tybed, oedd Huws Ciwrat?

Rwy'n ddiolchgar iawn i Ann Grenet am dynnu fy sylw at y ffaith i'w hen-daid gystadlu yn Eisteddfod Dinbych yn 1939 ar gystadleuaeth heriol iawn o ran teitl a disgwyliadau: 'Y Rhestr gyflawnaf o gyweiriadau ac ychwanegiadau at Lyfryddiaeth Sir Ddinbych, Rhan 3, gan Owen Williams, yn llyfrau, pamffledi ac ysgrifau[2]. Y beirniad oedd y dihafal Bob Owen, Croesor, a'i feirniadaeth yn gwbl nodweddiadol o'i athrylith a'i arddull unigryw. Rhys Hughes, â'r ffugenw *Mab y Mynydd*, oedd yr unig gystadleuydd ac yn ogystal â chael sawl bonclust eiriol gan y beirniad am ambell wendid, caiff hefyd glod arbennig o hael am lunio 'clompyn o Lyfryddiaeth ... yn cynnwys 278 tudalen ...'. Dywedid ei fod 'wedi cyrraedd safon uchel iawn', ac wedi cyflawni gorchest 'a fydd yn ddefnyddiol i bob chwilotwr drwy grynhoi cyfansoddiadau cerddorol gwŷr Dinbych'. Rwy'n siŵr fod Richard Rhys Hughes yn hynod falch o frawddeg olaf y feirniadaeth – a hynny gan Bob Owen, Croesor, o bawb:

Heb unrhyw os o amheuaeth yn fy meddwl, credaf fod *Mab y Mynydd* yn fwy na theilyngu'r wobr [o £15], a phetai'n gymaint ddwywaith ni phetruswn ei dyfarnu iddo.

Mae fy nyled, hefyd, i David R. Price, Cadeirydd Cangen Bangor o Gymdeithas Hanes Teuluoedd Gwynedd, am fy nghyfeirio at waith enfawr a gyflawnwyd yn 1932 gan Richard Rhys Hughes, sef naw cyfrol o ddeunydd manwl dan y teitl 'Biographical Epitomes of the Bishops and Clergy of the Diocese of Bangor from the Reformation to the Reconstitution' (a gedwir yn Llyfrgell Coleg Prifysgol Bangor).

Teulu Richard Rhys ac Anne Hughes o flaen y ffenest yn nhalcen
Ficerdy Glanogwen tua 1940

Rhes gefn (o'r chwith): Mary Swinton (nith Mrs Anne Lloyd Hughes); Capten G. Swinton (ei gŵr); Humphrey Watkin Hughes (mab RRH a laddwyd ym mis Chwefror 1944); Edward Rhys Hughes, mab hynaf RRH a aned yn 1906); Y Parchedig John Rhys Hughes (yr ail hynaf); Lionel Silburn (gŵr Margaret, a alwyd yn Peggy).

Rhes ganol: Richard Lloyd Hughes (a laddwyd ym mis Rhagfyr 1943); Mrs Anne Lloyd Hughes a'i phriod, Y Parchedig Richard Rhys Hughes, wrth ei hymyl; Capten T. W. L. Grey-Edwards (tad Christopher, perchennog y llun).

Rhes flaen: Margaret / Peggy Silburn (merch RRH); Christopher Grey-Edwards; Rosemary, merch Margaret (Lady Mason heddiw); Madeline (gwraig Edward, mab hynaf RRH) a Nesta Gwenllïan (merch RRH a gwraig T. W. L. Grey-Edwards).

Yn ystod yr Ail Ryfel Byd, daeth dwy brofedigaeth lem i ran Richard Rhys Hughes a'i deulu yn Ficerdy Glanogwen. Lladdwyd dau fab ieuengaf y teulu mewn amgylchiadau tebyg i'w gilydd. Roedd Richard (a aned yn Ionawr 1913) a Humphrey (a aned yn Ionawr 1916) wedi ymuno â'r Llu Awyr. Cafodd Richard ei ladd wrth gymryd rhan mewn cyrch awyr dros Frankfurt ar Ragfyr 24 1943 a thua chanol Chwefror 1944, daeth newydd fod Humphrey wedi'i ladd dros Hilversum yn yr Iseldiroedd wrth ddychwelyd mewn awyren ddrylliedig yn dilyn cyrch awyr ar Leipzik yn yr Almaen. Ni allwn lai na chofio i ryfel gipio mab arall a fu'n byw yn Ficerdy Glanogwen – John Savin Jones-Savin, mab y Canon a'i wraig, Cordelia Mary.

Tua 1940, tynnwyd llun teulu'r Ficerdy, sef y llun uchod. Dyma'r unig lun a dynnwyd erioed o'r teulu i gyd efo'i gilydd ac rwy'n ddiolchgar iawn i Christopher Grey-Edwards o Chichester, ŵyr y Parchedig Richard Rhys Hughes ac Anne ei wraig (mab eu merch, Nesta) am roi benthyg y llun hwn i mi a chaniatáu i mi ei atgynhyrchu yn y gyfrol hon.

*   *   *

Mewn llyfryn a gyhoeddwyd i ddathlu canmlwyddiant Eglwys Glanogwen, â llun yr Eglwys ar ei flaen: *Eglwys Crist Glanogwen – 1856-1956 – Christ Church, Glanogwen*, nodir bod Richard Rhys Hughes wedi cynnal traddodiadau'r Plwyf trwy gydol yr amser y bu yn Nyffryn Ogwen a bod ei wybodaeth am gerddoriaeth yn 'added qualification to minister in the Ogwen Valley'. Ychwanegwyd:

> His long ministry of 30 years covered a period of such transition and great difficulty, but this sound parish priest and patient pastor saw that the Church came through it in faithful worship and warm fellowship. His steady hand prevented two World Wars from doing as much damage to the Church as they did to many other institutions, and he had no cause to be ashamed of his stewardship when in 1947 he handed on the task to a younger man.

Yn 1947, cafodd Richard Rhys Hughes ei benodi'n Ficer Brynford, ger Treffynnon. Olynwyd ef yn Ficer Glanogwen gan y Parchedig Harold Edward Hughes.

Ar Ebrill 21 1949, bu farw Anne, priod Richard Rhys Hughes yn 79 oed yn Rheithordy Brynford. Ym mis Ebrill y bu yntau farw – Ebrill 3 1952 – ac yntau hefyd yn 79 oed. Claddwyd y ddau ym Mynwent Eglwys St Michael, Brynford.

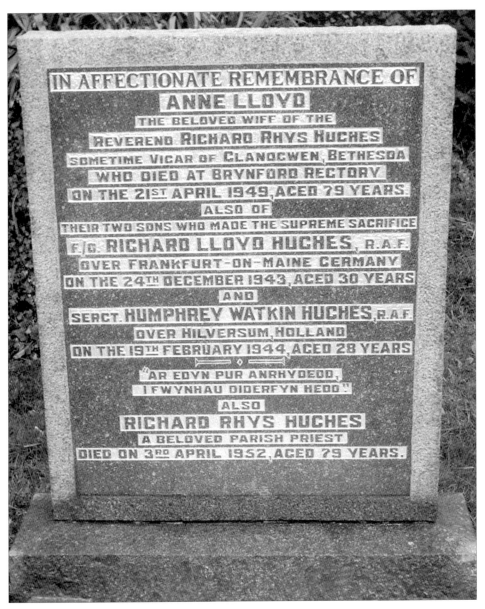

Carreg fedd Richard Rhys Hughes a'i briod Anne, ym Mrynford

NODIADAU

1. Gw. *Cylchgrawn Plwyfol – Eglwys Crist Glanogwen*, yr atodiad i *Y Perl*, rhifyn Ebrill 1911, Rhif 124.

2. Gw. *Barddoniaeth a Beirniadaethau Eisteddfod Genedlaethol Dinbych 1939* (Lerpwl, 1939), tt. 190-195.

JONI SOWTH

Roedd llawer o sôn a siarad yn y Pentra pan ddaeth Joni Sowth i'r ardal. Dywedwyd mai 'cefndar Joni Casgan Gwrw' oedd y gŵr ifanc a ddaeth i aros yn y Blw Bel, a'i fod 'wedi dŵad o Sowth ac yn brolio'i fod o'n focsiwr a basa fo'n rhoid cweir i rywun yn Pentra'. Aeth si ar led ei fod 'wedi agor lle bocsio tu nôl i Blw Bel':

> Ac mi gaiff rhywun, does dim ods pwy, fynd yno i ddysgu bocsio am swllt yr wsnos. Mi es i yno hefo Now noson o'r blaen i weld Joni Sowth yn mynd trwy'i giamocs … Ydy wir. Mae o wedi gneud ring fawr sgwâr yn hen stabal Blw Bel, a rhaffa'n reilings o'i chwmpas hi. Ac i fanno mae'r hogia'n mynd bob nos rŵan i ddysgu bocsio. Mae Joni Sowth yn eu galw nhw i fyny fesul un ac yn eu peltio nhw, ac yn cael amball beltan go dda yn ôl hefyd. Mae yna le i tua igian o'r hogia i eistadd ar y seti rownd y ring.

Wedi rhoi 'uffarn o gosfa' i Ffranc Bee Hive, dyna lle'r oedd Joni Sowth

> yn sefyll yng nghanol y ring yn ei drywsus bach a'i grysbais lian a'i fenyg bocsio am ei ddwylo. Nawrte, medda fo yn ei Gymraeg Sowth. Am wth ar gloch acha nos Fawrth nesa mi fydd yma shew sbeshal— Joni Sowth yn erbyn pw bynnac leiciff rhoi sialens iddo fe, dros dair rownd. Ac os oes 'ma rhywun a dicon o bwnsh gitac e i rhoi'r K.O. i Joni Sowth fe gaiff ddecswllt yn ei bwrs …

Now Gwas Gorlan a dderbyniodd yr her a chawn ddisgrifiad byw o'r ornest. Roedd Joni Sowth yn 'dawnsio ar flaena'i draed' ac 'yn gneud rings' o gwmpas Now Gwas Gorlan 'a lle bynnag oedd dwrn Now Gorlan, doedd pen Joni Sowth ddim yno'. Daeth yr ornest i ben yn bur ddramatig pan drawodd Joni Sowth Now

> ar ochor ei ben nes oedd o'n mynd a'i sodla i fyny i ben arall y ring. Wedyn, dyma Joni Sowth yn neidio i mewn fel melltan a rhoid swadan arall i Now efo'i ddwrn chwith ar ochor ei ben nes oedd Now'n mynd a'i sodla i fyny wedyn. A chododd yr hen Now ddim ar ôl honno …

Roedd y dorf wedi synnu bod Now Gwas Gorlan wedi cael ei drechu fel hyn gan Joni Sowth 'a fonta ddim ond hannar ei seis o'. Gwnaeth Roli Pant sylw diddorol ynghylch y sefyllfa:

> Cael eu dysgu pan mae nhw'n hogia bach mae nhw, medda Roli. Fasa

ti a finna'n focsiwrs da run fath â fo tasa ni wedi cael dysgu'n iawn
pan oeddan ni'n hogia bach ...

*　　　*　　　*

Ni ddaethpwyd o hyd i dystiolaeth fod yr hanesion a grynhowyd uchod
yn gofnod o ddigwyddiadau go ddifri yn Nyffryn Ogwen. Wedi dweud
hynny, mae digon o wybodaeth am y gŵr go iawn y tu ôl i Joni Sowth a'i
gysylltiadau â'r ardal ynghyd â thystiolaeth bendant iddo fod â diddordeb
ymarferol mewn paffio.

John Jones oedd enw bedydd Joni Sowth. Fe'i ganed yn 1900, yn fab i
John a Hannah Jones. Roedd yn hanu o deulu a arferai fyw mewn bwthyn
bychan a safai ar y Lôn Goch, sef y ffordd gul a arweiniai o gyffiniau'r
Grisiau Cochion at dreflan fechan Bryn Llys, ger Coed-y-parc, rhwng
Bethesda a Thregarth – mae paentiad lliw o'r bwthyn yn dal ar gael (er
nad yr un argraff a geir o'i atgynhyrchu mewn du a gwyn).

Cartref teulu John Jones ('Joni Sowth')

Mae'r Lôn Goch wedi ei chau a'r tŷ'n adfeilion ers blynyddoedd bellach
ac aeth treflan Bryn Llys yn aberth i'r tomennydd ddechrau'r ganrif
ddiwethaf – yr olaf o ryw hanner dwsin o dreflannau bychain i gael eu
claddu.

Yr unig dŷ a adawyd ar ôl yn dilyn y 'claddu mawr' oedd cartref teulu
John Jones a chadwyd yr enw 'Bryn Llys' arno. Nid oes sicrwydd mai yn y

Rhan o dreflan Bryn Llys.
Paentiad gan J. T. Parry (a'r gwreiddiol mewn dyfrlliw)[1]

tŷ hwnnw y ganwyd John gan fod y teulu wedi symud – ond ni wyddys
pryd – i dŷ mewn stryd fach o dai a elwid yn Fron-deg ar y 'Lôn Newydd'
i'r Gerlan. Yno y daeth Joni i adnabod 'Roli Pant' a ddefnyddiai'r caead
piser i ddynodi dechrau a diwedd pob rownd yn yr ornest focsio yn *UNOL*.

Ond cyn gadael y Lôn Goch, mae'n werth nodi un ffaith ddiddorol. O
fod wedi cerdded ymlaen ryw bedwar can llath oddi wrth gartref teulu
Joni, drwy dreflan Bryn Llys i gyfeiriad Chwarel y Penrhyn, byddai'r
ffordd wedi ein harwain at Eglwys St Ann a godwyd yn 1812-13. Hon oedd
yr Eglwys gyntaf o ddwy o'r un enw. Pan gladdwyd yr Eglwys gyntaf
honno dan y tomennydd llechi yn 1865, codwyd adeilad arall i gymryd ei
lle ar fryn ymhell o afael y diwydiant llechi[2]. Gwaetha'r modd, daeth oes
yr adeilad hwnnw hefyd i ben ychydig flynyddoedd cyn diwedd yr ugein-
fed ganrif.

*   *   *

Mae lle i gredu mai Joni, fel y gelwid ef, oedd mab hynaf Hannah a
John. Galwyd y tad yn Joni Lôn Goch a glynodd yr un enw wrth ei fab,
John, wedi hynny – ymhell cyn i Caradog Prichard ei fedyddio'n 'Joni
Sowth'. Plentyn ieuengaf y teulu oedd Jennie (a aned ar Fehefin 17 1921
ac a fu farw yn 2007). Yn y canol, rhwng John a Jennie, roedd Annie,

184

Nellie, Gracie, Ben, Wil a Huw, yn ôl Nesta Llwyd, Tregarth – merch Wil a nith 'Joni Sowth'[3].

Yn 1909, pan oedd Joni yn naw oed, bu tân mawr ym Methesda a losgodd y Farchnad/Neuadd Gyhoeddus yn ulw. Tynnwyd sawl llun o'r llanastr a'r difrod ac yn un ohonyn nhw mae criw o ddynion ac ambell blentyn. Yn ffodus iawn, cofnodwyd manylion am y llun hwn gan Ernest Roberts yn *Llais Ogwan*[4], ac mae'n werth dyfynnu'r rhan o'r erthygl sy'n berthnasol i'r llun (a chael cyfle'r un pryd i fwynhau arddull gartrefol, lithrig yr awdur):

Fore Llun, Gorffennaf 5, 1909 – ar ôl y tân yn y Farchnad y bore cynt

Yn y canol yn ei wasgod wen y mae David Pritchard oedd yn cadw'r 'Bull'. Ni chofiaf enw'r dyn y mae llaw David Pritchard ar ei ysgwydd ond gwn yn eithaf siŵr pwy yw'r hogyn â'i gap ar sgiw sy rhyngddynt – Wil M. P. Tryst Wil i fod yng nghanol pob miri ac fe welodd dân mwy o lawer pan oedd yn cadw'r 'Sportsman' yng Nghaernarfon. Price Davies, bwtsiar, sy'n bennoeth y tu ôl i Wil M. P., a Roberts y plismon wrth ei ochr, byddai ef yn cymryd rhan yng nghyfarfodydd gweddi capel 'Bethesda'. O flaen y plismon mae Bob Price Davies ac o'i flaen yntau – Wil Lewis Parc Moch, Griffith Davies, Glo, barf a het ddydd Sul. Richard Jones 'Y Goets' ('Llangollen' wedyn) – cap brethyn a siwt ddu. Ni chofiaf pwy yw'r ddau sydd y tu ôl iddo. Edward John Roberts, bwtsiar – het wellt. Robat Jôs Gwich yn ei ogoniant ond hen gôt dros ei ysgwyddau yn lle sach gan ei bod yn ganol haf. Griff Edwards, Penygrisiau, sy yng nghanol y rheng flaen ac Aston Price Davies wrth ei ochr.

Glyn a Joni Pritchard, 'Victoria', yw'r ddau hogyn penfelyn, brodyr i Thompson y postman, a'u tad, William Pritchard, oedd yn cadw'r 'Victoria' a becws Nymbar Wan yn y rheng ôl â'i het ar ei gorun. Yn syth tu cefn i Glyn a Joni y mae Harri Owen, Crydd, oedd yn byw gyda'i chwaer Annie Owen mewn siop ffrwythau y tŷ nesa i'r 'Goets'. Dreifar i Wili Dafydd Siôn y Felin oedd Harri, a'r golar a'r tei yn awgrymu ei fod yn barod i neidio ar yr hers ond iddo gael picio i'r tŷ i nôl ei het silc a'i chwip. Ac ar y chwith yn ei het galed dyna William Edwards Cnapia. Y mae ei law ar ysgwydd Joni Lôn Goch i rai, a Joni Jac Sel i ninnau ei ffrindiau. Y mae heddiw yn byw o fewn tafliad carreg i Borth Awyr Heathrow. Aeth i lawr i'r sowth ar ôl y rhyfel cyntaf a daeth adref yn fuan wedyn wedi dysgu bocsio hefo Jimmy Wilde. Wnaeth o ddim ennill 'Lonsdale Belt' ond fe enillodd le anrhydeddus fel 'Joni Sowth' y bocsiwr yn *Un Nos Ola Leuad* Caradog Prichard.

Er na wyddys tarddiad y 'Joni Jac Sel' erbyn hyn, dyna atgof pwysig iawn am John Jones gan un oedd ei gofio'n dda ac yn un o'i ffrindiau ym Methesda.

*   *   *

Joni a'i fodryb ar Bont Prins o' Wêls

A neidio'n ôl ychydig o flynyddoedd am eiliad, hoffwn dynnu sylw at lun a dynnwyd o Joni pan oedd tua phump oed, gyda modryb iddo, a hynny ar 'Bont Prins o' Wêls' – pont bren a godwyd dros Afon Ogwen gan yr Arglwydd Penrhyn i groesi i'r chwarel o blasty bach a elwid ganddo yn Ogwen Bank lle byddai'n croesawu byddigions y cyfnod.

Ni wn ai modryb o'r enw Ruth (chwaer ei fam) sydd gydag ef yn y llun ond mae sôn i'r fodryb honno, pan oedd Joni tua 14 oed, fynd ag ef gyda hi i Fargoed, lle'r oedd rhai o'r teulu'n byw yn barod. Aeth Joni i weithio i'r pwll glo am gyfnod ond daeth yn ôl i Fethesda ymhen ychydig. Dyna'r adeg y mae Caradog Prichard yn adrodd amdano yn *UNOL*. Cafodd waith yn *chauffeur* i Dr William Pritchard (y sonnir amdano mewn man arall) a bu hefyd yn yrrwr bws efo cwmni'r 'Bangor Blue'.

Priododd Joni efo Ethel, un o ferched y Victoria Hotel, Bethesda. Cawsant ddau o blant: Maisie (a briododd Cemlyn o Benmaen-mawr) a Ken. Mae Cemlyn (Jones) yn byw heddiw yn Great Missenden, Sir Buckingham, ac rwy'n ddyledus iawn iddo am lawer o'r manylion am ei dad-yng-nghyfraith a fu'n rhannu cartref gydag ef a'i ddiweddar briod am rai blynyddoedd.

Yn ogystal ag Ethel, plant eraill teulu'r Victoria oedd Eva, Hazel, Burslem a Herman. Wedi i John Charnley, gŵr Hazel, fynd i weithio i gwmni Fairey Aviation yn Hayes, Middlesex, cafodd waith i Joni (ac i aelodau eraill o'r teulu) yno. Cododd Joni ei bac o Fethesda, am yr eilwaith, yn 1926, a chyda'r Fairey Aviation y bu'n gwneud *propellers* i awyrennau nes iddo ymddeol yn 1965.

Roedd yn hoff iawn o gŵn a thynnwyd y llun hwn ohono efo dau o'i gŵn bach.

Joni Sowth a'i gŵn bach

Yn ystod y '50au, roedd Joni yn Gwnstabl Arbennig (ar benwythnos-au'n unig) gyda Heddlu'r Metropolitan yn Llundain a bu ar ddyletswydd ar nifer o achlysuron brenhinol ym mhrifddinas Lloegr. Bu'n byw yn 9 Monmouth Road, Hayes, ac yn ôl tystiolaeth Cemlyn Jones:

> Yr oedd Joni yn ddyn hoffus iawn – *very placid, quietly spoken, and in the 40 years that I knew him, I never saw him angry or cross or bad-tempered. He was a gentleman.*

Bu Joni farw yn 1980 yn 80 oed.

NODIADAU

1. Roedd John Thomas Parry yn arlunydd adnabyddus iawn yn Nyffryn Ogwen. Yn aml, fe ychwanegai 'ap Idwal' mewn cromfachau at ei enw ar waelod ei baentiadau. Fe'i ganed yn Chwarel-goch, ger Tregarth, a glynodd yr enw John Parry Chwarel-goch wrtho weddill ei oes. Aeth i weithio fel rybelwr i Chwarel y Penrhyn yn fachgen ifanc ac un o'i hoff bleserau fyddai tynnu lluniau ar sglodion o lechi. Lledaenodd hanes y tynnwr lluniau yn gyflym drwy'r chwarel a'r diwedd fu i'r Arglwyddes Penrhyn glywed am ddawn J. T. Parry. Rhyfeddodd at ei fedr a mynnodd ei anfon am gwrs o addysg i'r Slade School of Fine Art yn Llundain a hithau'n gyfrifol am y treuliau i gyd. Yn 47 Ffordd Carneddi, Bethesda, y bu'n byw am flynyddoedd ond yn y Wyrcws ym Mangor y bu farw ar Fawrth 26 1913 yn 59 oed ac yng Nghofrestr Claddedigaethau Mynwent Coetmor, nodir wrth ei enw: A.R.A.M. – Artist. Bu llawer o ddiddordeb yn J. T. Parry dros y blynyddoedd ac mae llawer o'i baentiadau yma ac acw yn Nyffryn Ogwen a'r tu hwnt. Ysgrifennais amdano yng ngholofn 'Pwy sy'n cofio ddoe?' a gyfrannwn bob mis yn *Llais Ogwan* ond prin bod y pytiau hynny (yn rhifynnau Rhagfyr 1979, t. 5, Chwefror 1980, t. 10, a Mawrth 1980, t. 17) yn gwneud cyfiawnder â'r gŵr dawnus hwn.

2. Costiodd adeilad newydd Eglwys St Ann oddeutu £4000 ac fe'i cysegrwyd ar Fedi 5 1865.

3. Nesta Llwyd a roddodd fi ar drywydd 'Joni Sowth' a thrwyddi hi y deuthum i gysylltiad â'i fab-yng-nghyfraith, Cemlyn Jones. Rhyngddynt hwy ill dau, llwyddwyd i greu darlun pur gyflawn o'r cymeriad hwn.

4. Gw. *Llais Ogwan*, Gorffennaf 1980, t. 13.

MISTER VINSENT BANK A'I WRAIG
A'U HOGYN BACH, CYRIL

Un cyfeiriad yn unig a geir yn *UNOL* at y teulu hwn a hynny pan gyfeirir at y gwasanaeth Saesneg yn yr eglwys:

> Hen wasanaeth diflas oedd y gwasanaeth Seusnag. Dim ond rhyw hannar dwsin fydda'n mynd iddo fo. Mister Vinsent Bank a'i wraig a'u hogyn bach, Cyril, oedd yn tyfu ei wallt cyrls run fath â hogan. Doeddan nhw ddim yn dallt Cymraeg, dyna pam oeddan nhw'n mynd.

Ond er mor gynnil yr un crybwylliad hwn, mae stori go iawn teulu'r banc yn werth i'w hadrodd. Dylwn nodi, wrth fynd heibio, na wn faint o wir oedd yn yr haeriad nad 'oeddan nhw ddim yn dallt Cymraeg'; rwy'n amheus o hynny er y cofiaf Noel Lloyd (sef 'Cyril' y nofel) yn dweud wrthyf mai Saesneg oedd iaith yr aelwyd gan amlaf. Roedd ef ei hun yn gogwyddo at yr iaith fain ar brydiau ond Cymraeg fyddai iaith ein sgwrs ni'n dau bob amser.

Rheolwr Banc y National Provincial ar Stryd Fawr Bethesda oedd Mr W. R. Lloyd. Roedd ef a'i briod, A. E. Lloyd (sef Bertha, merch y Canon John Morgan, Maes y Groes, Tal-y-bont) wedi priodi ar Fehefin 8 1902, ac wedi ymgartrefu yn Nhy'n-y-maes, yn Nant Ffrancon, ar gyrion Bethesda. Yno y ganed eu hunig blentyn, Richard Noel Morgan, yn Ionawr 1904. Pan oedd Noel yn flwydd oed, symudodd y teulu i lawr y dyffryn i dŷ mawr ym Methesda. Yn y llun, a dynnwyd tua 1912, gwelir rhieni Noel Lloyd ar y chwith a Noel ar y dde efo'i ferfa fach[1].

Bodlondeb, Ffordd Bangor, Bethesda

Mae'n bosib mai'r tŷ hwn, Bodlondeb, oedd un o'r tai cyntaf ar Ffordd Bangor ac fe'i codwyd gan ŵr o'r enw Richard Horn(e). Cododd feudy a stabl yng nghefn y tŷ – adeiladau y gwnaethpwyd defnydd ohonynt gan y Lloydiaid ymhellach ymlaen. Roedd Benjamin, brawd Richard, yn gwerthu blawd ac mae'n bosib mai chwaer Richard a Benjamin (neu wraig un ohonynt) oedd yr Elin Horn(e) y sonnir amdani yn y rhigwm a lafarganid gan y plant lleol i dynnu ar Robat Jôs Gwich (gweler y pennill yn y bennod ar 'Wil Elis Portar').

Nid oes amheuaeth nad oedd prinder arian o gwbl gan deulu'r Lloydiaid ym Modlondeb. Roeddent yn gallu fforddio dwy forwyn i weini arnynt a dyma lun ohonynt yn sefyll o flaen y tŷ gyda Mrs Lloyd â'i dwylo ar ysgwyddau Noel bach:

Mrs Lloyd efo Noel a'r ddwy forwyn, Annie a Kate (y ddwy'n chwiorydd,
efallai, ac yn hanu o Flaenau Ffestiniog)

Cafodd Noel fagwraeth freintiedig eithriadol. Roedd ei rieni yn meddwl y byd ohono ac yn ei ddifetha'n lân. Doedden nhw ddim am iddo fynd i Ysgol Glanogwen, yr ysgol eglwys leol, efo'i gyfoeswyr (a byddai wedi bod yn yr un dosbarth â Caradog Prichard pe bai wedi cael ymuno â'i gyfoedion yn yr ysgol). Cyflogwyd 'governess' i ddysgu Noel yn ei gartref ei hun. A rhoddai ei dad gil-dwrn i yrwyr trên am iddynt ganu corn eu trên wrth fynd heibio Bodlondeb ar y rheilffordd led cae oddi wrth lle y byddai

Noel bach yn disgwyl yn eiddgar i weld y trên ar ei thaith rhwng Bethesda a Bangor. Roedd y ffordd y câi Noel ei wisgo yn destun siarad ym Methesda a'i wallt cyrliog hir yn denu sylw[2], fel y tystia Caradog Prichard wrth sôn am Cyril yn *UNOL* – a gweler ei lun ar y clawr hefyd pan oedd tua thair oed. Rhyw bump neu chwech oed yw Noel yn y llun ohono efo'i fat criced.

Tua 1915, prynwyd iotiau bychain iddo fynd i'w hwylio i Lanfairfechan, Llandudno a mannau eraill lle'r oedd cystadlaethau 'model yachts' ac âi ei dad gydag ef yn gyson ar ôl iddo ymddeol o'r banc yn 1922. Yn aml iawn, hefyd, byddai ei fam yn ei gynorthwyo drwy sefyll yr ochr bellaf i'r llyn gyda ffon yn ei llaw yn barod i droi'r iotiau'n ôl i gyfeiriad Noel ar ochr arall y llyn. Roedd ganddo un iot yn mesur oddeutu 60 modfedd, wedi'i phrynu yn Harrods, Llundain, ond 'llong *dead loss*' oedd hon, meddai Noel Lloyd wrthyf ryw dro, 'yn hwylio fel cardbord' ac nid enillodd unrhyw wobr efo hi.

Noel a'i fat criced

Noel rhwng dwy iot

Dringodd Noel Lloyd i fod yn ŵr o bwysigrwydd sylweddol ym maes rasio iotiau bach a rhoddwyd cryn bwys ar y ffaith iddo fod wedi ennill dros chwe chant o wobrwyon iotiau drwy Brydain gyfan dros y blynyddoedd. Yn y *North Wales Chronicle*[3] mor ddiweddar â 1971, ceir yr adroddiad a ganlyn:

> Mr Noel Lloyd ... who is a model yacht enthusiast ... presented the prizes at the National 10-rater Championships at Birkenhead recently. A total of 22 yachts took part ...

Roedd y teulu'n ddigon cefnog i fod â chartref arall yn Llandudno – tŷ o'r enw Deanhurst mewn stryd o dai Edwardaidd safonol a elwid yn St Mary's Road. Arhosent yno'n aml. Yn y llun isod, a dynnwyd tua 1909-10, gwelwn Wil Lewis Edwards, Pen-y-graig, Bethesda, gyda'i gar a cheffyl yn barod i gychwyn yn ôl o Landudno i Fethesda, gyda Noel yn y cefn (gydag un o'i iotiau) a morwyn arall a fu'n gweithio i'r teulu, Myfanwy Lloyd Roberts (un o Fraichmelyn), a Mrs Lloyd yn y tu blaen, wedi'u lapio'n gynnes ar gyfer y daith.

Wil Lewis Edwards yn barod i gychwyn o Landudno

Ychydig flynyddoedd yn ddiweddarach, yn 1919, roedd y teulu (ac eithrio'r tad) yn aros yn Llandudno pan dorrodd y Streic Reilffordd. Gan nad oedd trên i'w cludo adref i Fethesda, llogodd tad Noel gar a cheffyl Wil Lewis Edwards i'w nôl. Cychwynnwyd ar y daith ugain milltir o Landudno i Fethesda tua dau o'r gloch y pnawn a chyrhaeddwyd adref yn ddiogel tua deg o'r gloch y nos[4].

Roedd y tŷ yn Llandudno'n ddelfrydol gan y gallai'r Lloydiaid aros yno tra byddai Noel yn cystadlu gyda'i iotiau. Yn wir, parhaodd Noel Lloyd i hwylio'i iotiau model hyd at flynyddoedd cynnar yr Ail Ryfel Byd. Ond bu colli ei dad ar Ebrill 16 1936 (yn 79 oed) a'i fam ar Ragfyr 20 1940 (yn 73 oed) yn ergydion caled iawn i Noel a'r canlyniad fu iddo golli diddordeb yn ei iotiau. Magodd ddiddordeb gwahanol iawn yn 1942 gan iddo briodi ar Ionawr 27 y flwyddyn honno gyda Margaret Evans, merch twrnai a chlerc y Cyngor Dinesig, Roger Evans, Maes-y-Coed, Ffordd Bangor, Bethesda. Ganed iddynt ddwy ferch[5].

Roedd Noel Lloyd yn ŵr bonheddig i'r carn, yn eglwyswr pybyr ac yn Gynghorydd cydwybodol am gyfnod ar Gyngor Dinesig Bethesda – 'aelod diddorol, gor-hynaws', meddai Ifor Bowen Griffith amdano[6]. Deuthum i'w adnabod yn dda yn ystod saith degau'r ganrif ddiwethaf a chofiaf fel yr ymhyfrydai yn yr holl dlysau a chwpanau a enillasai gyda'i iotiau (a chanddo enw ar bob iot – *Thetis* a *Phyllis* oedd dwy ohonynt, er enghraifft). Cofiaf y pleser amlwg a gâi wrth eu dangos i mi ryw dro pan elwais arno, a'r rheini'n rhes ar res mewn cypyrddau yn ei gartref a'r mwynhad yn goleuo'i wyneb wrth iddo adrodd eu hanes bob yr un. Gwaetha'r modd, cawsant i gyd eu dwyn un noson gan fwrgleriaid dideimlad a didostur – a thorrwyd calon yr hen ŵr yn lân.

Bu farw Noel Lloyd ym mis Mai 1985 ond erys ei enw'n fyw iawn yn Nyffryn Ogwen hyd heddiw ar gorn hanesyn a ddenodd sylw cenedlaethol.

*   *   *

Nodwyd uchod fod gan Noel, yn ddigon naturiol, enw ar bob un o'i iotiau. Gwnaed yr un peth yn union gydag anifeiliaid Bodlondeb – rhoddwyd enwau ar bob un o'r creaduriaid a gedwid ganddynt, ac roedd hynny wrth fodd calon Noel bach. Roedd ganddo enw ar bob iâr a borai yn yr ardd hir y tu ôl i'r tŷ – a byddai Noel, hyd yn oed yn ei flynyddoedd olaf, yn eu hadnabod bob un wrth ei henw[7]. Ac felly hefyd gyda'r hanner dwsin o wartheg a gadwyd mewn beudy yn yr ardd gefn ac a gâi bori ar y ddôl o flaen Bodlondeb.

A doedd wiw i wynt chwythu'n groes ar fuches Bodlondeb. Un bore rhewllyd, oer yn Ionawr 1912, sylwodd Mr Lloyd, wrth gychwyn o'r tŷ am ei waith yn y banc, fod un o'r gwartheg wedi cael codwm ar y borfa lithrig dros y ffordd i'w gartref. Er gwaethaf pob ymdrech ar ei rhan, ni allai'r fuwch druan godi ar ei thraed o gwbl. Doedd dim amdani ym marn Mr Lloyd ond mynnu cymorth rhag blaen gan William Edwards, gan obeithio y gellid codi'r hen greadures yn ôl ar ei thraed unwaith eto. Ac, yn wir, roedd peth llwyddiant o fewn eu gafael – nes i bethau fynd o chwith. Pan oedd y fuwch o fewn dim i fedru sefyll ar ei phedair coes, a'r ddau wron yn stryffaglio i'w gwthio i fyny, syrthiodd y fuwch yn ei hôl tua'r llawr – ar gefn Mr Lloyd, a thorri ei goes mewn dau le[8]. Galwyd am feddygon i'w dendiad ar unwaith a chafodd driniaeth yn syth. Ond, er gwaethaf pob gofal a sylw, bu Mr Lloyd druan yn hir iawn yn dod dros y ddamwain efo'r fuwch ac ni allodd fynd yn ôl at ei waith tan fis Gorffennaf y flwyddyn honno. Does wybod beth fu hanes y fuwch.

Noel a'i fuchod

Roedd pob buwch ym muches Bodlondeb yn perthyn i'w gilydd a dyma lun rhai o'r teulu hwnnw. Ar y chwith, y mae Seraffina (merch Stella sydd ar y pen ar y dde), yna daw un na allai Noel Lloyd yn ei fyw gofio'i henw (ond rhaid cofio bod dros drigain mlynedd wedi mynd heibio pan adrodd-ai'r hanesion wrthyf i); wedyn Beauty, ac yn olaf Stella, a oedd yn ferch i Mollie, nad oes, gwaetha'r modd, lun ohoni. Mae Ifor Bowen Griffith, yn ei ffordd ddihafal ei hun, yn cofio'r problemau a achosid gan hoffter y teulu o bob un o'u hanifeiliaid:

> Nid oedd unrhyw beth i'w ladd ar unrhyw gyfrif ac oherwydd bod y Lloydiaid yn berchen ychydig o dir ac anifeiliaid fe fedrwch ddych-mygu'r problemau a hynny'n magu problemau glanweithdra. Lluosogai ieir, cathod a llygod a châi Moli'r fuwch fwy a mwy o anwes nes i Gyngor Bethesda benderfynu na châi Noel werthu llaeth Moli. Gor-foleddodd y cathod. Aethant yn ddiocach fyth a llawenhaodd y llygod[9].

A Mollie ydi'r fuwch bwysicaf o'r cyfan. Pan fu farw Mollie yn 1929, roedd yr ardal i gyd yn ymwybodol o alar y teulu. Yn naturiol, bu'n rhaid claddu corff Mollie druan ac fe wnaethpwyd hynny gydag urddas priodol ddigon. Ond daeth y stori i glustiau bardd lleol. Roedd William Griffith, Hen-barc, Bethesda, wrth ei fodd yn croniclo ar gân unrhyw ddigwyddiad lleol a haeddai sylw ac a fyddai'n debygol o roi mwynhad i'w ddarllenwyr. Yr enghraifft orau o hynny, yn ddi-os, yw'r gerdd 'Defaid William Morgan', sy'n gyfarwydd i filoedd lawer o Gymry, a'i dwy linell agoriadol, 'Mae rhyw-beth bach yn poeni pawb / Nid yw yn nef ym mhobman'[10] wedi ennill eu plwyf fel dihareb fodern.

Pan glywodd William Griffith am farw buwch y Lloydiaid, doedd dim amdani ond llunio epig o gerdd â'i ddychymyg 'yn drên'. Ac fe aeth ymhellach – mentrodd ei chyhoeddi yn *Yr Herald Cymraeg*. A phlesiwyd mo Mr Lloyd yr un ffeuen – roedd yn gynddeiriog pan welodd y gerdd yn y papur. Sonnir iddo fynd â'r perchnogion i gyfraith ac iddo ennill ei hawl am iawndal (£50 yn ôl pob sôn), a bod y papur wedi gorfod cyflwyno'r arian i achos gwarchod anifeiliaid o ddewis Mr Lloyd[11]. Yn gymharol ddiweddar, rhoddwyd cyhoeddusrwydd o'r newydd i'r gerdd pan recordiwyd hi gan Hogia Llandegai. Dyma'r gerdd.

Er Cof am fuwch
o'r enw Mollie Lloyd

Ni welwyd mwy o wylo
Yn angladd neb erioed;
Roedd calon ardal gyfan
Yn angladd Mollie Lloyd;
Edrychai pawb yn bruddaidd,
Distawodd miri'r plant;
Fe gafodd well cynhebrwng
Na llawer i hen sant.

Roedd William Hughes yn glochydd
A'i briod yn ei du,
Yn datgan ei rhinweddau
Cyn cychwyn wrth y tŷ.
Awgrymai Dafydd Henry
'Rôl gorffen gyda'r wers
Mai tlodaidd yw pob cynhebrwng
Os na bydd yno hers.

Roedd Clerc y Cyngor yno
Yn gwlychu'i gadach gwyn
Wrth weld ei hen gymdoges
Yn mynd dan bridd y glyn.
Edrychai y treth gasglydd
Yn ddwys a'i ddwylaw 'mhleth
Fel wedi llwyr anghofio
Bron bob peth ond y dreth.

Roedd Mollie Bach yn cwyno
Ers dyddiau, meddan nhw,
Ac aeth er braw i lawer
Rhy wan i weiddi 'Mw!'
Er cael doctoriaid gorau
I'w golwg, trengi wnaeth;
Bydd colled ym Modlondeb
Am hufen, caws a llaeth.

Roedd yno lu o gathod
Yn rhes ar ben y wal
Wrth weled priddo Mollie
Yn methu'n lân â dal;
Yn wir, roedd rhai ohonynt
Rhy wan i fewian dim
Hwy fyddant o hyn allan
Yn gorfod byw ar sgim.

Rhoes Tom Cae Haidd ac Edwin
Amdani liain main
Ni welwyd *undertakers*
Erioed 'r un fath â'r rhain.
Fe wylai perthynasau
I'r fuwch yn chwerw dost
A'r ferlen fach yn crynu
Wrth feddwl am y gost.

Daeth llu o hen gymdogion
O'r Pant i Barc y Moch,
Â'u dagrau ar eu gruddiau
I hebrwng y fuwch goch.
Fe welwyd Richard Owen
Coed Uchaf yn eu mysg
Yn disgwyl cydnabyddiaeth
Am fenthyg y car llusg.

Pa beth oedd ei hafiechyd
Ni wyddai neb yn wir
Ond beiodd rhai y *council*
A'r lleill y Cyngor Sir.
Arferai Mollie bori
Ar ochr y ffordd fawr
Ond pasiwyd rhyw fân ddeddfau
Yn gwahardd hynny'n awr.

Ni chawsai diod feddwol
Fynd tros ei gwefus hi,
Mil gwell oedd ganddi farw,
Roedd Mollie'n *strict T.T.*,
A rhag difetha'r wisgi
Fe yfodd pawb ei siâr
A rhwbiwyd talcen Mollie
Yn dyner hefo'r sbâr.

Os daw amgylchiad eto
I fuches Mr Lloyd
Rhown gyngor iddo redeg
Am Richard Owen, Coed.
Mae'n feddyg anifeiliaid
A gŵyr o am resêt
Sy'n gwella gwartheg cochion
Os na bydd yn *too late*!

Fel y gellid dychmygu, roedd hanes magwraeth Noel Lloyd, a'r straeon cysylltiedig, yn apelio'n arw at Caradog Prichard a does ryfedd iddo wneud lle – er mor gynnil – yn *UNOL* i grybwyll y teulu arbennig hwn.

NODIADAU

1. O safbwynt hanes Noel Lloyd a'i deulu, dibynnais yn helaeth ar nodiadau a wneuthum ar nifer o wahanol adegau pan ymwelwn ag ef tua diwedd y 1970au a dechrau'r 1980au. Bu'n garedig iawn, hefyd, yn rhoi benthyg llawer o luniau i mi, gan fanylu ar arwyddocâd pob un.

2. Mae rhai o'r straeon hyn yn dal ar gof ambell un yn Nyffryn Ogwen o hyd.

3. *The North Wales Chronicle*, Medi 16 1971.

4. Noel Lloyd ei hun a adroddodd yr hanesyn hwn wrthyf.

5. Clywais fod ei ddwy ferch yn byw yn Llandudno ond ni lwyddais i ddod o hyd iddynt.

6. Ifor Bowen Griffith, 'Dawn Wil Gruff i droi pob digwyddiad yn gerdd' yn y gyfres 'Y Byd a'i Bethau', *Yr Herald Cymraeg*, Gorffennaf 22 1985.

7. Cofiaf iddo ofyn i mi un tro fynd i nôl sachaid o fwyd ieir iddo. Roedd uwchben ei ddigon pan gyrhaeddais ei gartref gyda'r bwyd a gofynnodd i mi ei gario drwy'r tŷ at y drws cefn. Wedi agor hwnnw, galwodd ar yr ieir – bob un wrth ei henw – o'r drysni a fu unwaith yn ardd, gan wasgaru'r grawn ar hyd ac ar led a hysbysu'r ieir yr un pryd mai 'dyma'r gŵr caredig oedd wedi dŵad â bwyd iddyn nhw'. Mynnodd eu bod yn dangos eu gwerthfawrogiad i mi a diolch yn llafar i mi am eu hachub rhag llwgu. Â'r hen ieir yn clwcian yn hapus wrth lowcio'r grawn, dehonglodd Noel Lloyd hynny fel eu ffordd hwy o fynegi eu diolch i mi – a diolchodd yntau i'r ieir am eu cwrteisi!

8. Ystyriwyd y stori'n ddigon pwysig i gael ei chynnwys yn *The North Wales Chronicle*, Ionawr 12 1912.

9. Gweler Nodyn 6 uchod.

10. Dyma'r cwpled a dorrwyd ar garreg fedd William Griffith ym Mynwent Ymneill-tuol Coetmor, Bethesda, a hynny'n briodol iawn o ystyried mai'r bardd ei hun a'i cyfansoddodd, wrth gwrs. Ond mae stori ddiddorol ac iddi arwyddocâd arbennig y tu ôl i'r arysgrif ar fedd William Griffith. Yn ystod y 1940au roedd William Griffith yn dioddef yn enbyd o'r diciâu (neu'r darfodedigaeth), a barai gystudd hir a phoenus i hen ac ifanc fel ei gilydd – a doedd dim gwella ohono. Tybiai'r bardd fod y diwedd yn agosáu ac arswydai'r gwaedlif olaf o'r ysgyfaint y clywsai gymaint o sôn amdano. Nid oedd ei gyflwr meddyliol yn caniatáu iddo aros am y farwolaeth naturiol boenus ac arteithiol a oedd o'i flaen, a daeth y diwedd annisgwyl ac anamserol ar Ionawr 7, 1946. Roedd yn 66 oed. O gofio, felly, am ddiwedd annhymig y bardd, nid oedd y cwpled ar ei garreg mor addas â hynny!

Roedd yn amhriodol, hefyd, o ystyried bod ei ferch, Morfudd (Bucknall), wedi bwriadu i englyn o waith Glan Rhyddallt (Isaac Samuel Lloyd) gael ei dorri ar garreg fedd ei thad. Cyhoeddwyd yr englyn hwnnw, gyda llaw, yn *Yr Herald Cymraeg*, Ionawr 14 1946, t.8., o fewn dyddiau i farw'r bardd – ymddangosodd ar waelod y golofn yn adrodd hanes y cwest a gynhaliwyd ar William Griffith gan Mr Hughes Evans, Crwner Rhanbarth Gogledd Sir Gaernarfon.

> Dowch, ddefaid, uwch ei ddufedd – hir wylwch
> Ar wely'ch bardd llwydwedd;
> Ing i enaid cynghanedd
> Yw'r 'Hen-barc' yng ngraean bedd.

Achosodd yr amryfusedd hwn loes i Morfudd ar hyd y blynyddoedd y bu'n byw yn Affrica. Erbyn heddiw, mae'n byw yn Rachub, ger Bethesda, ac ar ei chais ryw bedair blynedd yn ôl, cefais y fraint o drefnu bod carreg fedd newydd yn cael ei gosod ar William Griffith – a'r englyn, nid y cwpled, sydd i'w weld arni heddiw.

11. Ni lwyddais i olrhain cywirdeb na gwirionedd *pob* elfen o'r stori hon ac mae'n eithaf posibl fod ambell wedd arni yn ffrwyth dychymyg 'pobol Pesda'. Yr hyn y deuthum o hyd iddo, fodd bynnag, oedd y paragraff a ganlyn, dan bennawd newyddion 'Bethesda' yn *Yr Herald Cymraeg*, ddydd Mawrth, Hydref 29 (t. 5) ac eto yn rhifyn Tachwedd 5, 1929 (t. 9):

> Ymddiheurad – Drwg gennym i'r penillion a gyhoeddwyd yn yr *Herald Cymraeg* am Hydref 1, dan y pennawd, 'Er cof am Fuwch o'r enw Mollie Lloyd' achosi blinder i Mr Noel Lloyd, Bodlondeb, Bethesda. Nid oedd dim ymhellach o'n meddwl nag achosi poen i Mr Lloyd ac ymddiheurwn yn ddiffuant iddo. Y mae gofal Mr Lloyd am anifeiliaid yn hysbys a'i

garedigrwydd yn nodweddiadol. Fel praw o gywirdeb ein hamcan, talwn swm i Mr Lloyd i'w danysgrifio at gymdeithas neu gymdeithasau sy'n gofalu am anifeiliaid – Gol.

Hoffwn ychwanegu sylw neu ddau yng ngoleuni'r datganiad uchod ar ran *Yr Herald Cymraeg*:

1. Nid oes unrhyw gyfeiriad ynddo fod y Lloydiaid wedi mynd i gyfraith ynghylch yr achos.
2. Mae'n amlwg mai Noel, ac nid ei dad, a gwynodd am y gyhoeddi'r gerdd.
3. Yr hyn sy'n creu mwy o ddryswch a dirgelwch, fodd bynnag, ydi'r cyfeiriad at y ffaith fod y gerdd wedi'i chyhoeddi yn rhifyn Hydref 1 o'r papur. Chwiliais yn ofalus iawn drwy bob tudalen o'r rhifyn hwnnw ond ni chanfûm Mollie Lloyd! Chwiliais hefyd nifer o rifynnau cyn ac ar ôl Hydref 1 ond doedd dim hanes o Mollie druan yn unman! Mae brith gof gennyf i rywun ddweud wrthyf flynyddoedd yn ôl fod perchnogion y papur wedi cael achlust am gynddaredd y Lloydiaid ac wedi llwyddo i dynnu'r rhan fwyaf – ond nid y cyfan – o rifynnau'r papur yn cynnwys y gerdd oddi ar y farchnad mewn pryd ac wedi mynd ati i gyhoeddi rhifyn 'newydd' – *heb* y gerdd. Ni lwyddais i brofi ai gwir hyn ai peidio.

NOW GWAS GORLAN, ROBIN GWAS BACH GORLAN, A NOW BACH GLO

Gorlan y nofel ydi pentref bach y Gerlan ar y llethrau uwchlaw Bethesda. Codwyd y rhan fwyaf o'r tai yno ar ffurf strydoedd teras yn dilyn gwerthu hen stad Ciltrefnus yn 1864. Ychydig iawn o anheddau oedd yno cyn hynny – Stryd Glanrafon, Stryd Fron-bant, a dyrnaid o dai y daethpwyd i'w galw, ymhen amser, yn 'Hen Gerlan'. Datblygodd y pentref yn gyflym iawn ar ôl 1864 ac fel y dylifai'r gweithlu o ddarpar-chwarelwyr i'r ardal, diwallwyd eu hanghenion crefyddol drwy godi dau gapel – Treflys gan yr Annibynwyr yn 1866 ac yna Capel y Gerlan gan y Methodistiaid Calfinaidd ddwy flynedd yn ddiweddarach. Gellir gweld y ddau gapel yn y llun isod: Treflys (a chwalwyd yn 1974) ar y chwith a Chapel y Gerlan (a ddiflannodd yn 1993-94) ar y dde.

Codwyd ysgol hefyd yng nghanol y pentref – Ysgol y Gerlan. I hon, a oedd yn ysgol Eglwys, y daeth Thomas Jervis yn brifathro yn 1889, cyn symud yn 1912 i Ysgol Glanogwen ar lawr y dyffryn lle'r oedd Caradog eisoes yn ddisgybl. Gallasai Caradog fod wedi symud i Ysgol y Gerlan, wrth gwrs, pan symudodd ef a'i deulu i fyw i'r ardal ond aros yn Ysgol Glanogwen a wnaeth nes iddo adael i fynd i Ysgol y Sir ym Medi 1916.

Ond yn ardal y Gerlan y treuliodd Caradog Prichard flynyddoedd ei arddegau ac oddi yno y gadawodd i fynd i weithio ar bapurau'r *Herald* yng Nghaernarfon ddechrau'r 1920au. Roedd cymdeithas glòs ryfeddol yn y Gerlan ac, yn naturiol, roedd Caradog yn adnabod y trigolion yn dda, yn enwedig y plant. Un o'r rhai hynny oedd William Richard Davies.

Ardal y Gerlan, Bethesda

Roedd William Richard Davies yn siŵr o fod yn un o'r cymeriadau anwylaf, diniweitiaf a doniolaf a droediodd ddaear Dyffryn Ogwen erioed. Ond prin y byddai unrhyw un yn gwybod amdano wrth ei enw llawn – Wil Rîtsh ydoedd i bawb drwy'r ardal.

William Richard Davies (Wil Rîtsh)

Hanai tad Wil, sef Richard Davies (1866-1945), o Bentraeth, Ynys Môn, ond, fel llawer o Fonwysion eraill, gwelodd frasach byd ar draws y Fenai a chafodd waith yn Chwarel y Penrhyn.

Morwyn ym Mryn Derwen, Bethesda, cartref un o reolwyr y Chwarel, oedd Mary (1869-1932), yn wreiddiol o Lanfairfechan, a daeth Richard a hithau i adnabod ei gilydd yn ddigon da i briodi yn y Swyddfa Gofrestru ym Mangor ar Fai 23 1894. Daethant i fyw i'r Gerlan, lle ganed eu saith plentyn. Rhoes Mary enwau ei chwiorydd a'i brodyr ei hun ar bob un o'r plant: Ellen, a alwyd yn Elin (1895-1975), John, a laddwyd yn y Rhyfel Mawr (1897-1917), Jane (1899-?), William Richard (1902-1977), Mary, a alwyd yn Polly (1904-?), Maggie (1907-1987), ac Annie (1912-1975)[1].

Er iddo fod ar y llyfrau yn Ysgol y Gerlan ac wedyn yn Ysgol Glan-ogwen, ni chafodd Wil Rîtsh fawr o addysg yn ystod ei blentyndod. Rhoes ateb parod iawn unwaith pan ofynnodd rhywun iddo a oedd o wedi bod yn y Cownti Sgŵl: 'Do'n tad – yn cario glo yno i William Edwards'. A phan ofynnwyd iddo a allai siarad Saesneg, meddai Wil: 'Dim ond os ca' i bwyso yn erbyn wal, 'tê!'

A dyna'n union sut un oedd Wil Rîtsh: gŵr ffraeth, doniol, cyflym ei atebion – a'r rheini'n aml yn cuddio rhyw fflach o ddoethineb syml. Clywir ailadrodd 'straeon' Wil Rîtsh o hyd yn Nyffryn Ogwen ac, yn wir, mae rhai ohonynt wedi 'cerdded' i ddyffrynnoedd a mannau eraill ledled Cymru[2].

Byddai Wil yn hoff iawn o adrodd y stori amdano'i hun yn mynd yn hogyn ifanc iawn i chwilio am waith yn Chwarel y Penrhyn, lle'r oedd ei dad yn gweithio, a chael ei holi gan y 'manijyr', ys dywedai Wil. Mae'n amlwg nad oedd Wil yn gwneud fawr o argraff ar y rheolwr a dyna hwnnw'n gofyn iddo:

'Hogyn pwy wyt ti, d'wad?'

'Hogyn Richard Davies, o'r Gerlan,' atebodd Wil.

'Bobol bach', meddai'r manijyr, 'ddoi di byth i 'sgidia dy dad!'

'G'naf, 'n tad,' meddai Wil, 'dw i'n 'u gwisgo nhw rŵan – i 'sgidia fo ydi'r rhain!'

Ond fe gafodd Wil waith yn Chwarel y Penrhyn am gyfnod byr cyn mynd ati i weithio ar wahanol ffermydd lleol yn Nyffryn Ogwen a dyna fu'i yrfa drwy gydol ei oes, gan 'fyw'n ryff' yn bur aml. A doedd dim golwg arbennig o drwsiadus iawn ar yr hen Wil, chwaith – gwisgai gap stabal am ei ben bob amser a welingtons am ei draed â'u topiau wedi eu troi i lawr rhyw bedair modfedd. Byddai pobl yn garedig iawn wrtho yn rhoi ambell gôt, siaced neu drowsus iddo ac wrth grybwyll hynny, cofiaf am stori a adroddodd wrthyf ryw dro. Gŵr go ddylanwadol yn yr ardal yn gofyn iddo fo ryw ddiwrnod blannu rhes neu ddwy o datws iddo. 'Ac yli, Wil,' meddai, 'yn lle rhoi pres i ti, mi gei di'r siwt 'ma gen i – dw i am ga'l gwarad â hi gyda hyn'. Roedd Wil uwch ben ei ddigon ac yn disgwyl yn amyneddgar am wythnosau i gael y siwt. Un diwrnod, ryw fis neu ddau'n ddiweddarach, gwelodd fwgan brain yn un o gaeau'r ardal – yn gwisgo'r union siwt a oedd wedi'i haddo iddo fo. Pan ofynnodd y bonheddwr boldew i Wil y diwrnod wedyn wneud ychydig o chwynnu iddo fo, atebodd Wil ar ei ben: 'Dos i ofyn i'r bwgan brain 'na – iddo fo y rhoist di'r siwt!'

Câi Wil ei fwydo'n dda gan wragedd y ffermydd a rhannai'r bwrdd gyda'r teuluoedd a'u gweision a'u cynorthwywyr ar adegau cynaeafu a chneifio. Un ffarm yr ymwelai'n gyson â hi oedd y Tyddyn Du, ar lethrau'r bryniau y tu ôl i'r Gerlan. Yno, câi groeso cynnes a'i drin fel un o'r teulu gan John Ogwen Thomas a'i briod, Gracie, a'u plant, Nesta, Alun a Gwyn. Cofiai Gwyn hanesyn a glywsai am Wil ymhlith plant yr Ysgol Sul yng Nghapel y Gerlan a'r gweinidog yn gofyn i bawb ddweud ei adnod. Hogan fach o flaen Wil yn dweud 'Cofiwch wraig Lot' a'r unig 'adnod' a ddaeth, fel mellten, i ben Wil oedd: 'Cofiwch finna ati hi hefyd!'.

Bu Wil hefyd yn was bach yn Gerlan Ffarm ac ychydig lathenni oddi wrth yr ysgol, ar yr un ochr i'r ffordd (safle stad fach o dai erbyn heddiw), yr oedd buarth a thai allan y ffarm. Roedd Wil yn clywed 'oglau'r baw buwch o iard yr ysgol', fel y dywedodd wrthyf un tro.

Buarth a thai allan Gerlan Ffarm

Bron dros y ffordd i Ysgol y Gerlan safai'r ffermdy ei hun – Gerlan Ffarm (ac nid Gerlan *Farm* Seisnigaidd, gyda llaw). Yn llun y ffarm isod, gwelwn do sied ar oleddf tua chanol y llun – dyna'r 'llofft stabal' yr oedd Wil, a gweision eraill, wedi cysgu ynddi laweroedd o weithiau. A dyna, wrth gwrs, lle bu Now Gwas Gorlan a Now Bach Glo yn ymarfer ar gyfer yr ornest focsio gyda Joni Sowth yn *UNOL*.

Mae nifer o'r straeon a briodolir i Wil Rîtsh wedi eu lleoli yn Gerlan Ffarm ac ambell un yn ymwneud â'r ffarmwr, Evan Evans (Ifan Ifans ar lafar i bawb) a'i wraig, Elizabeth Hannah,[3] fel y rhai a ganlyn.

Roedd Ifan Ifans a'r gweision wrthi'n sôn am blant yn cael hwyl a sbort ar lan y môr, yn ymdrochi, gwneud cestyll tywod a chael pas ar gefn mul.

'Chest *ti* 'rioed fynd ar gefn mul, naddo Wil?' gofynnodd Ifan Ifans i Wil a thôn braidd yn ddilornus yn ei lais.

'Naddo, wir, Mistar Ifans,' atebodd Wil, 'ond os dowch chi allan i'r buarth, mi ro' i naid ar eich cefn chi!'

A Mrs Ifans yn gofyn iddo ryw dro wrth y bwrdd yn Gerlan Ffarm:

'Wyt ti isio chwanag o bwdin reis, Wil?'

'Dewadd, oes,' atebodd Wil yn eiddgar.

'Oes *be*?' gofynnodd Mrs Ifans yn ddigon sarrug.

'Oes, os oes 'na beth, 'tê,' atebodd yntau fel chwip.

Gerlan Ffarm

Dro arall, Mrs Ifans yn gofyn yn ddigon cwrtais a meddylgar iddo:

'Sut wyt ti'n licio dy ŵy, Wil?'

'Wrth ochr un arall, os ca i, Mrs Ifans.'

Mae'n rhyfedd iawn mai'r un stori yn *UNOL* sy'n cysylltu nid Now Gwas Gorlan na hyd yn oed Robin Gwas Bach Gorlan, fel y byddid wedi disgwyl ond, yn hytrach, Now Bach Glo efo Mrs Wilias Gorlan ydi'r stori a ganlyn:

A Mrs Wilias Gorlan yn gofyn i Now pan oedd hi'n torri brechdan iddo fo: Gymeri di hi ar hyd y dorth. Now bach? medda Mrs Wilias.

Cymera i, medda Now, ac yn ôl hefyd.

A pawb yn rowlio chwerthin ond Mrs Wilias. Sgowlio arno fo ddaru hi.

Mrs Wilias Gorlan,
sef Mrs Elizabeth Evans

A dyna'n union a ddigwyddodd yn y byd go iawn rhwng Wil Rîtsh a Mrs Ifans Gerlan Ffarm ac mae'r hanesyn yn gyfarwydd o hyd i bobl Dyffryn Ogwen.

Roedd Caradog Prichard a Wil yn adnabod ei gilydd yn dda ac mae'n edrych yn debyg i mi y gallai Caradog Prichard fod wedi ymgorffori elfennau o'r gŵr diddorol hwn mewn *tri* chymeriad yn *UNOL* – Now Gwas Gorlan (a Now Gorlan ar adegau), Robin Gwas Bach Gorlan, a Now Bach Glo – er y gellid dweud mai pur denau yw'r elfennau cymariaethol rhwng Wil a'r un o'r tri.

Gweision ffarm, fel Wil Rîtsh, oedd Now Gwas Gorlan a Robin Gwas Bach Gorlan a bu Wil Rîtsh, yntau, yn gwneud yr un gwaith â Now Bach Glo am gyfnod. Roedd Wil, fel Now Gwas Gorlan, yn cymryd diddordeb mewn paffio (mwy am hynny yn y man). Ond prin y gellid ystyried Wil Rîtsh yn debyg i Now Bach Glo, fel y caiff hwnnw ei ddisgrifio yn *UNOL*: 'meddwyn ... Hen gythraul brwnt ... bob amsar, hyd yn oed pan fydda fo heb gael diod ...' ac ynddo natur greulon eithriadol fel yr adeg y rhoes focs matsys yng ngheg yr eliffant neu pan welwyd ef yn 'stido Pol y Gasag unwaith ar Allt Bryn nes oedd hi dest iawn a syrthio yn y llorpia'. Doedd Wil Rîtsh ddim yn greulon ac ni wnâi niwed i unrhyw greadur.

Benny Roberts a Wil Rîtsh yn cael tipyn o hwyl!

Braint, yn wir, oedd cael adnabod Wil, fel y tystia nifer o drigolion Dyffryn Ogwen hyd y dydd heddiw. Cofia llawer fel y byddai'n gwneud sŵn corned neu drwmped heb i unrhyw offeryn fod yn agos at ei geg – a hynny mor dda nes y byddai pawb yn gofyn am encôr gan yr hen Wil. Cymerai ddiddordeb byw mewn pêl-droed ac fe'i gwelid yn gyson yn gwylio gemau ar y cae lleol ond roedd hefyd yn ddilynwr brwd ar y gornestau paffio y ceid sylwebaeth arnynt ar y radio. Ac fe ddynwaredai safiad rhyw baffiwr neu'i gilydd o flaen llanciau'r pentref a chodi'i ddyrnau mewn ystum amddiffynnol gan ryw ddawnsio'n ffug-heriol o'u cwmpas a chym-ryd arno anelu dwrn – ond heb daro neb erioed.

Mae cofio amdano fel hyn yn ein hatgoffa o'r disgrifiad yn *UNOL* o'r hogia' bach yn mynd 'i weld Joni Sowth yn mynd trwy'i giamocs' ac er mai Now Gwas Gorlan sy'n cael andros o gweir gan Joni Sowth yn y nofel, nid oes unrhyw dystiolaeth i awgrymu fod a wnelo Wil Rîtsh ddim â'r ornest honno, mewn gwirionedd.

Ond deil cof yn fyw am Wil Rîtsh yn Nyffryn Ogwen heddiw gan y cofir ac yr ailadroddir nifer o'r 'straeon' a briodolir iddo. Dyma ddwy neu dair o'r rheini:

'Faint 'dach chi'n 'i godi am wadnu 'sgidia?' gofynnodd Wil i'r crydd un diwrnod.

'Punt,' atebodd y crydd.

'Duwadd,' medda Wil, 'mae hyn'na'n ddrud iawn! Faint fysach chi'n 'i godi am 'u sodlu nhw?'

'Pum swllt,' atebodd y crydd.

'Wel, 'newch chi'u sodlu nhw ar 'u hyd i mi, 'ta!'

Wil Rîtsh tua 1974

'Pan fydda i farw,' meddai Wil un tro wrth un o'r teulu, 'dw i isio i ti addo g'neud un peth i mi.'

'Be' 'di hynny, felly?'

'Gofalu bod 'na ffenestri yn f'arch i – i mi ga'l gweld pwy sy' 'di dŵad i 'nghnebrwn i.'

O'r 1950au ymlaen, bu Wil yn lletya gyda'i chwaer, Elin, yn y Gerlan, a phan fu hi farw yn 1975, aeth i fyw gyda'i chwaer arall, Maggie, ac yn ei chartref hi y bu farw ddydd Gwener, Mai 27 1977, wedi hwrdd o niwmonia, yn 75 oed. Ysgrifennwyd teyrnged fer iddo yn *Llais Ogwan*, rhifyn Mehefin 1977; cyfeiriwyd ato fel y 'gŵr â'r tafod ffraeth a'r dywediadau bachog' nad oedd 'owns o falais yn ei gyfansoddiad' ac ychwanegwyd bod ei 'feddwl chwim a'i hiwmor iach yn ei alluogi i lorio unrhyw ŵr coleg mewn gornest dynnu coes'.

A phrofwyd pa mor drech na'r gwybodusion y gallai Wil fod gyda'r stori glasurol honno sydd wedi 'crwydro' drwy Gymru gyfan. Dau ddringwr – dau Sais – yn cerdded drwy'r Gerlan ac yn dod ar draws Wil, a gofyn iddo sut y gallent gyrraedd yn hwylus at droed un o'r Carneddau. A Wil yn egluro iddynt yn 'i Saesneg gora' ac yn eu cyfarwyddo nhw ora' fedrai. Nhwtha'n diolch iddo fo ac yn ei chychwyn hi ar eu ffordd nes i Wil weiddi ar 'u hola' nhw.

'*If I were you, I wouldn't go up the mountains today.*'

'*Oh! And why shouldn't we go up the mountains today?*'

'*Well,*' medda Wil, '*there's a lot of mist on the mountains today.*'

'*Oh! that's alright,*' medda' un ohonyn nhw'n dalp o bwysigrwydd, '*we have a map.*'

'*Ah! Yes,*' medda Wil, '*but the mist isn't on the map!*'

NODIADAU

1. Bûm yn ffodus iawn i gael hanes William Richard Davies gan ei nai, Richard Lloyd Jones, Bethesda, a'i fab yntau, Gerwyn Llwyd, yn crynhoi'r cyfan mewn dogfen fuddiol iawn.

2. Mwynheais sawl sgwrs efo Wil ac elwais ar wrando arno'n adrodd rhai o'i straeon – a phwy na fedrai eu cofio! At hynny, cymwynas fawr gan Fudiad Adfer yn Nyffryn Ogwen fu cyhoeddi'r llyfryn cyntaf yn Cyfres y Fro, sef *Glywsoch Chi Hon? – Detholiad o ffraethebau a straeon digri o Ardal Bethesda* (Penygroes, 1976). Yn ogystal â straeon Mathew Williams, Thomas Hughes a Dafydd Owen (ynghyd ag adran 'Amrywiol'), cyn-hwyswyd cyfweliad â Wil Rîtsh, yn cael ei holi gan Derfel Roberts, Golygydd cyntaf *Llais Ogwan*.

3. Bu Evan Evans farw ar Fedi 27 1955, yn 63 oed, ac Elizabeth Hannah ar Dach-wedd 11 1962 yn 74 oed. Claddwyd y ddau ym Mynwent Coetmor.

YR 'ODDFELLOWS'

Roedd Cymdeithasau Cyfeillgar yn sefydliadau poblogaidd iawn, wedi eu seilio ar yr egwyddor y gallai gweithwyr wneud cyfraniadau rheolaidd i gronfa ganolog ac yna manteisio ar fudd-daliadau mewn cyfnod o angen. Erbyn chwarter olaf y bedwaredd ganrif ar bymtheg, yn dilyn sêl bendith llywodraeth y dydd ar weithgareddau'r cymdeithasau hyn, roedd oddeutu 27,000 o Gymdeithasau Cyfeillgar wedi eu cofrestru mewn trefi a phentrefi fel ei gilydd drwy wledydd Prydain. Rhyw 200 sydd wedi goroesi i'n dyddiau ni[1].

Cyn sefydlu'r Wladwriaeth Les, y cymdeithasau hyn oedd yr unig ffynhonnell o gymorth ariannol i weithwyr mewn gwaeledd a henaint. Fel arall, byddai llawer wedi gorfod troi at gardota neu dreulio blynyddoedd olaf eu hoes mewn wyrcws.

Roedd chwarelwyr gogledd Cymru yn cefnogi sawl Cymdeithas Gyfeillgar – y Gwir Iforiaid, y Rechabiaid, y Temlwyr Da, a'r Odyddion, er enghraifft. Enw llawn y Gymdeithas olaf a nodwyd oedd yr 'Independent Order of Odd Fellows Manchester Unity Friendly Society'[2]. O ran tarddiad y teitl, un ddamcaniaeth yw iddo godi o'r arfer poblogaidd ar un adeg i ddefnyddio'r gair 'fellow' yn Saesneg am weithwyr yn dilyn yr un grefft. Mewn trefi mawrion, byddai Urdd Crefftwyr ar gyfer gwahanol grefftau ond nid oedd digon o 'fellows' yn y gwahanol feysydd mewn trefi bychain a phentrefi cefn gwlad i ffurfio urddau o'r fath. O ganlyniad, y syniad yw bod Cymdeithas yr Oddfellows (neu'r Odyddion fel y daethpwyd i'w galw mewn rhai cylchoedd yng Nghymru) wedi'i ffurfio i gynnwys pobl – yn wŷr a merched – a oedd yn dilyn crefftau gwahanol o bob math. Ymhen amser, ac am resymau amlwg, 'dybiwn i, unwyd y ddau air a throdd yr 'Odd Fellows' yn Oddfellows!

Ac yr oedd cangen gref o'r Oddfellows ym Methesda. Cawn eu hanes gan Ernest Roberts yn *Cerrig Mân*:

> Sefydlwyd cyfrinfa gyntaf yr Odyddion ym Methesda yn 1839 ac erbyn 1846 roedd ganddynt dros bum cant o aelodau a phum cyfrinfa yn cyfarfod fel a ganlyn: 'Y Penrhyn' a'r 'Victoria' yn y Percival Arms, 'Prince Llywelyn' yn y Sportsman, 'Bethesda' yn y Queens, a chyfrinfa 'Llechid' yn y Red Lion ...[3]

Cynhalient gyfarfodydd rheolaidd a byddent yn gorymdeithio drwy'r pentref yn eu gwisg swyddogol – *sash* glas ac arian, menig gwynion a bathodynnau'n dynodi gwahanol raddau o fewn eu rhengoedd. Ond er yr addurniadau, y teitlau a'r elfennau seremonïol, mae'n rhaid ychwanegu nad oedd unrhyw gyfrinachedd na chudd-weithredoedd yn perthyn i'r Cymdeithasau Cyfeillgar hyn. Un o aelodau blaenllaw'r Oddfellows ym Methesda oedd David D. Evans, Glanrafon, Gerlan (sef Defi Difas Snowdon View yn *UNOL*) a chawn gopi isod o dystysgrif a ddyfarnwyd iddo gan y Gymdeithas:

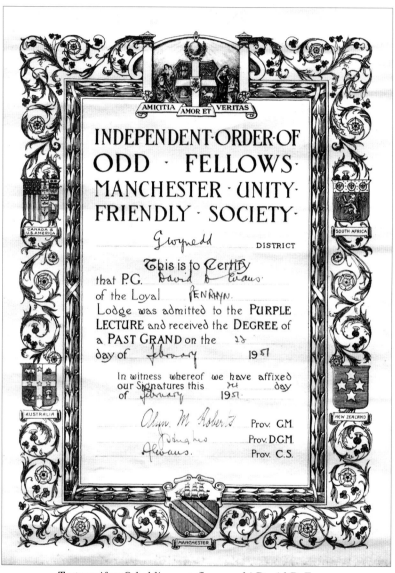

Tystysgrif yr Odyddion a gyflwynwyd i David D. Evans

Dim ond unwaith y cyfeirir yn *UNOL* at yr Oddfellows a hynny wrth ddisgrifio'r orymdaith a ffurfiwyd i anrhydeddu Elwyn Pen Rhes pan enillodd y D.C.M. yn ystod y Rhyfel Mawr:

Ar y blaen yr oedd Band Llanbabo, yna'r milwr dewr a'i deulu yng nghoets Robin Dafydd a'r ... tu nôl i'r goitsh oedd yr Oddfellows, yn martshio fesul dau a dau, a bob un hefo sash las hir dros ei ysgwydd a rownd ei fol.

(Dywedir i'r orymdaith gychwyn o gyffiniau'r Rheinws heibio i Giât yr Eglwys ac ymlaen at Ysgol Pont Stabla – ond ceir rhagor o drafodaeth ar hynny yn y bennod ar 'Elwyn Pen Rhes').

Yr Oddfellows wrth ymyl Neuadd yr Eglwys, Bethesda

Ar y chwith yn y llun uchod, a dynnwyd gyda Neuadd yr Eglwys (lle cynhelid Ysgol y Bechgyn Glanogwen) yn gefndir, saif Thomas Herbert Hughes, Prifathro'r Ysgol ac Ysgrifennydd cyntaf yr Oddfellows ym Methesda. Ar yr ochr dde ym mhen y rhes gefn, saif Robert John Roberts, Llys Llewelyn, Braichmelyn. Roedd ef yn frawd i William Roberts, Y Gornal, sef Bob Car Llefrith yn *UNOL*. Roedd William a John R. yn feibion i John Roberts, saer, adeiladydd ac ymgymerwr, a chwmni Roberts a Williams, fel mae'n digwydd, a gododd Dŷ Gweinidog Capel y Cysegr ym Methel, ger Caernarfon, yn 1902 – cartref presennol awdur y gyfrol hon a'i deulu.

Y pumed o'r chwith yn y rhes gefn yw John R. Jones, Pant, Bethesda, awdur dramâu poblogaidd iawn yn ei ddydd. Yn *Byd a Bywyd Caradog Prichard*, adroddais hanes Caradog yn gofyn i'r gŵr hwn (a oedd yn cyfoesi ac yn cydweithio â'i dad):

> 'Dwedwch i mi, John Jones,' meddwn i wrtho ar ôl yr oedfa. 'Oedd fy Nhad yn Fradwr?'
> Sythodd corff talgryf John Jones a daeth y mellt i'w lygaid. 'Yr argian fawr, nagoedd,' meddai. 'Roedd dy dad a finna i fyny acw yn Nhy'n y Maes hefo caib a rhaw ac yn torri metlin, yn hytrach na mynd yn ôl. Paid di â gwrando ar neb sy'n siarad ffasiwn lol.'[4]

Ond ofnaf mai gwrando a wnaeth y dyn papur newydd yn Caradog!

NODIADAU

1. Am hanes y Cymdeithasau Cyfeillgar, gweler www.friendlysocieties.co.uk
2. Am ragor o fanylion, gweler www.oddfellows.co.uk
3. Gw. Ernest Roberts, *Cerrig Mân* (Dinbych, 1979), t. 64.
4. Gw. *Byd a Bywyd Caradog Prichard*, tt. 18-19.

PREIS SGŴL A'I DEULU

Y cyfeiriad cyntaf at Preis Sgŵl yn y nofel yw pan sonnir amdano'n dychwelyd 'o Blw Bel ar ôl amsar chwara a'i wynab o'n goch fel cratsian' ac yn mynd

> o'i go, a dechra waldio pawb. Digwydd bod ar ffordd ei bastwn o ddaru Huw a finna. Ond welson ni mono fo ar ôl iddo fo fynd i Standard Ffôr i nôl Jini Bach Pen Cae a mynd a hi efo fo trw'r drws pella nes aeth y gloch amsar cinio,

a chyfeiriad arall ymhellach ymlaen:

> Ar ôl amsar chwara oedd hi a Preis Sgŵl wedi bod yn Blw Bel a'i wynab o'n goch ond tempar reit dda arno fo hefyd, a ddaru o ddim stido neb.

Does gen i ddim sail i brofi na gwrthbrofi'r arferion honedig hyn mewn perthynas â'r prifathro go iawn y seiliwyd Preis Sgŵl arno. Yr hyn sy'n eithaf tebygol yw bod Caradog Prichard wedi gwneud defnydd dramatig o'r wybodaeth leol a glywsai fod y prifathro go iawn yn hoff o godi'i fys bach (er nad yn ormodol felly). Hyd y gwn i, nid oes unrhyw sail, chwaith, yn y byd go iawn i'r ensyniad a wneir o safbwynt perthynas Preis Sgŵl â Jini Bach Pen Cae; yn sicr, ni chanfûm i unrhyw dystiolaeth i'r perwyl hwnnw yn erbyn y gŵr go iawn, sef Thomas Jervis. Yn wir, i'r gwrthwyneb, ni chlywais ond y gair gorau amdano gan bawb a fu dan ei ofal yn yr ysgol.

Ganed Thomas Jervis yn 1858 ym Mhenisarwaun, plwyf Llanddeiniolen. Symudodd i Fethesda o Sir Fôn lle'r oedd wedi bod yn brifathro Ysgol y Bwrdd, Pen-sarn, ger Amlwch, er 1877. Tra oedd yno, cyfarfu ag Eliza, merch y Croesau Gwynion, a phriodwyd y ddau ar Awst 4 1882.

Yn Nhŷ'r Ysgol, Pen-sarn, yr oeddent yn byw ac yno y ganed eu pum plentyn cyntaf: Jane, a aned ar Fehefin 10 1883 (ac a fu farw ar Dach-

Thomas ac Eliza Jervis

wedd 20 yr un flwyddyn); John Thomas, Awst 22 1884; Elizabeth, Ionawr 25 1886; Thomas Fanning, a aned ar Orffennaf 26 1887 (ac a fu farw ar Fawrth 21 y flwyddyn ganlynol) a Jane Ellen, Ionawr 14 1889[1].

Y flwyddyn honno (1889), cafodd Thomas Jervis, a oedd tua 31 oed, ei benodi'n Brifathro Ysgol y Gerlan, Bethesda. Ysgol Eglwys oedd hon ac yn gweddu i'r dim iddo ac yntau'n eglwyswr mawr.

Llun diweddar o ran o Ysgol y Gerlan

Profodd awyr iach Eryri yr un mor llesol i Thomas ac Eliza gan iddynt gael saith plentyn arall yn y Gerlan: Thomas Thomas, a aned ar Ragfyr 16 1890 (ond a fu farw ar Orffennaf 7 1892); Mary Eunice, Gorffennaf 24 1892; Owen Thomas, Gorffennaf 7 1893; Catherine Avarina, a aned ar Fehefin 29 1894 (ac a fu farw ar Fedi 3 yr un flwyddyn); Robert, a aned ar Ragfyr 22 1895 (ond a laddwyd yn Ffrainc ar Ionawr 20 1916); Gwen Gertrude, Gorffennaf 16 1897, ac Ellis Morris (na chofnodwyd ond ei enw'n unig ym Meibl y Teulu). Roedd Thomas Jervis wedi cofnodi dyddiad marw ei briod ar ymyl tudalen yn y Beibl: 'Eliza (Mama) died 4 April 1921'.

Ysgol gymharol fach oedd Ysgol y Gerlan o'i chymharu â'r ysgol eglwys ar lawr y Dyffryn, sef Ysgol Glanogwen. Cynhelid honno mewn dau adeilad – y naill ar gyfer yr 'infans' a'r genethod (gyda D. P. Williams yn brifathro) a'r llall yn ysgol i'r bechgyn yn unig.

Yn ôl arfer y cyfnod, byddai'r bechgyn yn trosglwyddo o'r 'infans' i 'Standard Wan' yn Neuadd yr Eglwys (y 'Church House' gan y trigolion lleol) a dyna a ddigwyddodd yn hanes Caradog Prichard pan oedd tua chwech oed. Yno y cynhelid ysgol y bechgyn dan arweiniad y prifathro T. Herbert Hughes – disgrifia Caradog ef fel 'hen ŵr ffeind … caredig ond cyfiawn … yn fawr ei barch a'i glod bob amser gan ei ddisgyblion'[2].

Ond daeth newidiadau yn 1911. Ac yntau wedi cyrraedd oed ymddeol, bu'n rhaid i Herbert Hughes roi'r gorau i'w waith – er gwaethaf pledio taer o sawl cyfeiriad iddo gael parhau yn ei swydd. Yn ei gyfarfod ffarwel, anrhegwyd ef ag 'awrlais, hinfynegydd a phwrs'. Wrth ddiolch, dywedodd Herbert Hughes 'ei fod yn falch fod cymaint o'i hen ddisgyblion yn byw i fyny i arwyddair ei ysgol "Gwnewch eich dyletswydd ym mha le bynnag y gwnelo Duw yn dda eich arwain".' Pan fu farw ddechrau Rhagfyr 1921 yn 75 oed, claddwyd ef ym Mynwent Glanogwen, Bethesda[3].

T. Herbert Hughes

Neuadd yr Eglwys lle'r oedd Ysgol y Bechgyn Glanogwen

Cafodd ymddeoliad Herbert Hughes effaith fwy pellgyrhaeddol, hefyd. Penderfynwyd cau ysgol y bechgyn yng Nglanogwen a ffurfio un ysgol – yr 'infans' a'r genethod a'r bechgyn – i gyd dan yr unto[4]. Symudodd Thomas

Jervis o Ysgol y Gerlan yn 1912 i ymgymryd â'i ddyletswyddau newydd yn Brifathro Ysgol Glanogwen. Disgrifia Caradog Prichard ef yn *YRhA*:

> Gŵr byrgoes a byr ei dymer oedd Jervis, a disgyblwr llym, fel y dysgais fwy nag unwaith, yn ddigon costfawr.[5]

Dim ond un llun sydd wedi goroesi (hyd y gwn i) o Caradog yn blentyn yn yr ysgol – ef yw'r ail o'r dde yn y rhes flaen yn y llun isod (a dynnwyd tua 1909, mae'n debyg) o blant bach Ysgol Glanogwen. Mae lle i gredu mai ei gyfaill, Georgie Bach (fel y geilw Caradog ef), yw'r bachgen bach eiddil yr olwg â chap am ei ben ar yr ochr chwith yn y tu blaen. Fe allai Moi yn *UNOL* fod wedi ei seilio ar y bachgen bach gwantan hwn, a 'fu farw'n bedair ar ddeg' meddai Caradog Prichard yn *ADA*[6] ond 'Bu farw yn un ar bymtheg oed' a welodd Caradog ar garreg ei fedd ym Mynwent Coetmor, yn ôl a ddywed yn *YRhA*[7]. Ceir mwy o drafodaeth ar y ddamcaniaeth hon yn y bennod ar 'Huw a Moi' ond, hyd yma, ni lwyddwyd i ddod o hyd i unrhyw wybodaeth amdano.

Dosbarth yr 'Infans' yn Ysgol Glanogwen, tua 1909

Ac isod dyma lun 'Rysgol'. Roedd yn sefyll ar ochr y lôn bost, gydag Eglwys Glanogwen y tu ôl iddi. Ar y dde (ond ychydig y tu allan i'r llun hwn), roedd Porth neu Giât yr Eglwys ac yna'r rhodfa yn arwain at yr

Ysgol Glanogwen

Eglwys. Roedd llwybr cul yn arwain wedyn o'r Eglwys drwy gae bychan yn union at gefn yr ysgol.

Er nad yw daearyddiaeth yr ardal yn gwbl gywir bob amser yn y nofel, mae'r hogyn bach yn disgrifio'n glir sut y cyrhaedda'r ysgol yn y bore. Pan ddaw at giât uchaf y fynwent ar lôn Pant-glas, y tu ôl i'r Eglwys, 'dim ond mynd trwy Fynwant i Lôn Bost ... ac oeddan ni yn Rysgol'. A chawn ddisgrifiad o wers undonog gan y prifathro:

> Geography oeddan ni'n gael gen Preis, ac oedd o wedi bod yn tynnu llun map o Affrica ar y blacbord a wedi bod yn deud wrthan ni gwlad mor boeth oedd hi, yn llawn o bobol dduon, a rheiny weithia'n bwyta'i gilydd, a'r haul yn twnnu ar eu penna nhw trwy'r dydd, o fora tan nos. Wedyn mi aeth i ddeud hanas Doctor Livingstone yn pregethu am Iesu Grist wrth y canibaliaid a mynd ar goll yn y coed ...

Ac eithrio'r sôn ei bod yn oer yn yr ysgol ac yntau'n falch 'pan ganodd y gloch inni fynd allan i chwara, er mwyn imi gael cnesu' a'i fod yn 'eistadd yn Rysgol a nhraed i'n wlyb achos bod fy sgidia i'n gollwng dŵr', a'r crybwyll ei fod yn galw 'yn lle Doctor Pritchard ar ffordd o Rysgol', mae dwy olygfa bwysig yn *UNOL* mewn perthynas â 'Rysgol'. Hanes Wil Elis Portar yn torri'i wddw yn y tai bach (a oedd y tu ôl i Ysgol Glanogwen) yw un, a thrafodir honno yn y bennod ar 'Wil Elis Portar'. Crybwyllir 'Wilias Bach o Standard Ffôr' fel yr un a aeth gyda'r prifathro i'r tai bach i weld beth oedd wedi digwydd i Wil Elis; mae'n debyg mai ef sy'n eistedd â'i freichiau ymhleth wrth ymyl Thomas Jervis yn y llun hwn o staff yr ysgol tua'r un cyfnod.

215

Thomas Jervis (ar y chwith yn y rhes flaen)
a 'Wilias Standard Ffôr' wrth ei ymyl

Y brif stori, fodd bynnag, sy'n ymwneud â Preis Sgŵl yn *UNOL* yw'r darlun bythgofiadwy hwnnw pan ddaw'r Canon i dorri'r newydd i'r prifathro fod ei fab, a elwir yn Bob Bach Sgŵl yn y nofel, wedi cael ei ladd yn Ffrainc. Ac meddai Caradog Prichard yn *YRhA*:

> Ceisiais yn fy nofel *Un Nos Ola Leuad* ddisgrifio fel y daeth Canon Jones i'r ysgol i dorri'r newydd trist i Mr Jervis ac fel y syrthiodd yntau ar ei liniau o'n blaen ac adrodd y Salm: 'Duw sydd noddfa a nerth i mi, cymorth hawdd ei gael mewn cyfyngder'.

Dyma sut yr adroddodd Caradog Prichard y stori yn *UNOL*:

> ... dyma fo'n mynd i eistadd with y ddesg yn ddistaw bach heb i Preis ei glywad o'n dŵad o mewn a rhoid ei het gantal fflat ar y ddesg ac eistadd yn y gadar a sychu chwys oddiar ei dalcan efo hancaits bocad fawr wen. Wyddai Preis ddim i fod o yno er nad oeddan ni ddim yn gwrando, a phawb yn sbïo ar Canon nes i Preis droi rownd wrth i glywad o'n pesychu.
>
> Wedyn dyma fo'n stopio siarad am y Jyrmans efo ni a cherddad yn slo bach at y gadar lle roedd Canon yn eistadd. Roedd Canon ddwywaith cyn dalad a Preis Sgŵl pan ddaru o godi o'r gadar, a'r ddau'n siarad efo'i gilydd yn ddistaw bach am yn hir iawn, a Canon yn gafael yn ei law o efo'i law dde a rhoid ei law chwith ar ei ysgwydd o. A ninna'n methu dallt beth oedd yn bod nes i Canon eistadd i lawr a sychu chwys oddi ar ei dalcan unwaith eto, a Preis

yn cerddad yn ôl yn slo bach atom ni a deud bod Bob Bach Sgŵl wedi cael ei ladd gan y Jyrmans.

Ond dyna beth ddaru godi ofn arnom ni, i weld o'n syrthio ar ei bennaglinia ar lawr a rhoid ei ddwylo wrth ei gilydd fel tasa fo'n mynd i ddeud ei badar. A'i lygaid o wedi cau a dagra'n powlio i lawr ei foch o. Dew, anghofia i byth be ddwedodd o chwaith. Mi es i adra'n syth o Rysgol, a wnes i ddim symud o'r tŷ tan nes oeddwn i wedi dysgu'r geiria i gyd, a Bob Car Llefrith yn rhoid chwech imi yn Rysgol Sul wedyn am eu hadrodd nhw drwodd heb ddim un mistêc.

Duw sydd noddfa a nerth i ni, medda Preis a'i lygaid wedi cau a'r dagra'n powlio, cymorth hawdd ei gael mewn cyfyngder ...

Ac fel y nodais yn *Byd a Bywyd Caradog Prichard*[8], dyna'n union a ddigwyddodd. Mae'r hanesyn yn y nofel yn agos iawn, iawn at yr hyn a ddigwyddodd go ddifri. Roedd Caradog ychydig dros ei un ar ddeg oed pan ddigwyddodd y 'ddrama' deimladwy hon yn Ysgol Glanogwen a'm mam innau, bron yn wyth oed ar y pryd, yn yr un ystafell yn union ac yn ysu – fel y dywedodd wrthyf laweroedd o weithiau – am gael rhedeg at y Prifathro trallodus a rhoi ei breichiau amdano i gydymdeimlo ag ef.

Roedd Robert Jervis neu Bob fel y câi ei alw (a Bob Bach Sgŵl, wrth gwrs, yn *UNOL* – un o'r ychydig gymeriadau yn y nofel a gaiff ei enw iawn gan Caradog Prichard) ddwy flynedd yn iau na'i gyfeillion yn yr un dosbarth ag ef yn Ysgol y Sir. Dyfarnwyd iddo ysgoloriaeth y sir o £20 ac ysgoloriaeth coleg o £15 am dair blynedd, i fynd i Goleg Prifysgol Bangor ond roedd wedi ymuno â'r Fyddin cyn gorffen ei gwrs yno. Yn ôl ei gyfnither, Gwen Thomas, o Gemaes, Ynys Môn, aethai Bob 'i Landudno, [lle daeth] yn aelod o Fyddin Gymreig y Cadfridog Owen Thomas, Cemaes, a Lloyd George, mae'n debyg, ac o'r fan honno aeth i Ffrainc'. Ac, wrth sôn am hyn, mae'n berthnasol i ni gofio mor flaengar fu Thomas Jervis, tad Bob, ynghyd â'r Canon R. T. Jones (ac eraill), yn yr ymgyrch recriwtio yn Nyffryn Ogwen – ac mor eironig fu i'r ddau golli eu meibion yn y Rhyfel Mawr ac i'r Cadfridog Owen Thomas golli *tri* mab.

Ddydd Llun, Ionawr 24 1916, y cyrhaeddodd y newydd i'r ardal fod Bob Jervis wedi

Bob Bach Sgŵl,
sef Robert (Bob) Jervis

cael ei ladd y dydd Iau blaenorol, Ionawr 20, ac yntau ond yn 20 oed. Roedd newydd gael gwybod ei fod wedi'i benodi'n swyddog gyda'r 13th Batt. R.W.F. ac ar fin cychwyn yn ôl i Gymru i ymgymryd â'i ddyletswyddau newydd pan gafodd ei ladd yn ddamweiniol gan un o'i gyd-filwyr mewn ymarfer taflu grenadau llaw. Derbyniodd ei rieni'r neges a ganlyn oddi wrth uwch-swyddog eu mab:

> It is with very great regret that I have to inform you of the death by accident of your son Robert, who was killed owing to the premature explosion of a bomb. Your son and another died shortly afterwards from serious wounds to the head. They were both buried with due ceremony in the little British cemetery close by. I deeply regret the loss of your son, who has always been a good and steady lad, and I understand that he had just been gazetted a second-lieutenant and would have proceeded home in a few days to take up his new duties; this makes it all the more sad. I tender to you and your family my sincerest sympathy. Your consolation is to know that your son died at his post doing his duty for his King and his country just as though he had been killed in action.[9]

Yn yr adroddiad am ei farw yn *Yr Herald Cymraeg* ddydd Mawrth, Chwefror 1 1916, dyma'r geiriau olaf:

> Er yn meddu ar dalent loyw ac athrylith disglair yn ddiamau, coron ei fywyd oedd ei gymeriad dilychwin. Cerddodd lwybr bywyd yn unionsyth a diargyhoedd, ac yr oedd iddo air da gan bawb yn yr ardal. Chwith colli cyfaill ieuanc diymhongar ac ysgolor gwych, y llenor coeth a'r Cristion gloyw.

Claddwyd Bob Jervis ym Mynwent Filwrol Le Touret, Richebourg-L'Avoue, Pas de Calais, Ffrainc, ac wedi'i gerfio ar garreg ei fedd: 'Gwell angau na chywilydd'.

Geiriau canmoliaethus sydd gan Caradog Prichard amdano: 'Bachgen talentog ... Bachgen addfwyn oedd Bob'[10], ac roedd yn ymwybodol ei fod yn fardd addawol iawn. Enillasai Goron (ac nid Cadair fel y tybiai Caradog) yn Eisteddfod y Plant (a sefydlwyd gan y Parchedig Rhys J. Huws) ym Methesda ym mis Chwefror 1912. Yn 1913, allan o bump o ymgeiswyr, dyfarnwyd ef gan y beirniad, R. Williams Parry, yn Brif Lenor y Plant yn Eisteddfod Llannerch-y-medd, Môn, ac enillodd gadair dderw hardd â 'Gwell gallu na golud' wedi'i gerfio arni – a dyna'r Gadair y meddyliai Caradog amdani, wrth gwrs. Adroddwyd yn *Y Cloriannydd* am seremoni'r cadeirio:

Daeth Llew Llwydiarth ymlaen fel Archdderwydd a galwodd ar Myfyr Môn yn gofiadur. Yna galwodd Myfyr Môn ar lu o'r beirdd, sef Eos Môn; Ap Ehedydd; Ioan yr Argraffydd; Cuhelyn Môn; J. A. Parry; Gwilym Ceinion; Gwilym Owen; Miss Prydderch, Post Office; Parch Trevor Jones; J. Davies; O. Thomas; R. Morris; a D. Lewis, ac amryw eraill.

Darllenwyd y feirniadaeth gan Mr Williams Parry a chyhoeddodd mai 'Arfon' oedd y buddugol o lawer yn ei ddyfarniad ef. Wedi hynny archodd Llew Llwydiarth ar i'r buddugol godi ar ei draed. Galwodd dair gwaith a chododd llanc ieuanc i fyny ar y drydedd waith yn y dorf.

Cludwyd ef i'r llwyfan gan Cuhelyn Môn ac Ioan yr Argraffydd, tra oedd Gwilym Owen yn chwythu y corn gwlad ...[11]

Yn 1922, chwe blynedd ar ôl colli'i fab, ymddeolodd Thomas Jervis o'i swydd yn brifathro Ysgol Glanogwen. Bu farw ar Dachwedd 29 1933 yn 76 oed. Claddwyd ei weddillion ym Mynwent Goffa Robertson yng Nghoetmor, Bethesda, ac ar ei fedd gwelir nodau'r Seiri Rhyddion.

Bedd Thomas Jervis

Ac yn dilyn y cyfeiriad uchod at y Seiri Rhyddion, mae'n briodol nodi i Thomas Jervis gael ei dderbyn i Gyfrinfa St Eleth yn Amlwch pan oedd yn ddwy ar hugain oed a chafodd ei godi'n Hybarch Feistr yn 1887. Cawsai hefyd ei dderbyn yn aelod yng Nghyfrinfa Sant Eilian yn Amlwch yn 1885 pan sefydlwyd hi, ac ef oedd ei Hysgrifennydd cyntaf a hynny pan nad oedd ond yn saith ar hugain oed. Gwerthfawrogid ei wasanaeth i'r fath raddau nes y pwyswyd arno i aros yn aelod yn Amlwch pan gafodd ei benodi'n brifathro ym Methesda – a chynigiwyd talu ei gostau teithio i groesi'r Fenai![12] Parhaodd yn aelod yn y ddwy Gyfrinfa hyd ddiwedd ei oes. Mae'r darlun a ganlyn ohono'n dal ynghrog ar y mur yn y Gyfrinfa yn Amlwch hyd heddiw ac atgynhyrchir ef yma gyda chaniatâd caredig swyddogion y sefydliad hwnnw.

Thomas Jervis – Hybarch Feistr Seiri
Rhyddion Cyfrinfa St Eleth, Amlwch

*   *   *

Caewyd Ysgol Glanogwen oddeutu 1936-37, pan drosglwyddwyd y disgyblion i Ysgol Pen-y-bryn a godwyd dafliad carreg oddi wrth Llwyn Onn lle ganed Caradog Prichard ac a agorwyd yn 1937. Bu hen adeilad Ysgol Glanogwen yn wag am flynyddoedd wedyn ond ddechrau'r 1960au penderfynwyd ei chwalu ac adeiladu Clinig Iechyd ar y safle. Agorwyd y Clinig hwnnw ym mis Gorffennaf 1965 gan un o feibion y fro, sef yr Arglwydd Goronwy-Roberts, un o gyfeillion bore oes Caradog Prichard. Mae'n werth nodi i'r Clinig fod dros y ffordd fwy neu lai i gartref Amelia Roberts, mam Goronwy (a oedd yn Weinidog Gwladol dros Gymru ar y pryd) a chwaer i William Griffith, Hen-barc, awdur 'Defaid William Morgan' a 'Mollie Lloyd'. Roedd Amelia Roberts o fewn mis i fod yn 88 oed pan wyliodd ei mab yn dadorchuddio'r plac ar fur y Clinig newydd.

Ond er i'r newydd gymryd lle'r hen, ac i blant ac oedolion gwahanol ddod i gael sylw ar y safle, ni ddiflannodd *pob* tystiolaeth weladwy o Ysgol Glanogwen. Cwmni lleol Vivian Tocker, o Dregarth, a gyflawnodd y gwaith o ddymchwel yr hen ysgol ond mor braf yw cael adrodd i Brian, mab perchennog y cwmni, weld gwerth mewn cadw yn hytrach na difa. Gwyliai Brian y gweithwyr wrthi'n dymchwel tŵr bychan ar ochr dde'r adeilad (gweler llun yr ysgol uchod) – tŵr cloch yr ysgol, wrth gwrs. Roedd y gloch, a gawsai ei chanu'n rheolaidd am dros gant o flynyddoedd, yn dal yn gadarn yn ei lle. Penderfynodd Brian yn syth ei fod am gadw'r gloch ac erys yn ei feddiant hyd y dydd heddiw yn ei gartref ym Mynydd Llandygái. Bu'n garedig iawn yn caniatáu i mi dynnu ei llun. Dyma'r geiriau arni:

Ysgol Glanogwen
Llanllechyd [*sic*] 1851
Deuwch – Dysgwch.

NODIADAU

1. Cefais gyfoeth o ddeunydd a chefndir teuluol Thomas Jervis gan ei nith, Gwen Thomas, Cemaes, Ynys Môn, sydd wedi chwilota'n drylwyr i hanes a chefndir aelodau'r teulu ac wedi cyhoeddi erthyglau am ei chefnder, Robert (Bob) Jervis, ym mhapur bro ei hardal, *Yr Arwydd*, rhifynnau Tachwedd (t.15) a Rhagfyr (t.16) 1991

2. *YRhA*, t. 11.

3. Cofnodion Claddedigaethau ym Mhlwyf Glanogwen, Bethesda, 1890-1924.

4. Yn *Y Perl*, Rhif 1912, Awst 1912, cyhoeddwyd manylion am yr ad-drefnu dan y pennawd, 'Ysgolion Dyddiol Glanogwen a'r Gerlan':

> Oherwydd lleihad yn nifer poblogaeth y plwyf, a nifer gormodol yr Ysgolion, y mae Pwyllgor Addysg y Sir wedi penderfynu gwneud cyfnewidiadau pwysig er mwyn lleihau y gost o'u cynnal ac, ar yr un pryd, ychwanegu at effeithioldeb yr addysg a gyfrennir ganddynt. Anfonwyd scheme at Lywodraethwyr Ysgolion Glanogwen a'r Gerlan, yn awgrymu y cyfnewidiadau a'r gwelliannau canlynol:
>
> I
>
> 1. Fod y plant yn Ysgol y Bechgyn i gael eu trosglwyddo i Ysgol y Genethod.
> 2. Fod y Safonau uchaf, V, VI, VII, o'r Gerlan, i gael eu trosglwyddo i Ysgol y Genethod.
> 3. Y Safonau i gyd sydd yn Ysgol y Genethod i aros yno.
> 4. Ysgol y Babanod i fod fel y mae yn bresennol.
>
> II
>
> Staff yr Ysgol Gymysg: Prif Athraw – Mr Jervis; Is-Athraw (trwyddedig) – i gael ei benodi; Is-Athrawes – Miss Rowlands.
>
> Y Babanod: Miss Appolonia Thomas, Miss Elizabeth Evans.
>
> Ysgol y Gerlan: Prif Athrawes – Miss Ellis; Athrawes Gynorthwyol – Miss A. M. Thomas. Y Babanod: Miss Jennie Jervis.
>
> Rhoddodd y Llywodraethwyr sylw dwys i'r cynigiadau a chan fod y Pwyllgor Addysg wedi caniatáu eu holl ofynion ynglŷn â'r staff, ac ychwanegiadau yng nghyflogau y Prif Athrawon, penderfynwyd mai doeth fyddai gwneud y cyfnewidiadau ...

5. *YRhA*, t. 14.

6. *ADA*, t. 11.

7. *YRhA*, t. 12.

8. Ceir yr hanes yn llawn yn *Byd a Bywyd Caradog Prichard*, tt. 27-29.

9. Codwyd y dyfyniad hwn o lungopi o doriad papur newydd yn dwyn y teitl 'Bangor Student's Death' a chyda llun Bob Jervis a'r Gadair a enillasai yn Eisteddfod Llannerch-y-medd yn 1913. Cadwyd yr adroddiad ymhlith papurau'r teulu a chafwyd copi ohono drwy law Gwen Thomas, Cemaes. Gwaetha'r modd, nid oedd na dyddiad nac enw'r papur newydd wedi'i gofnodi.

10. *YRhA*, t. 14.

11. *Y Cloriannydd*, Ebrill 4 1913.

12. Gwybodaeth a gafwyd gan Gwen Thomas, Cemaes.

TAD DEWI SIOP GORNAL – A DEWI

Yn ôl Cyfrifiad 1881, roedd Joseph Roberts (27 oed) a'i wraig, Ellen (26 oed), yn byw yn '93 High Street Gornal', gyda'u plant Mary (7 oed), Ellen J. (4 oed) a Thomas John Roberts (2 oed). Doedden nhw ond newydd ddychwelyd o'r America (lle ganed eu dwy ferch) ac wedi troi at sefydlu dau fusnes y bu rhai o'u disgynyddion yn dal i'w rhedeg ganrif yn ddiweddarach. Agorodd Ellen siop groser yn eu cartref yn y Gornal (y tŷ pen mewn rhes o bedwar tŷ ar y Lôn Bost gyferbyn â Chapel Bethesda) a dechreuodd Jo fusnes cario pobl o Fethesda i Fangor a mannau eraill. Maes o law, datblygwyd y busnes hwnnw gan Tomi'r mab i fod yn fenter fasnachol lwyddiannus iawn dan yr enw 'Purple Motors' – cwmni bysiau'r Moduron Porffor a ddaeth i ben eu rhawd ym mlynyddoedd olaf yr ugeinfed ganrif[1].

Roedd Caradog Prichard yn gyfarwydd iawn â'r teulu hwn ac yn ymwybodol fod enw'r Gornal wedi glynu am flynyddoedd wrth y teulu. A hynny, wrth gwrs, heb anghofio siop groser Ellen Roberts – dyma'r 'Siop Gornal' y defnyddiwyd ei henw ar gynffon enw'r tad a'r mab yn *UNOL*.

Y tad go iawn yn yr achos hwn, fodd bynnag, oedd Thomas John Roberts, sef mab yr hen Jo Gornal a grybwyllir uchod. Sonnir yn llawnach am T.J. yn yr adran ar 'Siopau a Thafarnau'r Pentref a'r Cyffiniau' ond ei chweched plentyn ef a Catherine Roberts oedd Dewi. Nid oedd Dewi yn hollol yr un fath â phawb arall a cheir awgrym o hynny yn *UNOL* pan ddywedir 'Un gwirion oedd hwnnw'.

Cyfarfu Dewi â'i ddiwedd yn ddamweiniol ac anamserol iawn. Rywsut neu'i gilydd, fe'i cafodd ei hun ym Mharc Penrhyn (o fewn libart Castell y Penrhyn) pan oedd y fyddin yn ymarfer yno yn ystod yr

Dewi Siop Gornal

223

Ail Ryfel Byd. Trwy ddamwain â grenâd llaw, cafodd Dewi, a oedd yn 19 oed, ei ladd ar Ragfyr 20 1942.

Thomas John Roberts, felly, oedd 'Tad Dewi Siop Gornal' yn *UNOL* (er iddo droi'n 'Tad *Now Bach* Gornal' mewn un lle yn y nofel). Cofiwn mai ym 'moto Tad Dewi Siop Gornal' yr aethpwyd â Wil Elis Portar druan o'r tai bach yng nghefn yr ysgol ar ôl iddo dorri'i wddw. Yng nghar Tad Dewi Siop Gornal, hefyd, yr aethpwyd â'r Fam yn y nofel i'r Seilam a dyma lun yr union gar hwnnw – Ford Model T – a ddefnyddiwyd i fynd â Margaret Jane, mam Caradog, i'r Seilam yn Ninbych ar Dachwedd 23 1923. Tynnwyd y llun gan T. J. Roberts ei hun tua 1923, gyda'i wraig ar y chwith a'u chwe phlentyn yn y car. (Ceir cip o'r to cynfas yn y cefn yn barod i gael ei godi dros y car pan fyddai'r tywydd yn gofyn am hynny).

Y Ford Model T

T. J. Roberts, fel y nodwyd wrth sôn am Castle House yn y bennod ar 'Siopau a Thafarnau'r Pentra a'r Cyffiniau' oedd perchennog y Purple Motors a dyma'i lun o flaen tai'r Gornal yn sefyll wrth gefn un o'i fysys.

T. J. Roberts a'r JC 2846 o flaen y Gornal ym Methesda

Y tŷ lle ganed T. J. Roberts yw'r un sydd bron o'r golwg ar y chwith yn y llun y tu ôl i'r bws – safle Gorffwysfan ers dros ddeugain mlynedd bellach lle mae nifer o'r genhedlaeth hŷn (dynion yn bennaf) yn ymgynnull yn y boreau i roi'r byd yn ei le.

NODYN

1. Ffynhonnell fy ngwybodaeth am y teulu hwn fu David Elwyn Pritchard a Heulwen Bright, wyrion T. J. Roberts.

WIL COLAR STARTS

Cyflwynir dau ddarlun, pur wahanol i'w gilydd, o Wil Colar Starts yn *UNOL*. Mae'r fam yn sôn amdano wrth ei mab:

> Hen genna drwg oedd o erstalwm, yn yr hen Blw Bel yna'n meddwi bob nos, a rhegi a chwffio ar Stryd a mynd i gysgu yn ochor clawdd tan y bora yn lle mynd adra i Rhesi Gwynion. A'i Fam o'n cadw gola lamp ac aros ar ei thraed trwy'r nos yn disgwyl amdano fo. Hen sglyfath o ddyn oedd o pan oedd o'n hogyn ifanc.

Yna cawn ddarlun arall ohono. Mae'r hogyn bach yn cofio amdano 'yn canu trombôn efo Band Salfesion ar gongol Stryd wrth Rheinws bob nos Sadwrn' a'r fam yn dweud wrth ei mab: 'Pe basat ti yn dy Feibil hannar cymaint ag mae Wil Colar Starts bob diwrnod o'i fywyd, mi fasat yn well hogyn o lawar ...' A phan sonnir bod 'lot o ddynion da'n gweithio'n Chwaral. Dynion run fath â Defi Difas ... a Wil Colar Startsh ...', nodir mai 'dyn duwiol ydi hwnnw. Cael diwygiad ddaru o ...' (A chyda llaw, wrth fynd heibio, sylwer mai 'Starts' a ddefnyddir gan amlaf ond mae 'Startsh' yn digwydd ddwywaith yng nghorff y nofel.)

Y fam sydd yn adrodd hanes tröedigaeth Wil 'adag y Diwygiad' a hynny mewn peth manylder. Roedd llawer o bobl yn tystio iddynt glywed y 'Llais' ond 'Wil Colar Starts oedd yr unig un ddaru weld a chlywad y Llais yr un pryd'. Eglura'r fam sut y bu pethau:

> Wedi bod yn Blw Bel yn yfad trwy gyda'r nos oedd o un noson, ac yn mynd adra o un ochor i'r llall ar hyd Lôn Bost heibio Rheinws, yn chwil ulw. A phan ddaru o droi o Lôn Bost i fynd adra dros Bont Stabla i Rhesi Gwynion, mi aeth i deimlo'n sâl ofnatsan, a rhoid ei ben dros ochor y Bont i daflyd i fyny. A phan oedd o wedi gorffan taflyd i fyny ac yn dal i sbïo i lawr i Rafon, be welodd o ond olwyn fawr o dân, a honno'n troi fel fflamia, yn dŵad i lawr Rafon ac i fyny ochor y Bont. A phan ddaeth hi dros ben wal y Bont a stopio wrth ochor Wil Colar Starts – doedd gan yr hen drychfil ddim colar na thei am ei wddw radag honno – dyma'r olwyn dân yn dechra siarad efo fo.
>
> Wil, yr hen bechadur, medda'r Llais o'r olwyn dân wrtho fo. Wyt ti ddim wedi cael dy achub eto? Wyt ti'n gwybod lle'r wyt ti'n mynd? Wyt ti'n gwybod dy fod ti'n mynd i uffarn ar dy ben, i ganol tân a brwmstan ac i ddamnedigaeth am dragwyddoldeb a thragwyddoldeb? A Mam yn codi'r hetar smwddio oddiar y bwrdd a'i droi o rownd yn ei llaw i ddangos imi sut yr oedd yr olwyn dân yn siarad.
>
> Wil druan, medda hi. Roedd o'n pwyso ar wal y Bont yn crynu fel deilan ac yn sbïo'n wirion ar be oedd o'n weld. Dyma fo'n dechra

gweiddi Be wna i? O, Mam bach, be wna i? A'r olwyn dân yn ei ateb o
wedyn a deud wrtho fo: Tro'n ôl, bechadur, tro'n ôl. A dyma'r olwyn
yn dechra troi fel fflamia wedyn a mynd yn ôl dros ben wal y Bont ac
i lawr i Rafon a diffodd.

Mi aeth yr hen Wil adra i Rhesi Gwynion mor sobor â sant ...

Ar ôl hynny, daeth tro ar fyd i Wil:

> Ar ei linia yn Sêt Pechaduriaid Capal Salem yn gweiddi nerth
> esgyrn ei ben run fath â dyn gwallgo: Mae Iachawdwriaeth fel y môr
> yn chwyddo fyth i'r lan. Daeth o byth ar gyfyl yr hen Blw Bel yna
> wedyn, beth bynnag, ac yn lle cysgu'n hwyr a cholli caniad yn Chwaral
> a mynd o gwmpas heb newid ar ôl Swpar Chwaral, roedd ganddo fo
> golar lân bob nos a thei du i fynd i'r Seiat a'r Cwarfod Gweddi yng
> Nghapal Salem.

> Wedi i bobol Salfesion ddŵad yma yr aeth o i berthyn i Salfesion.
> Mi fyddai'n arfar deud hanas yr Olwyn Dân ar Bont Stabla bob nos
> Sadwrn yn ei bregath wrth Rheinws am yn hir iawn. Fydd o byth yn
> ei deud hi rŵan, ers pan mae o wedi dechra chwara'r hen drombôn
> yna yn Band Salfesion.

*   *   *

A oedd y fath gymeriad â Wil Colar Starts yn Nyffryn Ogwen Caradog
Prichard? Oedd, ac er mai'r enw a roes y nofelydd arno yw 'Wil Colar
Starts', adwaenid y gŵr go iawn fel Wil Bach, Cae Star (ac, yna, rai blyn-
yddoedd yn ddiweddarach, fel William Hughes, Cae Star – a hyd yn oed
fel William Cae Star Hughes yn y rhestr o ymfudwyr i'r Unol Daleithiau –
yn dilyn y digwyddiad mawr yn ei fywyd y cawn sôn amdano ymhellach
ymlaen).

Ganwyd ef mewn tŷ o'r enw Bryn Duntur yn Stryd y Felin, Cae Star,
Bethesda, yn 1867, a chafodd ei fagu gan ei fodryb ar ôl i'w fam weddw
ymfudo i America yn 1871 at gyfeillion yno i chwilio am well byd. Aeth
deugain mlynedd heibio cyn i William Hughes weld ei fam eto.

Fel bechgyn eraill yr ardal, aeth i weithio i Chwarel y Penrhyn yn
hogyn ifanc iawn. Pan ddaeth streiciau 1896-97 a 1900-1903, roedd William
Hughes yn sefyll yn gadarn ymhlith rhengoedd y streicwyr. Aeth i weithio
i dde Cymru yn ystod y Streic Fawr ond gwrthodwyd ei gais i gael ei waith
yn ôl yn y chwarel pan ddychwelodd i Fethesda ar derfyn yr anghydfod a
hynny am ei fod wedi cael ei gosbi gan Ynadon Bangor am ymosod ar rai a
oedd wedi bradychu eu cydweithwyr yn ystod y streic.

Yn wir, doedd William Hughes ddim yn swil o ddefnyddio'i ddyrnau ar unrhyw un a ddigwyddai'i dramgwyddo, yn enwedig felly pan oedd dan ddylanwad y ddiod feddwol. Cawn dystiolaeth o hynny gan Ernest Roberts, a ysgrifennodd amdano mewn ysgrif yn dwyn y teitl 'Atgofion Diwygiad 1904-05' yn y cylchgrawn *Porfeydd*:

> Dyn hoffus a pharod ei gymwynas pan oedd yn sobr. Dyn cas ac ymladdgar yn ei ddiod, a'i regfeydd yn ddychryn bro ... Aeth i weithio i'r Sowth adeg y Streic, a phan ddeuai adre am dro, waeth pa mor dawel fyddai'r pentre, mi fyddai'n rhaid i Wil Cae Star gael codi twrw, malu ffenestri, ac ymosod ar blismyn diarth yn yr ardal[1].

Cawn stori ryfeddol, hefyd, gan Glyn Penrhyn Jones yn *O'r Siop: Ychydig Atgofion*:

> ... William Hughes, Cae Star, y meddwyn cyhyrog hwnnw a fynych-ai'r 'Bull' gymaint fel bod ganddo ei sedd gydnabyddedig yn y dafarn, wrth y pared. Aeth rhyw ddieithryn talog o sir Fôn i'r sedd honno un noson a phan ddaeth William Hughes i mewn dyma ordors ar unwaith i'r Monwyson symud, gwrthododd hwnnw yn ei ddirfawr anwybodaeth o'r canlyniadau tebygol, a tharodd William Hughes o nes aeth ei ben trwy'r palis[2].

Digwyddodd tröedigaeth William Hughes nid ym Methesda ond yn ne Cymru, yn ardal Maes-teg, 'ar y ffes yn y pwll glo', ys dywedodd Glyn Penrhyn Jones.

Cyhoeddodd y Parchedig Richard J. Owen, gweinidog gyda'r Methodistiaid Calfinaidd ym Middle Granville, ysgrif ar 'Hanes Williams Hughes Cae-Star' ym mhapur newydd *Y Drych* yn America, ddydd Iau, Mehefin 12 1924. Wrth sôn am ddyddiau cynnar William Hughes yn Nyffryn Ogwen, dywed awdur yr ysgrif mai'r 'dafarn oedd ei borfa, dyfroedd y dafarn a yfai ac iaith y dafarn a lefarai'. Yna â ymlaen i adrodd hanes ei dröedigaeth gan ddweud bod William Hughes

> ar ei wyneb yn llwch y glo, yn llefain am drugaredd. Tra yn yr ym-drech, daeth rhyw wynt ofnadwy gyda nerth a sŵn ystormus, gwasgai y gwynt ef i'r ddaear, ofnai mai colli ei fywyd a wnâi, ond colli i gael yr oedd. Gwaeddodd yn y fan, 'Arglwydd, dyma fi, am byth bellach, Arglwydd Da' ... Tra y tawelai'r ystorm, yr oedd yn wylo'n drwm ond teimlai'n ysgafn, yn newydd; gwaeddodd drachefn, 'Diolch i ti, Arglwydd, am y teimlad newydd'; yna rhoddodd floedd wedyn, 'O! mae hi'n braf' ...

(Ac mae'n werth crybwyll i William Hughes wedyn, tra oedd yn ne Cymru, gydweithio am flwyddyn gyfan, a chael tâl am hynny, gyda'r efengylwr Gypsy Smith a throsi ei bregethau'r i'r Gymraeg, yn aml yn ystod yr egwyl ginio dan ddaear yn y glofeydd.)

Cyn gadael y sôn am y dröedigaeth, hoffwn gyfeirio at hanesyn gan Glyn Penrhyn Jones, yn y ddarlith y cyfeirir ati uchod, am gymeriad arall o Ddyffryn Ogwen a gafodd brofiad rhyfeddol o debyg i'r un a gafodd Wil Colar Starts yn *UNOL*:

> Cymeriad a gofiaf oedd Ellis Pritchard ('Buns') y porthwr-pregethwyr dihafal – a'r gŵr a gafodd, yn ôl T. B. Jones, ei ddiwygiad rhyfeddol ei hun. Wrth sefyll ar ganol y stryd fawr brysur un diwrnod, oddeutu 1904, fe welodd olwyn fawr danllyd ar ben Capel Sentars, a syrthiodd ar ei liniau fel pe ar ffordd Damascus ei hun, ac yna ymlwybrodd adref felly yn ei weledigaeth newydd ac yn hyglyw orfoleddus nes yr oedd ei bengliniau yn gig noeth i gyd[3].

Tybed, mewn gwirionedd, nad 'benthyca' rhan o brofiad Ellis Pritchard a wnaeth Caradog Prichard wrth adrodd hanes tröedigaeth Wil Colar Starts?

Yn dilyn ei weledigaeth newydd, mae'n wir i William Hughes droi'i gefn ar ei hen ffyrdd a throi'n ddyn newydd rhinweddol. Ond mae un stori werthfawr amdano'n dychwelyd o'i deithiau ryw dro ac yn cydgerdded i fyny Stryd Fawr y pentref gyda dau o flaenoriaid Capel Bethesda. Mae'n cyfarfod ei hen gyfeillion tafarn a hwythau'n ei wawdio yn ei ddillad parch, yn tynnu arno ac yn ei atgoffa am ei ymddygiad ymladdgar yn yr hen ddyddiau. Ar ôl ceisio ymresymu efo nhw a'u hargyhoeddi ei fod yn ddyn gwahanol, mae William, yn bwyllog a bwriadus, yn tynnu ei gôt, torchi llewys ei grys, codi'i ddyrnau'n fygythiol, a dweud: "Drychwch chi, hogia, os ydw i wedi newid fy Meistar, mae'r tŵls gen i o hyd', a rhoes grasfa iawn i'r criw herllyd.

Mae'n anodd i ni heddiw ddychmygu'r golygfeydd ewfforig oedd yn digwydd yn ystod y Diwygiad ond rhydd Ernest Roberts ychydig flas i ni yn yr erthygl yn *Porfeydd* a grybwyllir uchod:

> Cofiaf fod mewn cyfarfod yn 'capel ni' efo nain ryw noson a'r lle yn llawn i'r top ucha. Roedd o'n dal mil o bobol – a rhai ohonyn nhw'n codi ac yn gweiddi ar draws ei gilydd. Dyn yn llofft y côr y tu ôl i'r pulpud yn tynnu'i gôt ac yn rhoi ffling iddi 'run fath ag y byddai Now Niwbwrch yn gneud cyn dechra cwffio pan ddôi o allan o'r 'Bull' tŷ nesa inni ... Dro arall gweld Gwen Margiad, a oedd yn dysgu sol-ffa yn yr Ysgol Sul, yn codi ar ffrynt y galeri ac yn canu ar ei phen ei

hun nes i bawb arall ganu efo hi. A dyma hi'n gafael yn y bwa plu
oedd am ei gwddw ac yn rhoi fflich iddo fo i'r awyr a hwnnw'n dŵad i
lawr fel rhyw siani flewog fawr ac yn disgyn ar ben pobol yn y canol
llawr. Wedyn dyma ddyn yn y sêt fawr yn gweiddi nerth esgyrn ei
ben am i dân ddŵad i lawr o'r nefoedd am ein penna i gyd.

Ac â Ernest yn ei flaen gydag atgofion am William Hughes ei hun:

> Rhyw ddiwrnod daeth si fod Wil Cae Star wedi cael Diwygiad yn y
> Sowth ond chredai neb ei fod o, o bawb, wedi ei ddal yn rhwyd yr
> Iachawdwriaeth. Daeth adref ond cadwodd yn y tŷ am rai dyddiau
> cyn dod i gapel 'Bethesda', yn ei fwfflar goch un noson waith. Dr
> Probert, Bangor, oedd yn pregethu y noson honno, ac fe soniodd am
> 'adar duon iawn yn canu heddiw'. 'Oes, wir, a dyma un ohonyn' nhw!'
> gwaeddodd Wil a suddodd o'r golwg yn ei sêt.
>
> Daeth William Hughes yn aelod eglwysig ac 'rydw i'n ei gofio'n dda,
> efo'i wraig a'i blant, yn eistedd yn yr ail sêt uwchben y cloc. Clywais
> fy nhad ac eraill yn dweud na chlywyd neb tebyg iddo am blethu
> ymadroddion o'r Beibl a'r Llyfr Emynau yn ei weddïau, ac fe ddyw-
> edodd Tegla ar ôl ei glywed yn siarad mewn Cyfarfod Dirwest fod yr
> iaith Gymraeg yn disgleirio fel bwrlwm afon ar ei wefusau. Daeth un
> newid arall drosto, dechreuodd wisgo colar wen yn lle mwfflar goch i
> fynd allan gyda'r nos.

Ac mae'r crybwyll ei fod wedi dechrau gwisgo colar wen yn awgrymu i ni o
ble daeth y ffugenw 'Wil Colar Starts' yn *UNOL*.

Cawn atgof difyr arall am William Hughes gan Gwladys Williams yn
Swyn Cofio:

> ... Ni chofiaf ddiwygiad 1904 ond cofiaf am y dynion a'r merched a
> gafodd dröedigaeth yn gweddïo'n gyhoeddus nes codi ofn arnaf. Un
> tro eisteddwn yn ddigon agos i William Hughes, Cae Star, y rebel a
> achubwyd, a gweld chwys yn llifo i lawr ei dalcen, a'r gwaed yn codi a
> gostwng yng ngwythiennau ei wyneb a'i orfoledd yn llenwi'r adeilad.
> Tybiwn fod gan ... ei blant gywilydd o'u tad yn gwneud stŵr o flaen
> pobl[4].

Daeth William Hughes yn aelod selog yng Nghapel Bethesda a chafodd ei
waith yn ôl yn y chwarel ymhen rhai blynyddoedd ar ôl i chwerwedd difäol
y Streic Fawr, yn ogystal â gorfoledd afreolus y Diwygiad, bylu ac edwino.
Ond doedd pethau ddim yr un fath iddo wedyn yn Nyffryn Ogwen.

*   *   *

Ar Dachwedd 18 1895, priododd William â Mary Elizabeth Griffith, athrawes a hanai o St Helens yn Sir Gaerhirfryn. Ni allwn ond dyfalu bod William wedi mynd i Loegr i chwilio am waith yn ystod Streic 1896-97 yn Chwarel y Penrhyn a'i fod wedi cyfarfod â Mary yr adeg honno. Cawsant chwech o blant: William John (a aned yn St Helens), Charlie, Owen, Lily (sef Margaret Elizabeth, a aned yn 1898), Ellen Mary (a alwyd yn Neli – 1910-1997), a Catherine Ellen, a fu farw'n naw mis oed ym mis Mawrth 1907. Ni allai Mary siarad Cymraeg pan gyfarfu â William ond buan iawn y dysgodd a daeth yn ddigon rhugl i allu cyfrannu erthyglau i bapurau newydd ar ôl ymgartrefu yn America. Magwyd y plant ar aelwyd gwbl Gymraeg – dyna oedd iaith sgwrs, gweddi a gras bwyd.

Yn ystod haf 1911, penderfynodd William groesi'r Iwerydd ar ei ben ei hun i weld y fam nas gwelsai ers deugain mlynedd. Aeth â llun ei deulu gydag ef i'w ddangos iddi a dyma'r llun hwnnw:

William ac Elizabeth Hughes a'r plant ym
Methesda.Tynnwyd y llun ychydig cyn i'r
teulu adael am America yn 1911

Cafodd William groeso mawr gan ei fam ac roedd y ddau wrth eu bodd fod cwlwm eu perthynas wedi'i adnewyddu mor rhwydd ar ôl yr holl flynyddoedd. Ni fu'n anodd i'r fam berswadio William i aros yn yr Unol Daleithiau ac i anfon at ei wraig a'i blant i ymuno ag ef yno. A dyna a ddigwyddodd. Hwyliodd Mary Elizabeth a'i phum plentyn ar yr agerlong 'Franconia' o Lerpwl i Boston ac yna teithio ar y rheilffordd i Middle Granville yn nhalaith Efrog Newydd.

Mae Maldwyn Hughes, Minffordd, Bangor, wedi cymryd diddordeb arbennig yn William Hughes a oedd, meddai, 'yn gefnder i fy nhad, ei fam yn chwaer i fy nhaid'. Soniodd wrthyf am Ellen Mary, yr ail ieuengaf o blant William Hughes. Ar ôl bod yn athrawes mewn ysgol un-ystafell am saith mlynedd, bu Ellen yn newyddiadurwraig ac yn olygydd o 1941 ymlaen ar nifer o bapurau newydd yn Efrog Newydd. Ysgrifennai dan yr enw Ellen Hughes Qua. Yn 1970, roedd yn cynrychioli newyddiadurwyr Efrog Newydd pan oeddynt yn ymweld â Phalas Buckingham yn Llundain. Yr oedd yn un o sefydlwyr y Slate Valley Museum yn Granville ac yn 1995 cyhoeddodd gyfrol hunangofiannol, *Growin' up in Middle* (a'r 'Middle' yn cyfeirio at Middle Granville)[5]. Ynddo, sonia am ei thad a'r teulu i gyd, gan gynnwys hanes ail ŵr ei nain (sef mam William Hughes), ei dau lysfab, ac Owen Williams, hanner brawd i William, a fu farw'n 23 oed yn 1903 ar drothwy ei briodas.

William Hughes, Cae Star, ym Middle Granville

Fel nifer o chwarelwyr Dyffryn Ogwen a ymfudodd i Middle Granville, ac i lefydd cyfagos megis Pawlet a Poultney yn nhalaith Vermont, dilyn yr un gwaith a wnaethant wedi cyrraedd America, sef gweithio yn chwareli llechi'r dalaith. Dyna fu hanes Benjamin Thomas, y 'bardd o Fethesda', awdur y gerdd 'Moliannwn' sy'n gyfarwydd i laweroedd o Gymry, ac awdur englyn arbennig o drawiadol ar y testun 'Inc':

> I ddiwylliant, nwydd o allu yw'r inc,
>> Pâr rym o'i argraffu;
> Ar y dail, gwna'r gwlybwr du
> I feirwon ail-lefaru[6].

Roedd Benjamin Thomas hefyd yn byw yn yr un ardal (yno y bu farw yn 1920 yn 82 oed) ac mae'n siŵr bod William Hughes ac yntau'n adnabod ei gilydd yn dda. Bu Benjamin yn gweithio mewn sawl chwarel lechi ond aeth William a chriw o'i gyfeillion ati i sefydlu eu chwarel eu hunain a dyma'i lun wrth ei waith:

William Hughes, Cae Star, yn naddu llechi yn America

233

Bu William Hughes farw ar Fedi 16 1942[7] a chladdwyd ef ym Mynwent Elmwood ym Middle Granville, lle claddwyd ei wraig, Mary Elizabeth, flwyddyn ar ei ôl. Yn yr un bedd, gorwedd eu mab, Owen. Lladdwyd Owen, a oedd yn un ar hugain oed, fore Gwener, Medi 20 1929, yn y chwarel lle gweithiai ef a'i dad. Mewn adroddiad am y ddamwain yn *Y Drych*, 'Yn aros mewn hiraeth dwys ar ôl un mor annwyl ganddynt y mae Mrs Edith Dunster Hughes, priod; Charles Evans Hughes, bachgen bach; Mr a Mrs William Hughes (rhieni); Mrs William R. Hughes a Miss Nellie Hughes, chwiorydd; William J. Hughes a Charles Hughes, brodyr'.[8]

A phriodol yw cloi hanes William Hughes gyda geiriau Ernest Roberts:

> Rhedodd ei yrfa, a chadwodd ei ffydd hyd y diwedd fel blaenor gyda'r Presbyteriaid yng Nghapel Cymraeg Middle Granville.

NODIADAU

1. *Porfeydd*, Mawrth/Ebrill, 1982, tt. 56-58.

2. Glyn Penrhyn Jones, *O'r Siop: Ychydig o Atgofion*, Darlith Flynyddol Llyfrgell Bethesda, 1973 (Caernarfon, 1973), t. 13.

3. Ibid., t. 14.

4. Gwladys Williams, *Swyn Cofio*, Darlith Flynyddol Llyfrgell Bethesda, 1977 (Caernarfon, 1977), tt. 20-21.

5. Dibynnais yn helaeth ar lyfr Ellen Hughes Qua, *Growin' up in Middle* (Granville, 1995) am wybodaeth am ei thad a'i theulu a hefyd ar sawl sgwrs ddifyr a gefais gyda Maldwyn Hughes, Minffordd, Bangor. Gw. hefyd erthygl am William Hughes, Cae Star, yn *Y Genedl Gymreig*, Mehefin 6 1905, t. 5.

6. Mae yn fy meddiant gasgliad cyfansawdd o holl farddoniaeth Benjamin Thomas (1838-1920) yn ei lawysgrifen gain ei hun. Teitl gwreiddiol ei gân boblogaidd 'Moliannwn', fel yr ymddengys yn ei gasgliad o gerddi oedd 'Mae'r Haf yn Dod'. Ar gais ei deulu, cyhoeddais lyfryn yn adrodd hanes Benjamin ac yn cynnwys detholiad byr o'i gerddi: *Moliannwn y Bardd o Fethesda* (Y Bala, 1979) a chynwyswyd yr englyn a ddyfynnir uchod yn y gyfrol honno (t. 33).

7. Gw. 'Marw William Hughes (Cae Star)' gan Gwlithyn yn *Y Drych*, Hydref 15 1942, t. 6. Meddai'r awdur: 'Ganwyd ni ein dau yn ymyl ein gilydd ...' a chofia fel y clywsai am dröedigaeth Wil Cae Star yng ngwaelod Pwll Shepard yng Nghwmaman. Pan gyfarfu'r ddau ymhen blynyddoedd wedyn yn Vermont cawsant 'aduniad hapus yn y Presbyteri fel dau flaenor Methodus'.

8. Gw. 'Colled i Middle Granville – Damwain Angeuol' gan y Parch. Richard J. Owen yn *Y Drych*, Hydref 3 1929.

WIL ELIS PORTAR

Wil Elis Portar, sef Robert Jones

Cawn ddisgrifiad byw iawn o Wil Elis Portar yn *UNOL*. Mae'n cerdded ar hyd y ffordd 'a'i drwyn o dest iawn ar lawr, a'i ddau ben glin o'n sticio allan o'r tylla yn i drowsus run fath â tasan nhw'n trio rhedag o'i flaen o', a'i ymarweddiad yn codi mymryn o ofn ar yr hogiau bach (yn enwedig pan gaiff ffit). Cawn ei hanes yn cael Cymun yn yr eglwys ochr yn ochr â chymeriad diddorol arall, sef Harri Bach Clocsia, a'u hesgidiau 'bob amsar a twll yn eu gwadna'. Doedd Wil Elis ddim yn meddwi, meddir, ac awgrymir mai'r ffaith ei fod wedi mynd o'i go a barodd iddo dorri ei wddf â chyllell yn nhai bach yr ysgol.

Ond beth am y cymeriad go iawn a pha mor agos y cadwodd Caradog Prichard at nodweddion y gŵr hwnnw? Yn ffodus, tynnwyd lluniau ohono gan ryw ffotograffydd sy'n anhysbys i ni erbyn heddiw a chynhyrchwyd nifer go dda o'r lluniau hynny fel bod copïau ym meddiant llawer o drigolion Bethesda a'r cyffiniau ac, at hynny, drwy atgofion byw iawn ohono gan Ernest Roberts, a'i hadwaenai'n dda, mae modd cyflwyno portread digon crwn ohono a'i gyfochri'n deg â'r cymeriad yn y nofel.

235

Seiliwyd Wil Elis Portar ar Robert Jones, cymeriad adnabyddus iawn yn Nyffryn Ogwen ym mlynyddoedd cyntaf yr ugeinfed ganrif (a chyn hynny, mae'n siŵr). Adwaenid ef, am ryw reswm neu'i gilydd, fel Robat Jôs Gwich ac roedd yn 'gymeriad' lliwgar tu hwnt. Dyn bychan o gorffolaeth a chanddo locsyn coch a phob amser, haf a gaeaf, yn gwisgo hen sach dros ei war a rhan uchaf ei gorff wedi'i glymu efo peg pren ychydig dan ei ên. Mae'n debyg iddo gael ei fagu yng Nghae Star, yn un o'r tai rhwng Stryd Fawr Bethesda ac Afon Ogwen. Pan dynnwyd y tai hynny i lawr, ymgartrefodd yn 21 Stryd Cefnfaes, stryd o dai yn ardal Bryn-teg, y tu cefn, fwy neu lai, i Ben-y-bryn. Roedd gan rai o ddarllenwyr *Llais Ogwan* atgofion difyr amdano:

Robat Jôs yn ei ddillad gwaith

Byddai'n hynod o lân. Ymolchai mewn twb sinc efo dŵr oer bob amser, heb ddim amdano o'i ganol i fyny … Roedd iddo groen eithriadol, yn loyw lân, â'i wallt yn wyn, a barf gringoch yn gwynnu … fe fyddai'r hen Robat yn torri ffenest yn un o siopau Bethesda yn rheolaidd bob Nadolig er mwyn cael mynd i mewn [i'r carchar] i gael cinio ar yr ŵyl[1].

Cymerai Robat Jones arno'i hun i fod yn rhyw fath o bortar answyddogol yng ngorsaf reilffordd Bethesda. Pe meiddiai unrhyw un arall fynd at bobl ddiarth a'u cyfarch gyda chais fel 'Carry your bag, sir', byddai Robat yn chwifio'i freichiau dan y sach fel cudyll coch yn lledu ei adenydd i warchod ei diriogaeth.

Yn ôl Ernest Roberts mewn ysgrif ddiddorol iawn yn *Yr Herald Cymraeg* dan y teitl 'Llun a ddaeth â thalp o atgofion mebyd yn ôl':

roedd yn byw ar gario bagia byddigions o'r stesion a nwyddau i siopwyr y pentre ... Câi fenthyg tryc mawr y stesion â'r llythrennau L.N.W.R. ar ei ochr i gludo hamperi trafaelwyr i siopau dillad a theilwriaid y pentre. Tra oedd y trafaeliwr yn dangos ei nwyddau i'r siopwr, eisteddai Robat yn amyneddgar ar y tryc yn cnoi cil ar jou o faco main.[2]

Doedd yn ddim ganddo gario sachaid canpwys o flawd ar ei gefn i fyny'r gelltydd serth i Fynydd Llandygái, ar gyrion y pentref, a châi ychydig o geiniogau'n wobr am ei lafur.

Byddai plant y pentref yn tynnu ar yr hen Robat Jôs wrth ei weld yn cario sachaid o flawd i un o siopau'r pentref o warws Elin Horn a chanent rigwm ysgafn i'w wawdio:

> Robat Jones Gwich sy'n fachgan tlawd,
> Ennill 'i damad wrth gario blawd,
> Cario blawd ac India Corn
> Am ryw symthin i Elin Horn.

Fel arfer, dyn tawel a chyfeillgar oedd Robat ond, yn wahanol i Wil Elis Portar yn *UNOL*, roedd Robat Jôs Gwich yn ddiotwr o fri, yn feddw gaib yn gyson, er y byddai'n crwydro ryw filltir o'i gartref i hel diod – i dafarn y Royal Oak yn Rachub, er enghraifft – fel pe bai hynny'n cadw'i arferion anghymdeithasol o olwg ei gymdogion yn Stryd Cefnfaes, Bethesda. Yng ngeiriau Ernest Roberts eto: '... pan gâi lasiad ar Nos Sadwrn byddai'n troi'n gecryn cas'. Ceir disgrifiad ohono (braidd yn eithafol, o bosib) dan ei lun yng Ngharchar Beaumaris: 'Habitual drunkard and public nuisance'. Mae'n rhaid ychwanegu nad oes unrhyw dystiolaeth iddo fod yn cael ffitiau (fel Wil Elis Portar) ac, yn sicr, nid gwneud amdano'i hun a wnaeth, fel y ceir gwybod isod. Cofia Ernest Roberts yr olygfa ar nos Sadwrn ym Methesda pan fyddai Robat Jôs yn mynd drwy'i bethau:

> Croesai'r stryd boblog o'r 'Britannia' i Geg Lôn Pab – *Speakers'* *Corner* Pesda. Safai'n stond a di-sigl â'i freichiau ymhleth ... dan y sach. Yna gwaedd 'Does neb a ŵyr na neb a ddichon' – dyna ei alwad ac âi'r gair drwy'r stryd fod Robat Jones Gwich yn pregethu a phobl yn cyrchu i'r oedfa.
>
> Wedi'r waedd agoriadol, byddai Robat yn sgwrsio'n hamddenol – clodfori'r 'Hen Fam', ymosod ar 'gapelwrs' a melltithio Lloyd George. 'Capelwrs yn gosod seti i bobl fawr, ond gadael tlodion ar y llawr; bildio capel sinc i bobol dlawd heb ddillad neis', ac roedd un felly o fewn tafliad carreg i gartref Robat. Os câi Robat achlust o ffrae mewn capel neu o ryw fisdimanars gan gapelwr, fe'i cyhoeddai mor ddi-hid â phe bai'n cyhoeddi y bydd yr oedfaon y Sul nesa fel arfer.

237

Wedyn dyna lais o'r dyrfa — 'Lloyd George for ever' a Robat yn neidio i'r bluen — 'Dyn drwg ydy o, eisiau dwyn pres yr Hen Fam a'u rhoi i gapelwrs – roedd eisiau mynd â fo a Watkins i jêl Caernarfon'. Watkins oedd beili Llys y Mân Ddyledwyr fyddai'n plagio'r tlodion am arian neu ddodrefn tuag at glirio eu dyledion.

Watkins roddodd ddodrefn mam weddw Caradog Prichard allan ar y stryd oherwydd ôl-ddyled o deirpunt yn y rhent[3].

Yr Eglwys oedd 'Yr Hen Fam', wrth gwrs, ac arwr mawr Robat Jôs oedd y Canon R. T. Jones (y ceir sôn amdano mewn man arall yn y gyfrol hon) – cyfeiriai ato fel 'ein tad ni oll, capelwrs hefyd'. Ond roedd gweld Jones y Plisman yn dynesu yn peri i Robat Jones roi'r gorau i'w refru a'i heglu hi am y stryd gefn agosaf – roedd Jones y Plisman yn canlyn morwyn y Ficerdy ac ni fynnai Robat er dim i Canon Jones, o bawb, glywed am ei branciau.

Broliai Robat Jôs ei fod yn aelod ffyddlon yn Eglwys Glanogwen a mawr fyddai ei berswâd ar gapelwyr i droi at yr 'Hen Fam'. Âi cyn belled â sefyll ar ochr y Stryd Fawr ym Methesda pan fyddai pobl ar eu ffordd i'r capel a gweiddi pethau digon anfelys a dilornus arnynt. Ond ni chlywodd neb erioed mo Robat yn tyngu na rhegi nac yn arfer geiriau aflednais mewn sgwrs nac mewn pregeth.

Mae un stori arbennig amdano (a mwy nag un fersiwn o'r stori honno, hefyd). Gofynnwyd ryw dro i Robat Jôs glirio baw a deiliach oddi ar do uchel Capel Bethesda. Bu wrthi'n ddygn yn rhawio am hydoedd nes, yn sydyn a damweiniol, dilynodd y rhaw a'r baw a syrthio fel carreg ar ei ben i ganol y domen a oedd wedi'i chreu ganddo wrth giât y capel. Gwraig leol yn gweld yr olygfa frawychus hon ac yn rhuthro at Robat Jôs ac yn gofyn, 'Robat Jôs bach, ydach chi wedi brifo?'. Yntau'n ateb, fel chwip: 'Naddo'n tad – dŵad i lawr i 'nôl morthwyl wnes i'.

Ond beth fu diwedd Robat Jôs druan? Yn sicr ni thorrodd ei wddw yn nhai bach yr ysgol, fel Wil Elis Portar yn y nofel. Cofiwn y stori honno fel yr adroddwyd hi yn *UNOL*:

Dyma fi'n sleifio ar hyd y lle sych o dan y fargod at y tai bach tu nôl i Rysgol. Dew, fuo dest imi gael ffit pan welais i o. Dyna lle oedd Wil Elis Portar yn gorfadd ar wastad ei gefn yn y lle piso, a sgôr fawr yn ei wddw o, nes oeddwn i'n meddwl mai ei geg o oedd yn agorad, a'r lle'n waed i gyd. Wnes i ddim ond cymryd un golwg arno fo, a rhedag fel fflamia i ddeud wrth Preis Sgŵl, a finna'n crynu fel deilan, a fonta'n methu dallt be oeddwn i'n dreio ddeud.

W-W-Wil E-E-Elis P-P-Portar, syr, medda fi. Yn g-gorfadd a-allan yn f-fanna. M-mae o we-wedi ma-marw.

Dyma Preis yn gweiddi ar Wilias Bach o Standard Ffôr a'r ddau'n mynd allan i tai bach. Wedyn dyma ni'n gweld Wilias Bach trwy ffenast yn mynd fel melltan ar draws cae chwara trwy'r glaw heb ei got na'i het.

Mynd i nôl nhad mae o, medda Wil Bach Plisman.

A Preis yn dŵad i mewn yn wyn fel calch a deud wrtha ni bod raid inni i gyd fynd adra, a na fydda na ddim ysgol pnawn, a deud nad oedd neb i fynd ar gyfyl tai bach. Oedd Tad Wil Bach Plisman wedi cyrraedd erbyn inni gael ein hel allan, ac yn siarad yn ddistaw yn drws Rysgol hefo Preis a Wilias Bach, a hwnnw'n wlyb doman.

Ai stori am y Robat Jôs go iawn oedd hon? Wel, nage. Yn y wyrcws ym Mangor y treuliodd Robert Jones ei ddyddiau olaf – yn yr adeilad a gofir wrth yr enw Ysbyty Dewi Sant. Codwyd yr adeilad hwnnw yn 1913 gyda'r bwriad gwreiddiol o'i ddefnyddio 'fel Clafdy Wyrcws, i gymryd lle'r hen ysbyty wyrcws ar Ffordd Caernarfon, Bangor ... Yn ystod y Rhyfel Byd Cyntaf, meddiannwyd yr adeilad gan Adran Bensiynau'r Llywodraeth i wasanaethu fel Ysbyty Milwrol ac Ysbyty Adfer ... Ar ôl y rhyfel, gadawyd yr adeilad yn wag am oddeutu dwy flynedd cyn iddo gael ei ddychwelyd i ofal Sefydliad Deddf y Tlodion i gael ei ddefnyddio fel Wyrcws yng nghanol y 1920au. Roedd y rhan fwyaf o'r bobl a ddeuai yno yn ddigartref ...'[4]

Ysbyty Dewi Sant yn 1918
(Trwy ganiatâd Gwasanaeth Archifau Gwynedd)

Ac roedd Robat Jôs Gwich yn un o'r rheini. Yn ôl y cofnod sydd yng Nghofrestr y Claddedigaethau ym Mynwent Glanadda, nodir bod Robert Jones wedi marw yn Ysbyty Dewi Sant, Bangor, ar Fai 6 1926 yn 78 oed.

'Pauper' yw'r gair a ddefnyddiwyd i'w ddisgrifio a chladdwyd ef mewn bedd tlotyn, a rannai gyda phump o gyrff eraill. Nid oes carreg i ddynodi man ei gladdu[5].

NODIADAU

1. *Llais Ogwan*, Tachwedd 1975, t. 12.

2. *Yr Herald Cymraeg*, Mai 10 1983.

3 Ibid.

4. Gw. Joan Povey a Jasmine Hughes, *Ysbyty Dewi Sant, Bangor, 1913-1994/St David's Hospital, Bangor, 1913-1994* (Llangefni, 1994), tt. 3-4.

5. Codwyd y manylion hyn o Gofrestr Claddedigaethau Mynwent Glanadda, Bangor, trwy garedigrwydd Mr Bryn Hughes, Prif Arolygydd Mynwentydd Gwynedd. Yn y Gofrestr honno, ceir y manylion a ganlyn ynghylch y rhai a gladdwyd yn y bedd:

Doris Rowlands	1 day	Dec. 13 1926
Ellen Hughes	3 weeks	Dec. 11 1878
Evans Edwards	73	Jan. 20 1926
Katie Jones	67	Jan. 26 1926
Robert Jones	78	May 6 1926
Albert Evans	61	May 21 1926

RHAN 3

Y GÊM BÊL-DROED

Y Gêm Bêl-droed
Rhai o Gymeriadau'r Gêm Bêl-droed

Y GÊM BÊL-DROED

Mae hanes y gêm bêl-droed yn *UNOL* yn stori a ddaeth yn adnabyddus iawn dros y blynyddoedd ac fe'i poblogeiddiwyd ar lafar gan John Ogwen, yr actor o Sling, Tregarth, sydd wedi'i hadrodd ar lwyfan, ar radio ac ar deledu nifer o weithiau.

Sonnir yn y nofel am 'y diwrnod hwnnw ddaru Cybi Wanderers ddwad i chwara am y Cwpan yn erbyn Celts ni yn Cae Robin Dafydd'. Ni wn a fu 'Cae Robin Dafydd' erioed yn enw ar y cae pêl-droed dan sylw ond yr enw cyfarwydd arno fu 'Meurig Park' (nes ei Gymreigio'n 'Parc Meurig' rai blynyddoedd yn ôl). Mae'r enw 'Meurig' yn digwydd yn aml mewn enwau llefydd sydd heb fod ymhell oddi wrth Chwarel y Penrhyn ac un ddamcaniaeth a gynigir yw bod plasty'n sefyll unwaith ar y safle sydd wedi'i orchuddio gan domennydd y Chwarel ers bron i ddwy ganrif bellach. Roedd sawl plasty yn yr ardal yn y Canol Oesoedd – y Penrhyn (lle trigai'r Griffithiaid – a Pyrs Griffith, y môr-leidr honedig, yn eu plith), plasty'r Coetmoriaid a ddymchwelwyd oddeutu tri chant a hanner o flynyddoedd yn ôl, a Chochwillan (a berthynai i deulu'r Williamsiaid – a John Williams, Archesgob Caer Efrog, yn un ohonynt). Mae neuadd fwyta hen blasty Cochwillan yn dal i sefyll heddiw a chodwyd Castell mawreddog yn y bedwaredd ganrif ar bymtheg ar safle hen blasty'r Penrhyn ond nid erys dim o hen blasty Coetmor ond pedair carreg hir, o liw golau, wrth ymyl ei gilydd mewn wal ar fin y ffordd yn agos at lle safai'r plasty.

Mae Hugh Derfel Hughes[1] yn awgrymu y gallai Meurig Llwyd o'r Nannau fod â chysylltiad â'r ardal ond nid yw'n cynnig gydag unrhyw sicrwydd mai ef oedd yr uchelwr a adawodd ei enw yma ac acw yn Nyffryn Ogwen mewn cyfuniadau fel Parc Meurig, Llyn Meurig, Bryn Meurig a Glanmeurig. Aeth Llyn Meurig, a oedd oddeutu naw erw o arwynebedd, yn aberth i domennydd y chwarel ond deil afonydd tanddaearol i lifo iddo hyd heddiw ac ar dywydd mawr mae'r hen lyn yn bwrw'i ddial drwy orlifo dros y ffordd gyferbyn â'r fynedfa i Bryn Meurig, cartref y llawfeddyg adnabyddus, Owen E. Owen, gan beri rhwystr i drafnidiaeth rhwng Tregarth a Phont-y-twr. Diflannodd rhestai Glanmeurig, hefyd, ac nid erys ond olion hen sied y tu ôl i'r stryd fach a arferai sefyll bron iawn ar lan yr hen Lyn Meurig.

*   *   *

Mae'r A5 – y Lôn Bost – ac Afon Ogwen yn rhedeg fwy neu lai'n gyfochrog â'i gilydd drwy Ddyffryn Ogwen. Rhwng y ffordd a'r afon, ar y dde ymhen rhyw dri chan llath ar ôl mynd heibio i Eglwys Glanogwen a gwesty'r Douglas Arms ar y ffordd allan o Fethesda i gyfeiriad Nant Ffrancon, fe welir y cae pêl-droed lleol, Parc Meurig. Mae wal lechi dros ddwy lath o uchder yn ei wahanu oddi wrth y Lôn Bost ac wrth edrych ar ei draws gwelwn yr afon yn rhedeg yr ochr bellaf iddo (a choed Parc Bryn Meurig i'w gweld wedyn y tu draw i'r afon).

Wal lechi gymharol isel – ryw bedair troedfedd a hanner o uchder – sydd yn rhedeg yr ochr arall i'r A5 dros y ffordd i'r cae pêl-droed (a stad dai Glanffrydlas erbyn heddiw yr ochr arall i'r wal honno).

Cae pêl-droed Parc Meurig – Cae Robin Dafydd yn UNOL

Mae'n rhaid crybwyll nad ar gyfer pêl-droed yn unig y defnyddiwyd y cae hwn. Cawn ein hatgoffa yn *UNOL* mai 'I cae Robin Dafydd fydda syrcas yn dŵad hefyd, a'r Sioe Lewod'. Ac i ben pellaf y tir, y tu draw i'r cae pêl-droed ei hun, y byddai'r ffair yn dod adeg arholiadau'r haf yn yr ysgol uwchradd bob blwyddyn, gan hudo sawl un ohonom i dreulio oriau'n ceisio taro cocynyts, saethu dartiau pluog i ennill tegan diwerth, bwyta candi-fflos ac afalau taffi, a herio ffrindiau ar y moto-bangs a'r siglenni.

A chae Parc Meurig a ddefnyddiodd Caradog Prichard yn ganfas i ddechrau'i stori am y gêm bêl-droed:

Eistadd ar wal ochor arall i Lôn Bost yn gwatsiad pobol yn mynd i mewn i cae oeddan ni, Huw a Moi a finna. A dyna lle oeddan nhw yn un rhes hir, dest iawn i lawr at Giat Reglwys, yn mynd i mewn yn slo bach, un ar ôl un, ar ôl talu chwech wrth y giât. Oedd hogia bach run fath â ni yn cael mynd i mewn am dair ceiniog. Oedd Tad Wil Bach Plisman a Jos Plisman Newydd yn sefyll wrth y giât yn gwatsiad y bobol yn mynd i mewn.

Ac roedd edrych ymlaen eiddgar at y gêm arbennig hon:

Dew, ma hi siŵr o fod yn gêm dda, medda Huw. Mi faswn i'n leicio gweld Wil Cae Terfyn yn gneud rings rownd hogia Cybi Wanderers.

Ond doedd gan yr hogiau druain ddim pres i dalu am fynd i mewn i'r cae. Yn y pen draw, doedd dim amdani ond dringo dros y wal pan nad oedd Tad Wil Bach Plisman a Jos Plisman Newydd yn gwylio. A dyna wnaeth Huw a Moi, gan adael eu ffrind, llai mentrus, ar ôl. Yn y darlun hwn, cawn olwg agosach ar y wal rhwng y Lôn Bost a'r cae pêl-droed, gyda'r Fronllwyd, Carnedd y Filiast a Mynydd Perfedd yn y cefndir bron o'r golwg yn niwl y pellter.

Y wal lechi rhwng yr A5 a'r cae

Ond daeth chwarelwr caredig o'r enw Bleddyn Ifans Garth i'r adwy a rhoi tair ceiniog i'r hogyn bach iddo gael mynd i mewn. Wedi cyfarfod Huw a Moi, mae'r tri'n mynd ati i weiddi 'Cym on the Celts' nerth esgyrn eu pennau.

*   *   *

Wrth i'r gêm fynd rhagddi, caiff campau'r chwaraewyr eu disgrifio'n fyw iawn, yn enwedig doniau dihafal Wil Cae Terfyn (sef William Thomas, Caeherfyn Cottage, Tregarth, ger Bethesda – ac fe sonnir rhagor am y gŵr go iawn yn y bennod 'Rhai o Gymeriadau'r Gêm Bêl-droed'). Pan sgoriodd Wil Cae Terfyn gôl gyntaf y Celts, roedd y dyfarnwr yn cael ei glodfori i'r entrychion ond byr fu parhad y ganmoliaeth.

Erbyn dechrau ail hanner y gêm, roedd y cae'n fwd i gyd, y chwaraewyr lleol wedi blino, yn gorfod chwarae yn erbyn y gwynt, a'r haul yn eu llygaid nhw. Ac i goroni popeth, bu dau ddyfarniad a aeth yn erbyn y Celts:

> Un o hogia Cybi oedd wedi baglu Wil Cae Terfyn o'r tu nôl, nes oedd hwnnw'n sglefrio ar ei fol yn y mwd am tua pedair llath. A ddaru Titsh ddim cymryd dim sylw o'r peth, na chwibanu'i bib na dim, dim ond chwifio'i law i ddeud wrth yr hogia am fynd yn eu blaena a chwara. Ond oedd y bobol rownd y cae i gyd fel petha o'u coua, a lot ohonyn nhw'n rhegi ac yn diawlio a galw Titsh yn bob matha o enwa.

Ond yr ail ddyfarniad oedd yr un a ddechreuodd yr helynt. Dyma'r stori fel yr ysgrifennwyd hi gan Caradog Prichard:

> Oedd Wil Robaits wedi dyrnu'r bel allan dair gwaith efo'i ddau ddwrn efo'i gilydd, a pawb yn gweiddi Go dda, Wil, a Cym on the Celts. Ac yn sydyn, dyma Titsh yn chwibanu'i bib a rhywun yn gweiddi Gôl! A dyna lle oedd y bêl wedi stopio yn y mwd ar lein gôl Celts a'r hogia i gyd rownd Titsh yn taeru fel fflamia. Ond rhedag yn ei gwman i'r lein ganol â'i bib yn ei geg ddaru'r ryffarî, a'r hogia'n rhedag ar ei ôl o a dal i daeru, a'r bobol ar y lein yn gweiddi fel petha o'u coua.
> Doedd hi ddim yn gôl, hogia, medda Huw.
> Dw inna ddim yn meddwl chwaith.
> Na finna chwaith.
> Ond yr un oedd fwya o'i go oedd Wil Robaits Gôl. Dyna lle oedd o, a'i wynab o'n goch, yn cerddad yn olagymlaen a dyrnu'r awyr, a dangos y bêl yn y mwd ar lein gôl i'r bobol oedd o'i gwmpas o.
> Yn sydyn, dyma Wil Robaits yn eistadd i lawr yn y mwd wrth y postyn a rhoid ei ben yn ei ddwylo fel tasa fo eisio crio. A wedyn dyma fo'n codi a dechra carlamu fel fflamia i ganol cae, lle oedd yr hogia eraill yn dal i daeru hefo'r ryffarî.
> A cyn i neb wybod be oedd yn digwydd, dyma Wil Robaits yn gafael yng ngwar Titsh hefo'i ddwy law a'i godi o oddiar ei draed a troi rownd a'i gario fo felly yn ôl at gôl Celts, a traed Titsh yn cicio'r awyr o dano fo, run fath â tasa fo'n reidio beic.
> Pan ddaru Wil Robaits a Titsh gyrraedd y gôl dyma Wil yn ei roid o i lawr a pwyntio at y bêl yn y mwd ar y lein a taeru hefo fo. Ond dal

i daeru'n ôl oedd Titsh. A dyma Wil yn gafael ynddo fo wedyn a pwyso'i ben o i lawr nes oedd ei drwyn o yn y mwd wrth ymyl y bêl.

Wnei di goelio rŵan ta, y cythral gwirion, medda Wil wrtho fo.

Fel ma'n digwydd, 'doedd Titsh, pan oedd o'n sefyll i fyny, ddim yn cyrraedd dim ond at bennaglinia Wil Robaits, golcipar Celts. Dew, un tal oedd hwnnw.

Y gŵr go iawn y seiliwyd 'Wil Robaits, golcipar Celts' arno oedd Thomas Morris, o Rachub, Bethesda. Cawn grynodeb o'i hanes ef yn y bennod nesaf, 'Rhai o Gymeriadau'r Gêm Bêl-droed'.

*   *   *

Â stori'r gêm bêl-droed yn ei blaen – ac mae'n werth ei hadrodd fel y ceir hi yn y nofel er mwyn i ni allu cymharu'r stori a adroddir yn *UNOL* gyda'r hyn a ddigwyddodd go iawn:

Mi aeth petha'n draed moch wedyn. Mi redodd lot o bobol oedd ar y lein i ganol cae a dechra taeru yn fanno hefo hogia Cybi, a rhai ohonyn nhw'n dechra rhedag at gôl Celts, i dreio cael gafael ar Titsh, ac am hannar ei ladd o. Ond oedd Tad Wil Bach Plisman a Jos Plisman Newydd yno o'u blaena nhw a wedi rhoid Titsh rhyngthyn nhw ac yn deud wrth y bobol am gadw draw. Ond welais i rioed bobol wedi gwylltio cymaint.

Wedyn dyma Tad Wil Bach Plisman yn galw hogia Celts a Cybi Wanderers at ei gilydd, ac ar ôl siarad am dipyn bach dyma nhw'n gneud ring rownd y ryffarî a dechra cerddad allan o cae a'r bobol yn cerddad bob ochor iddyn nhw ac yn gweiddi, a rhai ohonyn nhw'n rhegi a diawlio.

Sôn am broseshion Elwyn Pen Rhes. Hwn hefo Titsh oedd y proseshion rhyfedda welais i yn fy mywyd.

Pan oeddan ni'n cerddad i lawr heibio Giat Reglwys, a Titsh ar y blaen, a'r ddau blisman un bob ochor iddo fo, a hogia Celts a Cybi Wanderers tu nôl iddyn nhw, a'r bobol ar eu hola nhw yn gweiddi ac yn lluchio tolpia i dreio hitio Titsh, dyma Moi yn deud: Ydw i'n mynd i nôl torchan.

Naci, gad iddo fo gael chwara teg, medda Huw.

Ond i chwilio am dorchan aeth Moi. A peth nesa welson ni oedd torchan yn fflio trwy'r awyr. Ac yn lle hitio Titsh, landio ar fôn clust Tad Wil Bach Plisman ddaru hi, nes syrthiodd ei helmet o oddiar ei ben o. Ond ddaru Tad Wil Bach Plisman ddim byd ond gwyro i lawr i godi'i helmet a'i rhoid hi'n ôl am ei ben a cerddad ymlaen, nes daethon nhw at Blw Bel, lle oedd yr hogia'n newid a molchi. Ac i mewn a nhw hefo Titsh a lot o bobol yn sefyll o gwmpas Blw Bel a taeru am hir iawn. Ond welodd neb mo Titsh yn dŵad allan, achos mi aethon a fo trwy drws cefn.

Chdi daflodd y dorchan yna ddaru hitio Tad Wil Bach Plisman? medda Huw ar ffordd adra.

Naci wir, medda Moi. Mi fethais i gael hyd i dorchan. Wil Bach Plisman mae rhai yn ddeud ddaru'i thaflyd hi.

Iesu, mi gaiff o gweir pan aiff o adra, os mai fo ddaru, medda Huw.

Dew, diwrnod ofnadwy oedd hwnnw. Does yna neb yn chwara ffwt-bol yn Cae Robin Dafydd rŵan. Dim ond gwarthaig yn pori.

Er nad gwir yr haeriad ar ddiwedd y dyfyniad uchod – mae timau pêl-droed yn dal i ddefnyddio'r cae – roedd y diwrnod go iawn yn un hynod gofiadwy. Dyna pryd y daeth yr Holyhead Railway Institute Reserves – Cybi Wanderers y nofel – i Fethesda i chwarae yn erbyn y Bethesda Comrades (sef y Celts) yn Ail Adran Cynghrair y *North Wales Coast* – a gêm gynghrair ydoedd, felly, nid gêm Gwpan fel yr haera Caradog Prichard yn *UNOL*. Dyma lun y Bethesda Comrades fel yr oeddent yn ystod tymor 1919-1920:

Tîm pêl-droed y Bethesda Comrades, 1919-20
Dyma enwau'r chwaraewyr.
Rhes gefn (o'r chwith): Henry P. Thomas, Thomas Morris, Bob Morris
Rhes ganol: William Huw Evans, Eddie Griffiths, Bob Williams
Rhes flaen: John R. Griffith, Roli Hughes, Arthur Hughes, E. G. Hughes,
William Thomas (Capten)
Joe McCarter, Ysgrifennydd y tîm, yw'r trydydd o'r chwith yn y rhes gefn

Mae'n werth nodi yma fod Thomas Morris, y gôl-geidwad, yn frawd i Bob Morris sydd ar y chwith iddo yn y llun, a'u brawd hynaf, sef William John (nad yw yn y llun), oedd hyfforddwr y tîm. At hynny, roedd William Thomas (Wil Caeherfyn), y capten, hefyd yn perthyn i'r teulu.

Gwaetha'r modd, bu'n amhosibl cael hyd i lun o'r Holyhead Railway Institute Reserves ond ceir llun y tîm cyntaf yn llyfr Gareth M. Davies, *A Coast of Soccer Memories 1894-1994: The Centenary Book of the North*

Wales Coast Football Association [1994] a chefais ei ganiatâd i'w atgyn-hyrchu yma. Tynnwyd y llun yn ystod tymor 1920-21 ac mae'n eithaf posibl y gallai ambell un o'r chwaraewyr hyn fod wedi chwarae yn y gêm bêl-droed ym Methesda.

Tîm yr Holyhead Railway Institute

*   *   *

Cawn syniad am yr hyn a ddigwyddodd go iawn yn rhifyn dydd Llun, Ebrill 30 1920, o'r *North Wales Chronicle* – a gallwn weld pa mor agos at y gwir oedd stori Caradog am y gêm yn UNOL. Prif bennawd yr adroddiad oedd 'Referee's Decision Disputed at Bethesda' ac yna'r is-bennawd 'Scene after Match'. Roedd y sgôr yn gyfartal ar ddiwedd chwarter awr cyntaf yr ail hanner pan aeth pethau'n flêr:

> The referee (Mr H. O. Williams, Bangor) ruled that the home goal-keeper was over the goal line when the ball was stopped, and that it first hit the inside of one of the posts. The home team declined to accept the referee's decision, and refused to re-start the game ...'.[2]

Ac aeth pethau o ddrwg i waeth:

> After the match, a large and demonstrative crowd followed the referee to a local hotel and lumps of turf were thrown at him. Sergt Evans prevented the crowd from assaulting him.[3]

248

Cyhoeddwyd adroddiad yn y *North Wales Chronicle*, ddydd Gwener, Mai 14 1920, dan y pennawd 'Bethesda Club's Action Condemned'. Cyfeiria at gyfarfod y Gymdeithas Bêl-droed yng Nghyffordd Llandudno nos Fercher, Mai 12, dan gadeiryddiaeth R. J. Hughes, i drafod y 'Bethesda Match Dispute'. Dywedir i H. O. Williams, y dyfarnwr, roi adroddiad am yr helbul, gan ychwanegu bod capten y Bethesda Comrades, sef William Thomas, wedi gwrthod gosod y bêl ar ei smotyn yng nghanol y cae i ail-ddechrau'r gêm, gyda'r canlyniad nad oedd dewis ganddo ond atal y gêm gyda hanner awr ar ôl heb ei chwarae. Dyfynnir gweddill yr adroddiad yn llawn:

> He [H. O. Williams] added that he could see at the very commence-ment that the spectators and most of the players alike were out to give trouble. He had on several occasions to stop the game on account of the spectators continually interfering with the game. When he brought the game to a close, he was badly treated by the crowd on the field, and some of the players, especially T. Morris, the goalkeeper of the home team, before leaving the field.

> J. McCarter, secretary of the Bethesda team, stated that the ball struck the outside of the goal post, and that it was not a goal. The referee admitted to him later that he had made a mistake.

> The Chairman: You know that the decision of the referee must be respected and obeyed.

> Mr H. O. Williams: Mr McCarter was not responsible for his actions as he was too excited at the time.

> Arthur Hughes stated that he was present at the game and admitted that the crowd hooted the referee, so he advised him for his own skin to be careful and play the game.

> Mr H. O. Williams: Would you be surprised if I told you that more than a dozen of the spectators were more than half drunk?

> Mr Hughes: I would not be surprised at anything.

> William Thomas, another witness for Bethesda, said that in his opin-ion half the fault lay with the referee.

> J. M. Williams was of the opinion that the referee had painted the whole affair too black. The referee was carried to the goal posts to show him where the ball had struck.

Mr J. W. Post: Good gracious, what is football coming to?

A number of witnesses for Bethesda also gave evidence.

Mr J. W. Post proposed a resolution severely condemning the action of the members of the Bethesda Club and the spectators which was seconded by Mr A. Pritchard, and carried.[4]

Cynigiodd Mr T. O. Morgan, ac eiliwyd gan Mr J. W. Post, fod y gôl-geidwad, Thomas Morris, i gael ei atal rhag chwarae am 30 diwrnod o Fedi 1 ymlaen. Ond serch ei atal am gyfnod o faes y bêl-droed, enillodd Thomas Morris lawer mwy o sylw o ganlyniad i hanes y gêm yn *UNOL*.

Ond nid dyna oedd diwedd yr helynt. Pan gyfarfu aelodau Cymdeithas Bêl-droed Arfordir Gogledd Cymru (yr *NWCFA*) ar Fehefin 26 1920 yng Nghyffordd Llandudno, cyflwynwyd adroddiad:

> ... that the Bethesda Comrades v. Holyhead R. I. Res. match played at Bethesda on April 27th, was terminated after only 60 minutes play owing to the home team players and spectators disputing the third goal being awarded to Holyhead in a vital game. Holyhead were then leading 3-2 and the spectators refused to leave the field. It was proposed that the match be awarded to Holyhead, but some objected to this course being taken as it would be unfair to Abergele who were then leaders of Division II. It was subsequently decided to award the match and championship of Division II to Holyhead although Abergele were not satisfied, which resulted in an appeal to the N.W.C.F.A., but their protest was dismissed. The secretary reported that the championship of Division I had been won by Bangor Comrades F.C.

A dyna'r tro olaf y clywyd sôn am y Bethesda Comrades F.C. Erbyn Medi 1920, roedd tîm pêl-droed newydd yn Nyffryn Ogwen, sef yr Ogwen Valley. Fel mae'n digwydd, roedd o leiaf chwe aelod o'r Bethesda Comrades, gan gynnwys y capten, William Thomas, Caeherfyn, yn chwarae yn y tîm newydd!

NODIADAU

1. Gw. Hugh Derfel Hughes, *Hynafiaethau Llanllechid a Llandegai* (Bethesda, 1866), tt. 36-37.
2. *The North Wales Chronicle*, April 30 1920.
3. Ibid.
4. Ibid., May 14 1920.

RHAI O GYMERIADAU'R GÊM BÊL-DROED

Titsh (Y dyfarnwr)

Pan aeth tîm y Celts ar y blaen yn y gêm bêl-droed drwy gôl gan Wil
Cae Terfyn, roedd Moi yn barod iawn i ganmol y dyfarnwr i'r entrychion:

> Dyna i ti ryffarî da ydy Titsh, medda Moi. Titsh oeddan ni'n ei alw fo
> am mai dyn bychan bach oedd o, a mop o wallt cyrls du gynno fo ...

A dyna ddisgrifiad rhagorol o'r gŵr go ddifri', fel y gwelwn oddi wrth y
llun hwn:

H. O. Williams – Titsh y ryffarî yn UNOL

A rhydd y nofelydd syniad i ni hefyd sut yr edrychai'n gyffredinol:

> Pan oedd o'n rhedag yn olagymlaen rhwng yr hogia, a gwyro i lawr i
> watsiad y bêl, â'i bib yn ei geg, oedd o'n edrach yn llai na Bob Bach
> Pen Clawdd, hwnnw fyddan ni'n bryfocio am ei fod o'r un hyd a'r un
> led a fynta'n ddeugian oed. A doedd Titsh, pan oedd o'n sefyll i fyny,
> ddim yn cyrraedd dim ond at bennaglinia Wil Robaits, golcipar Celts.

251

Er mwyn ceisio celu pwy'n union oedd y dyfarnwr yn y gêm go iawn (y soniwyd amdani eisoes), rhoes Caradog lysenw gwahanol iddo, sef Titsh, yn y nofel. Ond mae'r 'mop o wallt cyrls du' yn siarad cyfrolau a hynny a barodd i gefnogwyr y bêl-droed yng ngogledd Cymru alw H. O. Williams yn 'Goliwog'. Cymeriad yn un o'r llyfrau plant a ysgrifennwyd tua diwedd y bedwaredd ganrif ar bymtheg gan Florence Kay Upton oedd 'Goliwog' ac fe seiliodd hi'r cymeriad bach hwn ar ddol oedd ganddi pan oedd yn blentyn yn America. Daeth y cymeriad yn eithriadol boblogaidd a gwnaethpwyd miloedd o ddoliau Goliwog ar draws Ewrop yn ystod yr ugeinfed ganrif ac fe'i mabwysiadwyd fel masgot gan gwmni jam Robertson yn 1910. Dyfarnwyd iddo fod yn wleidyddol annerbyniol tua diwedd y ganrif ddiwethaf a diflannodd oddi ar botiau jam yn 2001, a phrin y gwelir ef yn unman y dyddiau hyn.

Mae rhai yn Nyffryn Ogwen heddiw sy'n cofio i H. O. Williams, tua diwedd y 1920au neu ddechrau'r 1930au, gael ei daflu ar ei ben i Afon Ogwen ar sail rhyw ddyfarniad amheus a wnaeth yn erbyn y tîm cartref. Dywedodd eraill wrthyf nad ym Methesda'n unig y câi'r math yma o fath cynnar! Yn sicr, nid dieithr oedd clywed torf o amgylch caeau pêl-droed gogledd Cymru, fel y dywedir yn *UNOL*, 'yn rhegi ac yn diawlio a galw ... bob matha o enwa' ar y dyfarnwr arbennig hwn! Wedi dweud hynny, nid oedd golygfeydd o anhrefn a stŵr afreolus yn bethau anghyffredin ar gaeau pêl-droed yr adeg honno ac mae'n siŵr nad H. O. Williams druan oedd yr unig ddyfarnwr i ddioddef llach tyrfa anniddig ac ymosodol.

Nid ailadroddir yma hanes helynt y gêm bêl-droed ym Methesda yn 1920 pan gamdriniwyd H. O. Williams yn ystod ac ar ôl y gêm, gan y ceir stori'r nofel a'r stori go iawn ochr yn ochr, fwy neu lai, yn y bennod flaenorol, 'Y Gêm Bêl-droed'.

*   *   *

Ganed Hugh Owen Williams tua mis Gorffennaf 1891 yn 26 Fair View Road yn ardal Hirael, Bangor. Roedd yn fab i blastrwr o'r enw John Williams, yntau'n frodor o Fangor, ac Ann a aned yn Llanfachraeth, Sir Fôn. Ganed i John ac Ann (a'r ddau'n uniaith Gymraeg, gyda llaw) ddau fab arall: William Samuel (a aned oddeutu 1882, plastrwr fel ei dad, a ddaeth yn Faer Bangor ymhen amser) a Solomon (a aned tua 1883), a phedair merch, sef Margaret Jane (g. tua 1885), Elizabeth Ann (g. tua 1888), Jessie (g. tua 1894) a Nellie (a aned yn 1903)[1].

Ar ôl holi a stilio am fisoedd am H. O. Williams a chael hyd i lawer a'i cofiai (ac a allai adrodd am rai o'r helyntion y bu ynddynt ar gaeau pêl-droed gogledd Cymru), roedd cael hyd i'w hanes a chael llun ohono yn dasg anodd tu hwnt.

Yna, yn rhyfeddol, drwy gymorth Maldwyn Evans o Fangor, daeth ambell aelod o deulu H.O. i'r golwg. Esgorodd hynny ar gyflenwad cwbl annisgwyl o luniau'r gwron a chynhwysir tri ohonynt yn y bennod hon.

Yn y lle cyntaf, rhoddodd Maldwyn fi mewn cysylltiad â Terry Gleave o Farchwiel, ger Wrecsam, a chefais fenthyg llun priodas ei hen ewythr ganddo, a hefyd ei lun yng nghyfnod y dyfarnu, sef y llun a geir ar ddechrau'r bennod hon, yn union fel y gwelodd Caradog Prichard ef.

H. O. Williams

Yna bûm yn ddigon ffodus i gyfarfod â nai i H. O. Williams, sef Alun Hughes o Langefni, a chael benthyg llun gweddol ifanc o'i ewythr ganddo (ac yntau'n amlwg heb ddatblygu'n llwyr ei ddelwedd oliwogaidd!).

Clarc yn Ysbyty Môn ac Arfon, Bangor oedd H.O. Priododd â merch o'r enw Sally, gan ymgartrefu mewn tŷ cyngor yn Ffordd Islwyn, Bangor. Ni chawsant blant.

H.O. a Sally Williams
ar ddydd eu priodas

Ritchie Huws Pen Garnadd a'i ddau frawd, Albert a Llywelyn

Wrth adrodd hanes y gêm bêl-droed, enwir tri brawd a chwaraeai i dîm y Celts, sef Ritchie Huws Pen Garnadd (y dywedir iddo sgorio ail gôl y Celts) a'i ddau frawd, Albert a Llywelyn:

> ... tri chwaraewr da oeddan nhw hefyd. Ond Ritchie oedd y gora o'r tri. Oedd gyno fo gic mul yn ei droed chwith, a honno ddaru Ritchie sgorio oedd y gôl ora welais i rioed. Oedd o'n rhedag i lawr ochor chwith Celts ar ben ei hun efo'r bêl, dest wrth ymyl lle oeddan ni'n sefyll ac yn gweiddi Cym on the Celts. A pan oedd o newydd groesi lein ganol, ac yn mynd fel fflamia heibio inni, dyma fo'n cymryd shot. A'r bêl yn fflio trwy'r awyr a'i gneud hi am gornal bella gôl Cybi, dest o dan y crosbar, a golcipar Cybi'n fflio o pen arall â'i freichia i fyny i dreio'i safio hi.

Roedd y tri brawd go iawn, sef Trefor, Emrys ac Evan Richard Hughes, yn bêl-droedwyr medrus a enynnai edmygedd pobl Dyffryn Ogwen. Bu'r tri'n chwarae i dîm lleol o'r enw Llechid Celts ac mae'n debyg mai cofio am hynny a barodd i Caradog Prichard eu gwneud yn aelodau o dîm y Celts yn *UNOL*. Hyd y gwyddys, ni fu'r un o'r tri yn aelodau o'r Bethesda Comrades.

Yn *ADA*, mae Caradog Prichard yn sôn amdanynt yn barchus iawn ac yn mynegi ei ddyled iddynt yn ystod ei ddyddiau ysgol:

> ... meibion glewion William Hughes, Baker, o'r Carneddi. Oedem oriau lawer yn chwarae pob math o gampau yn y *jungle* a'r Cae Ucha ac yno y bwriodd David Llewelyn ac Emrys a Trefor eu prentisiaeth i ddyfod yn gampwyr pêl-droed a chriced. Treuliais lawer awr felys ar aelwyd cartref Emrys a Trefor yn y Carneddi a thorrwyd fy newyn yno lawer gwaith a phryd o fwyd nad oedd gennyf obaith amdano pan gyrhaeddwn adref. Bachgen hael â'i bres poced oedd Emrys hefyd, fel y cefais brofi lawer tro.[2]

Trefor (sef Ritchie yn *UNOL*) oedd y seren bêl-droed o'r tri. Roedd yn chwaraewr arbennig o dda ac yn chwarae'n broffesiynol i dîm pêl-droed Bangor pan nad oedd ond yn 17 oed. Ond troi'n ôl yn amatur a wnaeth a chwarae i dîm lleol yn Nyffryn Ogwen,

Trefor Hughes

254

sef y Bethesda Vics. Pinacl ei lwyddiant yn lleol oedd iddo fod yn gapten ar y tîm pêl-droed hwn (a gymerodd ei enw o dafarn y Victoria ar y Stryd Fawr gan mai yno y byddent yn newid cyn ac ar ôl pob gêm gartref). Yn y 1920au y chwaraeai i'r Bethesda Vics a chyrhaeddodd y tîm y brig trwy lwyddo i ennill Pencampwriaeth Ail Adran (Gorllewin) Cynghrair Cenedlaethol Cymru yn ogystal ag ennill Her Gwpan y Gymdeithas Bêl-droed yn nhymor 1929-30.

A dyma'r tîm hwnnw, lle gwelwn Trefor Hughes, y trydydd o'r dde yn y rhes flaen, gyda Her Gwpan y Gymdeithas Bêl-droed o'i flaen (ac Owen Griffith – Now Bach Dob fel y gelwid ef – wrth ei ymyl a Chwpan Enillwyr y Cynghrair o'i flaen yntau). Tynnwyd y llun hwn o'r Bethesda Vics, a'u 'staff' a'u cefnogwyr, ar ddiwedd eu tymor llwyddiannus.

Y chwaraewyr, gan gynnwys un wrth gefn (o'r chwith):
Rhes gefn: David Llewellyn, Herbert Evans, Hugh Hughes
Rhes ganol: Robin John Williams, Bob Griffiths, Meth Owen
Rhes flaen: John T. Jones, David Robert Williams,
Owen Griffith, Trefor Hughes, Richard Owen, Evan Hughes

Ond er cystal chwaraewyr oeddynt hwythau, nid esgynnodd dau frawd Trefor i'r fath fri ym maes y bêl-droed.

Pan oedd Emrys yn Ysgol y Sir Bethesda, enillodd ei le yn nhîm cyntaf yr ysgol a cheir llun ohono isod yn y cyfnod hwnnw. Wedi gadael yr ysgol, aeth Emrys ymlaen i fod yn athro, ac yna'n brifathro, a threuliodd y rhan fwyaf o'i oes yng nghyffiniau Lerpwl. Pan ymddeolodd, daeth yn ôl i Gymru ac ymgartrefu ym Mhorthaethwy. Bu farw yn 1972.

Emrys Hughes yn nhîm pêl-droed
Ysgol y Sir, Bethesda

Aros yn ei filltir sgwâr wnaeth Evan Richard – gŵr bonheddig i'r carn. Bu'n glarc yn Swyddfa Cyngor Dinesig Bethesda ac yn cadw siop bapurau newydd ar Stryd Fawr Bethesda am flynyddoedd lawer – y siop y gwyddai Caradog Prichard amdani fel 'Siop Je Eff (J. F. Williams, y llyfr-werthwr) y drws nesaf i'r Post'.[3]

Evan Richard Hughes

Trefor Hughes

Pobydd oedd Trefor, yn dilyn galwedigaeth ei dad, fel y dywed Caradog yn *ADA*, 'ac wedi bwydo'r trigolion am flynyddoedd â thorthau iachus a theisennau blasus Siop Nymbar Wan'[4] yn Rhes Ogwen, Bethesda. Bu farw yn 1976.

256

Wil Cae Terfyn

William Thomas, a aned ar Ionawr 31 1889, yn nhyddyn Caeherfyn, Tregarth, ger Bethesda, oedd Wil Cae Terfyn yn hanes y gêm bêl-droed yn y nofel.

Wil Cae Terfyn, sef William Thomas

Er mai 'Caeherfyn' yw ffurf gyfarwydd y gair ers canrif a mwy, 'Cae Herfin' a geir mewn arolwg o dyddynnod a ffermydd ar Stad y Penrhyn yn 1768. Ac nid Caradog Prichard yw'r unig lenor i grybwyll y pêl-droediwr medrus hwn; ceir cyfeiriad ato – ac at ei gartref – gan Huw Davies yn ei *Atgofion Hanner Canrif*[5]:

> Coffa da am orchestion Wil Bach Caeherfyn (Cae Erfin, mae'n debyg,
> yw'r Caeherfyn) ...

Roedd William Thomas yn un o wyth o blant – pedwar o fechgyn a phedair o ferched. Derbyniodd ei addysg gynnar yn lleol ond buan iawn yr aeth yntau, fel y rhan fwyaf o fechgyn yr ardal, i weithio i Chwarel y Penrhyn. Wedi bwrw'i brentisiaeth, a threulio blynyddoedd wedyn yn trin y llechen las, ystyriwyd ef yn chwarelwr digon cymwys a chyfrifol i gael ei

257

godi'n farciwr (a hynny ddydd Sadwrn, Gorffennaf 3 1926). Ac yntau'n is-swyddog, gwaith marciwr oedd sicrhau, ymhlith dyletswyddau eraill, fod y chwarelwyr yn cyfrif eu llechi'n gywir a bod eu cynnyrch o safon.

Priododd William Thomas â Mary Elizabeth Williams, Ffordd Ffrydlas, Bethesda, ar Fedi 14 1927, yng Nghapel Twr Gwyn, Bangor, ac fe aned iddynt un ferch, sef Morfudd[6], yn 1931.

William a Mary Thomas, gyda'u merch, Morfudd

Yn ei ieuenctid, pêl-droed oedd ei brif ddiddordeb ond mwynhâi bysgota hefyd yn afonydd Dyffryn Ogwen. Roedd yn aelod ffyddlon gyda'r Wesleaid yng Nghapel Shiloh, Tregarth (lle bu E. Tegla Davies yn gweinidogaethu ar dri achlysur gwahanol).

Mae Wil Cae Terfyn yn cael lle blaenllaw yn hanes y gêm bêl-droed yn *UNOL*. Disgrifir ef yn 'gneud rings rownd hogia Cybi Wanderers' ac yn 'driblar da ... efo'r bêl ... run fath â tasa hi wedi cael ei chlymu efo lastig wrth ei draed o', a dywedir ymhellach:

> ... pan oedd o'n dŵad at un o hogia Cybi Wanderers, oedd o'n stopio'n stond, a'r bêl yn stopio o'i flaen o. Wedyn oedd o'n dawnsio am dipyn

bach bob ochor i'r bêl a'r boi Cybi yn ei watsiad o fel cath yn gwatsiad llgodan. A cyn iddo fo wybod lle oedd o, oedd Wil Cae Terfyn wedi tapio'r bêl rhwng ei goesa fo efo blaen ei droed a rhedag rownd iddo fo, a gadael boi Cybi ar ei din yn y mwd. Wedyn oedd Wil yn mynd yn syth trwy'r lleill fel cyllath trwy fenyn nes oedd o yn ymyl gôl Cybi'.

Ac roedd y cefnogwyr ifanc yn meddwl y byd o Wil:

Mae nhw'n deud bod Everton ac Aston Villa[7] wedi treio cael Wil Cae Terfyn, medda Huw pan oedd Wil yn ei gweu hi am gôl Cybi. Chan nhw mono fo, wsti, medda Moi. Mae well gen Wil aros efo Celts.

Gôl! medda ni ill tri ar dopia'n llais pan sgoriodd Wil y gôl gynta. Oedd Wil wedi saethu'r bêl i'r rhwyd, a dyna lle oedd golcipar Cybi ar ei fol yn y mwd, a'i draed i fyny, a'i freichia fo allan run fath â tasa fo'n treio cyrraedd yr holl ffordd i Lôn Bost.

A'r bobol i gyd ar y lein yn gweiddi a dawnsio fel petha o'u coua, a hogia Celts i gyd yn rhedag at Wil i ysgwyd llaw efo fo a rhoid eu breichia amdano fo a chwalu'i wallt o.

Wrth ddarllen hanes go iawn yr achos a gynhaliwyd ynghylch y gêm gan Gymdeithas Bêl-droed Arfordir Gogledd Cymru, cawn wybod bod William Thomas wedi'i alw i roi tystiolaeth ynglŷn â'r hyn a ddigwyddasai. Ymddengys fod ei dystiolaeth yn un deg a chytbwys ac edmygwn ef am ddweud mai dim ond 'hanner y bai' oedd ar y dyfarnwr am yr helynt. Wedi dweud hynny, gellid haeru mai arno ef, William Thomas, yr oedd y bai i gyd am i'r dyfarnwr atal y gêm – gafaelodd Wil Caeherfyn, capten y Bethesda Comrades, yn dynn yn y bêl a gwrthod ei gosod ar ei smotyn i ailddechrau'r gêm!

Bu farw William Thomas ddiwedd Chwefror 1951 yn 62 oed, a chladdwyd ef ym Mynwent Coetmor, Bethesda.

Wil Robaits Gôl

Thomas Morris[8] oedd y gŵr go iawn y seiliwyd 'Wil Robaits, golcipar Celts' arno. Ganed ef ar Hydref 29 1899, yn drydydd mab i John a Jane Morris, Rachub, Bethesda. Chwarelwr oedd John Morris ond gwrthodwyd ei gais i ddychwelyd i'r chwarel ar derfyn Streic Fawr y Penrhyn yn 1903. Cafodd waith mewn chwarel fach leol (un o'r tair neu bedair a agorwyd gan y North Wales Development Company) a daeth tro ar fyd am gyfnod byr. Er bod saith o blant yn y teulu erbyn canol 1907 – William John, Robat (Bob), Thomas (Tom, ac weithiau Twm), Annie Mary, Jennie, Maggie a Huw – roedd y teulu'n llwyddo i grafu byw nes digwyddodd trychineb. Ar Ebrill 10 1908, a'r ieuengaf o'r plant, Huw, yn ddim ond deng mis oed, lladdwyd John Morris yn Chwarel Pantdreiniog, Bethesda, ac yntau ond yn dri deg naw mlwydd oed. Ysgrifennodd John Emyr Morris, nai Thomas Morris, yn *Llais Ogwan*, Mawrth 1995:

> Do, fe gafodd fy nain iawndal – deg swllt pitw yr wythnos i fagu tylwyth, a hynny am bedair blynedd yn unig. Dyna'r gwerth a roddai perchnogion y chwarel ar un o'u gweithwyr. Unwaith eto bu raid i Nain fynd allan i olchi a glanhau er mwyn cadw'r teulu.

Aeth John Emyr ymlaen i adrodd hanes cynnar ei ewythr:

> Dechreuodd Twm weithio yn Chwarel y Penrhyn pan oedd yn dair ar ddeg, ac yno y gweithiai ar ddechrau'r Rhyfel Mawr yn 1914. Yr oedd ei ddau frawd hynaf mewn oed i'w galw i'r fyddin yn gynnar yn 1915.

Mae'r stori am ymgais gyntaf Thomas Morris i ymuno â'r fyddin wedi'i dweud yn fyw a diddorol tu hwnt mewn erthygl gan Ioan Roberts yn *Y Cymro*, Mai 26 1971:

> Mis Medi 1914. Y rhyfel byd cyntaf yn fis oed, a'r Royal Welch Fusiliers yn ymgyrchu'n galed i ddenu gwŷr ifanc i faes y gad. Ar sgwâr Rachub, y pentref llechi ar lechwedd Dyffryn Ogwen yn Arfon, disgwyliai'r dorf yn llawn cyffro ar ôl i'r newydd gyrraedd fod y milwyr ar eu ffordd. Yn eu plith roedd dau fachgen 14 oed a adwaenir yn lleol fel Twm Jane Morris a Wil Mary Ann.
>
> 'Ar eu ffordd i'r sgwâr, dyma'r band yn taro "Gwŷr Harlech",' meddai'r Henadur Thomas Morris, yn wên i gyd wrth ail-fyw'r direidi. 'Roedd hyn yn ormod i Wil a fi, a dyma fynd yn syth at y Sarjant a dweud ein bod ni'n ddwy ar bymtheg oed ac eisiau recriwtio – er nad oeddan ni ddim yn bymtheg tan ddydd Ffair Llanllechid y mis

wedyn. Dyma roi'n henwau ar y dotted line a chael tâl o ddau a naw yr un gan y Sarjant'.

Fu'r newydd am anturiaethau'r ddau fab fawr o dro cyn cyrraedd clustiau Jane Morris a Mary Ann Roberts … Erbyn iddynt gyrraedd [y sgwâr], safai'r darpar-filwyr y tu allan i siop ar y sgwâr yn ymosod ar baced o sigaréts a chacen bwdin, a wnaeth dolc o ddwy geiniog yr un yn y ddau gyflog pechod.

Yr un cwestiwn oedd gan y ddwy fam: 'Wyt ti wedi joinio sowldiwrs wyt ti?' – 'Ydw!'

'Mi peltiodd fi rownd Rachub,' meddai Tom Morris, 'nes bod ochor fy wyneb i'n llosgi am ddyddiau. Ond roedd Mary Ann Roberts yn fwy o *athlete* na mam – roedd hi'n medru defnyddio'i thraed yn ogystal â'i dwylo ac mi fu Wil yn methu eistedd am fis neu ddau'. Dychwelwyd gweddillion y tâl recriwtio i'r sarjant, a daeth breuddwyd y milwyr i ben am y tro.

Ond ym mis Ebrill 1916, bu ei ymgais ef (ac un Wil Mary Ann, ei gyfaill) yn llwyddiannus fel yr adrodda John Emyr Morris:

Erbyn y flwyddyn 1916 yr oedd f'ewythr yn fachgen mawr o gorffolaeth ac o'r herwydd, yn edrych lawer yn hŷn na'i un ar bymtheg oed. Dyma'r rheswm, mi gredaf, pam y bu i'r awdurdodau gymryd ei air ei fod yn ddeu-naw oed a'i dderbyn i'r fyddin. Ymunodd â'r R.W.F. a gweld brwydro ffyrnig yn Ffrainc am dros ddwy flynedd. Gwasanaethodd hefyd yn y Dwyrain Canol ac yn yr India …

Yn ystod ei wasanaeth milwrol dramor, daeth Twm yn aelod o dîm bocsio ei fataliwn. Mae Ioan Roberts yn adrodd stori ddifyr o'r cyfnod hwnnw yn ei erthygl yn *Y Cymro*:

Cyrhaeddodd rownd gynderfynol un gystad-leuaeth, lle daeth wyneb yn wyneb â Gwyddel o'r enw Connaught Rangers – 'a chael y gwr-ban orau ges i erioed!' Cwrban a adawodd bant yn yr asgwrn uwch ei lygad hyd heddiw. Drannoeth yr ornest, cafodd ddadl gyda chorporal, ar ôl gwrthod ufuddhau gorch-ymyn i lanhau pabell lle digwyddai fod yn

Thomas Morris (ar y dde)
gyda ffrind yn yr India

cysgodi rhag yr haul wrth ddisgwyl trên yn ôl at ei fataliwn. 'Mi gofiais innau am y gweir ges i'r noson cynt – a rhoi dos o'r un ffisig i'r corporal!' Ei wobr: wyth diwrnod ar hugain heb gyflog.

Wrth ddarllen yr uchod, sylweddolwn fod Thomas Morris wedi cael digon o ymarfer yn herio awdurdod i'w baratoi'n briodol iawn ar gyfer yr hyn oedd i ddilyn yn y gêm bêl-droed ym Methesda ymhen ychydig iawn wedyn.

Rhyddhawyd ef o'r fyddin ym mis Mai 1919 ac yn ôl ei nai,

> ... yr oedd yntau, fel miloedd o gyn-filwyr, yn cael peth trafferth i ddygymod â bywyd fel dinesydd sifil unwaith eto a bu'n rhedeg dipyn yn wyllt heb fawr o ots am neb na dim. Yr oedd yn bêl-droediwr campus ac ymunodd â thîm 'Bethesda Comrades' yng Nghynghrair Gogledd Cymru, a buan iawn y profodd ei fod yn un o'r gôl-geidwaid gorau yn y Gynghrair.

Ac ymhen llai na blwyddyn ar ôl iddo ddod adref o'r rhyfel, fe'i cafodd ei hun mewn brwydr o fath gwahanol iawn ar gae pêl-droed Bethesda, fel y soniwyd eisoes yn y bennod ar 'Y Gêm Bêl-droed'.

Yn 1922, priododd â Lizzie Morgan, merch Siôn Morgan, Rachub, yn Eglwys Llanllechid, a ganed iddynt un ferch, Gweneth, yn 1924.

Dechreuodd gymryd diddordeb yn amgylchiadau'i gydweithwyr yn y chwarel ac ymunodd â'r Blaid Lafur a dechrau mynychu dosbarthiadau Addysg y Gweithwyr i'w wella'i hun. Penodwyd ef yn aelod o Gyfrinfa Undeb y Chwarelwyr a gweithiodd yn galed gydag eraill i sefydlu Cronfa Ysbytai yn 1924 ar gyfer ei gydweithwyr a'u teuluoedd. Yn 1939, etholwyd ef yn aelod o Gyngor Sir Caernarfon. Saesneg oedd iaith swyddogol y Cyngor Sir a'r Pwyllgor Addysg a chymerodd Thomas Morris ran amlwg iawn yn y gwaith o sefydlu polisi dwyieithog. Yn 1955 dyrchafwyd ef yn Henadur. Bu'n Gadeirydd y Cyngor Sir yn 1960 ac yn 1972 ef

Yr Henadur Thomas Morris, pan oedd yn Gadeirydd y Cyngor Sir

a oedd Cadeirydd olaf Pwyllgor Addysg Sir Gaernarfon (cyn sefydlu Cyngor Sir Gwynedd yn 1974).

Rhydd John Emyr Morris deyrnged haeddiannol i gyfraniad ei ewythr dros y Gymraeg:

> Yn 1967, wedi ymdrechion diflino, llwyddodd i gael cofnodion Cymdeithas Awdurdodau Lleol Cymru yn ddwyieithog. Mae'n amlwg ei fod yn awyddus i weld y Gymraeg yn cael ei lle yng ngweithgareddau'r holl bwyllgorau y perthynai iddynt, a Chyngor Sir Arfon oedd yr awdurdod cyntaf yng Nghymru i wneud hynny. Llwyddodd hefyd i gael offer cyfieithu yn Siambr y Cyngor. Cofir am ei wasanaeth am yn agos i ddeugain mlynedd i'w ardal a'i gydweithwyr, i'r iaith ac i Gymru.

Wedi gwaeledd hir, bu farw Thomas Morris ddiwedd Awst 1979.

Cymeriadau Eraill

Bob (neu Robat) Morris

Bob (neu Robat) Morris, brawd Thomas Morris, y gôl-geidwad, yw'r gŵr ar y dde iddo wrth i ni edrych ar lun y Bethesda Comrades ond does dim sôn amdano ef yn *UNOL*.

Bob (neu Robat) Morris

Magodd Bob Morris dri mab i fod yn bêl-droedwyr a fu'r gyda'r gorau a chwaraeodd erioed yng ngogledd Cymru. Roedd y tri – Bobi, Gwilym a Hugh – yn gweithio yn Chwarel y Penrhyn ac roeddent yn chwarae i dîm medrus y Penrhyn Quarry. Mae'n debyg mai Gwilym oedd y seren ddisgleiriaf o'r tri ac roedd ei ddoniau ar y bêl, ynghyd â'i bartneriaeth wefreiddiol gyda gŵr o'r enw Harry Cropper, yn destun edmygedd ar hyd ac ar led y gogledd. Mab arall i Bob oedd John Emyr (a ysgrifennodd deyrnged i'w ewythr, Thomas Morris, y dyfynnwyd ohoni uchod). Sefydlodd Bob Morris fusnes bach iddo'i hun yn crwydro'r ardal gyda'i fan yn gwerthu ffrwythau a llysiau.

264

William John Morris

Nid oes yr un gair ychwaith yn hanes y gêm bêl-droed yn *UNOL* am frawd hynaf Thomas a Bob, sef William John (neu 'Taff' Morris fel y gelwid ef). Ef oedd hyfforddwr y Bethesda Comrades. Dyma lun William John gyda Thomas, ei frawd, pan oedd y darpar gôl-geidwad yn 15 oed a newydd wneud ei ymgais gyntaf i ymuno â'r fyddin!

William John a Thomas Morris

Joseph McCarter

Ysgrifennydd y Bethesda Comrades oedd Joe McCarter. Yn y llun a welir o'r Bethesda Comrades yn y bennod ar 'Y Gêm Bêl-droed', ef yw'r trydydd o'r chwith yn y rhes gefn.

Ni sonnir amdano yn hanes y gêm yn y nofel ond caiff ef ei enwi yn yr achos a gynhaliwyd gan Gymdeithas Bêl-droed Arfordir Gogledd Cymru i'r helynt ym Methesda a dyfynnir ei dystiolaeth yn erbyn dyfarniad H. O. Williams (gweler y bennod ar hanes y gêm).

Rhoes William John ('Taff') Morris a Joe McCarter flynyddoedd lawer o wasanaeth ffyddlon i bob un o'r timau a fu yn Nyffryn Ogwen hyd at ganol y ganrif ddiwethaf.

Joe McCarter

Roli Hughes

Cymeriad arall a dreuliodd flynyddoedd yn chwarae pêl-droed i dimau lleol oedd Rowland Hughes (neu Roli Bach Tan'rallt, fel y gelwid ef). Fe'i ganed yn Nhan'rallt, Tregarth, ar Ragfyr 20 1896. Symudodd y teulu ddechrau'r ugeinfed ganrif i 24 Ffordd Tanrhiw, Tregarth, cyn symud ymhellach ymlaen i Rachub ger Bethesda. Fel Thomas Morris (Wil Robaits Gôl) ac Arthur Williams (Arthur Tan Bryn), dweud celwydd am ei oed a wnaeth Roli yntau i gael ymuno â'r Fyddin. Gwasanaethodd yn Ffrainc yn ystod y Rhyfel Mawr a dychwelyd adref ar derfyn y drin i weithio yn Chwarel y Penrhyn. Yn ystod y blynyddoedd y bu yno, chwaraeai i dîm pêl-droed Sied F a dyma'i lun fel aelod o'r tîm hwnnw yn 1932.

Ar ôl bod yn gweithio yn y chwarel am nifer o flynyddoedd, bu'n gweithio am gyfnod hir wedyn yn y diwydiant adeiladu lleol. Priododd ag Edna Lloyd Jones a chawsant chwech o blant – Gladys (a fu farw'n fabi), Alun, Elsie, Hilda[9], Gladys May ac Edna. Bu Roli Hughes farw ar Ragfyr 5 1978.

Rowland Hughes, aelod o dîm
y Celts yn UNOL

NODIADAU

1. Gw. Cyfrifiad 1901.
2. *ADA*, t. 26.
3. Gweler *ADA*, t. 33.
4. Gweler *ADA*, t. 26.
5. Gw. Huw Davies, *Atgofion Hanner Canrif* (Caernarfon, 1964).
6. Gan Mrs Morfudd Ashworth, Bethesda, trwy law ei merch, Cheryl Williams, y cafwyd y manylion bywgraffyddol am William Thomas.
7. Mae'n ddigon gwir i rai o dimau mawr Lloegr fod wedi ceisio cael William Thomas i ymuno â hwy ond gwrthod pob cynnig a wnaeth.
8. Cefais gymorth sylweddol gan Ann Williams, wyres Thomas Morris, wrth chwilota i'w gefndir, a bu erthygl ei nai, John Emyr Morris, yn hynod fuddiol. Yn yr un modd, cefais gydweithrediad parod Ann Jeanette, merch y diweddar John Emyr, wrth chwilio am hanes ei thaid hithau, Robert (Bob) Morris.
9. Gan Mrs Hilda Campbell, Bethesda, y cafwyd gwybodaeth am ei thad.

RHAN 4

LLEFYDD A CHYMERIADAU ERAILL

LLEFYDD A CHYMERIADAU ERAILL

Ni ellir union leoli nifer o'r llefydd a enwir yn *UNOL*. Mae'n eithaf tebygol fod enwau'n adleisio yng nghof Caradog Prichard ond heb fod bob amser yn enwau cyflawn na chywir, ac mae lleoliad ambell le, ynghyd â daearyddiaeth yr ardal, yn ansicr iawn ganddo ar brydiau. Ambell waith, wrth gwrs, fel y gellid disgwyl mewn gwaith o'r natur yma, enwir rhai llefydd ar ôl mannau a oedd yn gyfarwydd i'r awdur yn ystod ei flynydd-oedd cynnar ym mro ei febyd (er enghraifft: Cwt Crydd, Ffrwd Rhiw Wen, Giât Pen Lôn, Lôn Goed, Lôn Isa, Tal Cafn, Tan Fron, Tyddyn Llyn Du, Weun).

Rhoddir cynnig isod ar ddod o hyd i'r gyfatebiaeth rhwng byd y ffuglen a'r byd go iawn ond hyd yn oed lle mae modd cyfochri ambell enw gydag enwau llefydd go iawn yn yr ardal, cyfyd elfennau o amheuaeth ac ansicrwydd weithiau ynghylch cysondeb y cyfochri ymhob cyd-destun.

*   *   *

Afon Sarna

Pan mae'r hogyn bach yn *UNOL* yn dweud ei fod yn methu cysgu a'r 'lleuad run fath ag orains mawr ar ffenast y to yn sgleinio' arno, mae'n dringo i ben cadair, agor y ffenest a rhoi ei ben allan, ac meddai:

> Dew, oedd hi'n ddistaw braf, dim ond twrw bach yn yr awyr, run fath â twrw Afon Sarna, heblaw bod honno'n bell i ffwrdd.

Mae'n debyg mai meddwl amdano'i hun yn y tŷ llofft-a-siambar yn 4 Stryd Glanrafon, y Gerlan, yr oedd Caradog ac mai cyfeirio a wna at sŵn Afon Ogwen, ryw chwarter milltir yn is i lawr y llethrau o'r Gerlan. Yn ôl pob tebyg, penderfynodd ei galw'n Afon Sarna am fod pont bren gul a elwid yn Bont Sarnau yn croesi Afon Ogwen heb fod ymhell oddi wrth Dôl Ddafydd, lle mae cae rygbi Bethesda y dyddiau hyn. Efallai fod Caradog a'i fam yn croesi'r bont honno wrth gerdded o Ben-y-bryn neu Fryn-teg tuag at Fynydd Llandygái ar eu ffordd i weld y teulu yn y Bwlch Uchaf, Deiniolen.

Allt Bryn

Hon yw'r allt – Allt Pen-y-bryn – sy'n rhedeg i lawr o Ffordd Ffrydlas ym Methesda ac yn ymuno â'r A5 (Y Lôn Bost) rhwng y Rheinws a'r Gornal. Ar y ffordd hon yr oedd Llwyn Onn, lle ganed Caradog Prichard, ac i lawr hon y cerddai i fynd i siopa gyda'i fam ar bnawniau Sadwrn. Ar y Suliau, byddai'n troi i'r chwith tua hanner ffordd i lawr yr allt a cherdded ar hyd Pant-glas, sef yr hyn a elwir yn Lôn Fynwant yn y nofel, i gyrraedd at y Giât a oedd yn agor i'r llwybr yn arwain i lawr at yr Eglwys.

Ardal Pen-y-bryn a rhan o 'Allt Bryn' fymryn i'r chwith o ganol y llun.

Mae'n briodol nodi bod 'Lôn Pen Bryn' hefyd yn digwydd mewn un lle yn y nofel ond nid oes modd gwybod ai'r un ydyw ag 'Allt Bryn'.

Allt Goch ac Allt Rhiw
Wrth sôn am Allt Goch ac Allt Rhiw yn *UNOL*, mae'n bosib fod Caradog yn cofio am Allt Rhiw Goch sy'n mynd i lawr o gyffiniau Llanllechid heibio i hen neuadd ganoloesol Cochwillan, ger Tal-y-bont. Nid oes modd eu lleoli.

Foel Garnadd, Ben Garnadd, Ben Foel Garnadd
Efallai mai Carnedd Llewelyn (neu Garnedd Dafydd hyd yn oed) sydd wedi dod i feddwl Caradog Prichard wrth fathu'r enwau hyn.

Ben Rallt Ddu, Ben Rallt Wen
Mae Braich Tŷ Du ac Allt Tŷ Gwyn yn fannau cyfarwydd ar lechweddau dwyreiniol Nant Ffrancon ac ymhlith yr hoff lefydd ers talwm i bobl a phlant yr ardal fynd i hel llus. Dylid cofio hefyd am y mynydd serth sy'n golchi'i draed yn Llyn Ogwen – Pen yr Ala Wen. Gwelir y geiriau 'Oleu', 'Olau' ac 'Ola' yn digwydd yn enw'r mynydd hwn ond mae'n debyg mai 'Ala' sydd gywiraf o ran tarddiad – o'r Hen Saesneg 'alley' yn golygu 'llwybr' (fel mewn enwau llefydd eraill, megis Pen yr Ala, a drodd ar lafar gwlad yn 'Penrala', yn Nhregarth, a Ffordd yr Ala ym Mhwllheli).

269

Berllan

I'r tŷ hwn ('lle cafodd hi'i geni', meddir yn y nofel) y byddai Betsan Parri, sef Nain Pen Bryn y nofel, yn mynd pan fyddai'n ffwndro, 'draw yn fan acw, ar ochor dde Lôn Bost yma'. Yr unig 'Berllan' yn Nyffryn Ogwen sy'n gyfarwydd i mi yw'r un a gynhwysir yn yr enw 'Cae'rberllan', sef stryd o ryw ddeuddeg o dai yn rhedeg o'r Lôn Bost i gyfeiriad Braichmelyn (ar ochr chwith yr A5 wrth wynebu i gyfeiriad Capel Curig). *Un* tŷ yw'r Berllan yn *UNOL*, ac ni allaf ond tybio i Caradog Prichard fenthyca'r enw o enw'r stryd fach ger Pont-y-Tŵr.

Rhan (ar y chwith) o stryd fach Cae'rberllan
(Trwy ganiatâd Llyfrgell Genedlaethol Cymru)

Braich, Coed Allt Braich, Pen Braich, Ochor Braich

Mae ychydig sicrach o'i bethau gyda'i gyfeiriadau at 'Braich' (ond heb fod eto'n ddaearyddol gysáct bob tro) mewn ymadroddion fel Allt Braich, Coed Allt Braich, Pen Braich ac Ochor Braich. Y bryn y tu ôl i dreflan Braichmelyn sydd ganddo dan sylw'n ddi-os a buddiol yw cofio tarddiad yr enw hwnnw. Roedd y bryn unwaith dan orchudd o flodau'r eithin (a chrybwyllir yn *UNOL* 'y bloda eithin ar ochor Braich' a bod 'rhywun wedi bod yn gneud tân eithin ar ben Braich') a chan fod y tyfiant hwn yn felyn ac ar ysgwydd o dir y tu cefn i'r lle y codwyd y tai, naturiol oedd galw'r ardal yn 'Braichmelyn' (a chofio, gyda llaw, mai gwrywaidd yw 'braich' pan gyfeiria at natur tirwedd).

*Edrych o'r Carneddi tuag at Ben Braich – yr ysgwydd o dir a welir y tu ôl i dai
Braichmelyn – wedi'i orchuddio â choed erbyn heddiw*

Yr hyn sy'n wirioneddol annhebygol, fodd bynnag, yw'r hyn a ddywedir
yn y nofel am y 'Côr o Sowth'[1] yn canu 'ar ochor Braich'. Ar wahân i'r
ffaith y byddai wedi bod yn anodd – ac anymarferol iawn – ymlwybro i
lecyn addas ar y Braich, nid hawdd fyddai i'r Côr fod yn weladwy – na
chlywadwy – i'r rhai y dywedir eu bod 'yn cerddad i fyny-ag-i-lawr Lôn
Bost'. Mae'n eithaf posib, wrth gwrs, fod aelodau'r Côr wedi canu yn yr
awyr agored a hynny ar fymryn o godiad tir ond prin mai ar lethrau'r
Braich y gwnaethpwyd hynny.

*Y dorf yn Cae Gas, Bethesda, yn disgwyl i Edward VII ddod heibio, Gorffennaf 9, 1907.
Mae'n debyg mai ar y llethr ar y dde y byddai Côr Sowth wedi sefyll i ganu*

271

Yr hyn sydd fwyaf tebygol, fodd bynnag, yw i'r Côr ganu ar fryncyn mewn lle o'r enw Cae Gas (lle'r oedd y gwaith nwy lleol ers talwm). Cawn awgrym o hynny, i ryw raddau, yn Atodiad 5 isod – sylwer ar rif 10, Rhestr 1. Yno, ar y codiad tir gyferbyn â'r hen waith nwy, ar Orffennaf 9 1907, yr ymgasglodd holl blant yr ysgolion lleol i weld y brenin, Edward VII, yn mynd drwy'r ardal yn ei gar. Mae'r llun uchod o'r achlysur hwnnw (pan oedd car y brenin ar fin ymddangos) yn rhoi inni syniad o'r lleoliad.

Yr un yw Cae Gas o hyd, ac eithrio bod y gwaith nwy wedi hen ddiflannu ers llawer dydd, ond does yr un eithinen ar ôl ar Ben Braich, gan y gorchuddir y cyfan â choed trwchus a thal y Comisiwn Coedwigaeth. Does neb yn mynd am dro ar lethrau Pen Braich y dyddiau hyn a pheidiodd y plant â chwarae yno ers blynyddoedd bellach.

Brenhinas yr Wyddfa

Guto Bwlch sy'n adrodd stori ddifyr Brenhines yr Wyddfa wrth yr hogyn bach yn *UNOL* pan maent wrthi'n hel llus ar y llethrau uwchben Deiniolen. Ni roddir yr union leoliad ond byddent wedi gorfod dringo'n bur uchel a cherdded gryn bellter cyn y gallent fod wedi gweld Brenhines yr Wyddfa ar y llethr yn y pellter gyferbyn â hwy.

> mi ddalia i na fedri di ddim gweld Brenhinas y [*sic*] Wyddfa? … nid pawb fedar ei gweld hi. … Y mynydd yn fancw sy wedi gneud llun dynas yn erbyn yr awyr, a dim ond ar ddiwrnod clir run fath â hwn fydd hi'n dŵad i'r golwg. Gorfadd ar ei hyd ar ben y mynydd mae hi. … A dyma Guto'n rhoid un fraich am fy ngwar i ac yn pwyntio hefo'i fraich arall at y mynydd oedd wrth ochor Pen y Wyddfa. Weli di'r clogwyn acw lle mae defaid yn pori? … Wel, sbïa di dros hwnna, ar ôl fy mys i, dipyn bach i'r ochor chwith wrth ben y clogwyn. Wyt ti'n gweld siâp pen dynas yn gorfadd ar ei hyd? … Wedyn ei brest hi dipyn bach yn is i lawr. … A wedyn ei bol hi, a hwnnw wedi chwyddo … A wedyn ei thraed hi, yn dangos dipyn bach o dan ei sgert hi. … Dyna chdi, ynta. Honna ydy Brenhinas y Wyddfa. Ar ôl iti ei gweld hi unwaith, mi fedri di ei gweld hi o hyd wedyn. Pam ma nhw'n ei galw hi'n Frenhinas y Wyddfa? Am mai ar Ben Wyddfa ma hi, siŵr iawn. Ia, ond pam ma nhw'n ei galw hi'n Frenhinas? Am mai hi bia'r Wyddfa, siŵr iawn. A ma nhw'n deud os gwnaiff hi godi a dŵad i lawr Wyddfa, mi fydd yn Ddiwadd Byd.

O safbwynt y byd go iawn, rhyw gymysgedd o'r ffaith a'r ffug sydd uchod. A chymysgu hefyd, o bosib, rhwng dwy nodwedd yn y tirwedd sydd yn ffenomenâu naturiol rhyfeddol iawn.

Mae Brenhines yr Wyddfa yn bod heb os nac oni bai – yn wyneb a gwddf merch wedi'u ffurfio'n amlwg gan nodweddion naturiol ar lethr islaw'r Wyddfa ac i'w gweld yn glir o wahanol safleoedd ar y bryniau gyferbyn, a hyd yn oed oddi wrth yr Amgueddfa Lechi a'r Mynydd Gwefru yn Llanberis. A dyma hi, isod, a'r cylch wedi'i gynnwys i'w dangos yn gliriach. Ond, fel y gwelir, nid 'llun dynas yn erbyn yr awyr' ydyw ac nid yw'n 'gorfadd ar ei hyd ar ben y mynydd'; nid yw 'ei brest hi dipyn bach yn is i lawr' ac nid oes sôn am "i bol hi, a hwnnw wedi chwyddo' na'i 'thraed hi, yn dangos dipyn bach o dan ei sgert hi'. A hyd y gwn i, dychymyg Caradog Prichard a greodd y chwedl yn ei chylch hi.

Brenhines yr Wyddfa[2]

Tryfan a'r copa rhyfeddol

273

Wedi dweud hyn, mae'n rhaid crybwyll i mi glywed sôn am amlinelliad dynes ar y Grib Goch sydd yn agos at ddisgrifiad Caradog ond, yng ngeiriau Guto Bwlch, 'nid pawb fedar ei gweld hi' – ac ni welais innau mohoni!

O ystyried iddo awgrymu amlinelliad y pen yn erbyn yr awyr, ni allaf lai nag amau a oedd ganddo ddarlun yn ei feddwl o gopa rhyfeddol mynydd Tryfan sy'n codi dros dair mil o droedfeddi uwchlaw Llyn Ogwen. O roi eich pen ar yr ysgwydd dde wrth edrych ar lun copa Tryfan ar y dudalen flaenorol (a gweithio o'r dde i'r chwith), gellwch weld top y pen (ac awgrym o wallt), y talcen, soced y llygad, y trwyn, y wefl uchaf, y geg, yr ên, a hyd yn oed yr afal breuant (yr *Adam's apple*). Amlinelliad o ben Benito Mussolini (Unben yr Eidal rhwng 1922 a 1943), medd rhai; dywed eraill mai pen y Frenhines Victoria fel yr ymddangosai ar hen geiniog sydd yma.

Cae Robin Dafydd

Crybwyllwyd hwn yn y bennod ar 'Y Gêm Bêl-droed' ond sonnir yn *UNOL* mai i'r cae hwn y byddai'r 'syrcas yn dŵad hefyd, a'r Sioe Lewod'. Does dim tystiolaeth gen i fod syrcas na sioe wedi eu cynnal *ar* y cae pêl-droed ei hun, er y gallai pethau fod wedi bod yn wahanol yn nyddiau Caradog Prichard, wrth gwrs. Y traddodiad o fewn fy nghof i ydi mai ar y tir yr ochr bellaf i ben deheuol y cae y cynhelid pob gweithgaredd o'r fath Yn wir, cofiaf yn dda y byddai'r sioe neu'r ffair yn galw ym Methesda bob blwyddyn rhwng canol Mehefin a dechrau Gorffennaf – yr union adeg y byddai gennym arholiadau yn yr ysgol ac afraid dweud lle'r oedd ein blaenoriaethau!

Nid oes sicrwydd pryd yn union y galwodd y syrcas arbennig honno ym Methesda pan roddodd Moi dabledi ei ewythr i'r mwncïod ond mentraf ddyfalu y gallai fod ar un o'r adegau hynny pan fyddai 'arddangosfa o fwystfilod gwylltion' Bestock & Woombells yn galw yn yr ardal – ac mae'n ddiddorol gallu cofnodi bod syrcas y cwmni hwn ym Methesda ddydd Sadwrn, Awst 21 1915 (a hynny pan oedd Caradog bron yn un ar ddeg oed)[3].

Coed Rhiw

Mae'n amhosib bod yn gwbl sicr ynghylch lle'n union sydd gan Caradog dan sylw yma. Gallai fod yn cyfeirio at sawl coedlan ond yr un fwyaf tebygol yw'r goedwig fechan a saif ym mhen y bryn uwchlaw Ysgol Bodfeurig, Mynydd Llandygái.

Foel, Ben Foel, Ochor Foel, Giât Foel

Mae'n fwy na thebyg mai cyfeirio a wna Caradog Prichard at Foel Faban, y bryn sydd y tu ôl i'r Carneddi a Stryd Glanrafon lle bu Caradog yn byw. Roedd giât fynydd yng ngodre Moel Faban, y tu ôl i'r Carneddi. Ac o ben y Foel y gwelodd Caradog y môr am y tro cyntaf erioed a'r 'Castall' yr adroddodd Ceri stori amdano wrtho.

Ond yn yr olygfa lle sonnir am y criw'n chwilio am Em Brawd Mawr Now Bach Glo, mae'n anodd iawn dilyn trywydd y chwilio wrth geisio cyfochri'r llefydd a enwir â mannau go iawn yn yr ardal. Ac mae'n rhaid derbyn nad oes modd gwneud llawer o synnwyr daearyddol o'r stori honno.

Ffridd Wen

Mae'r hogyn bach yn *UNOL* yn sôn am 'hel llond cap o fyshirŵms ar Ffridd Wen'. Er na ellir bod yn sicr, mae'n bosib ei fod yn cyfeirio at y ffridd wrth ymyl y ddau dyddyn, Freithwen Uchaf a Freithwen Isaf, a oedd ychydig ymhellach i fyny'r lôn gul na thai Glanrafon.

Giât Mynydd

Mae'n bosib fod Caradog Prichard yn cyfeirio at un o ddwy giât a oedd ar un adeg ar draws y ffordd yn arwain o Fynydd Llandygái i Ddeiniolen.

Glanabar

Trafodwyd 'Glanabar' eisoes yn y bennod ar 'Y "Castall" a Thrip Côr Reglwys' ac awgrymwyd mai Llanfairfechan a olygid. Wedi dweud hynny, mae Caradog Prichard yn crybwyll 'Glanabar' mewn cyswllt cwbl annisgwyl yn y frawddeg a ganlyn yn *UNOL*: '... be welais i wrth Blw Bel ond papur wedi cael ei bastio ar y wal i ddeud bod penny reading yn Glanabar nos Iau'. Yna, tua diwedd y nofel:

> ... Oeddwn i'n iawn ar ôl pasio Parc Defaid, achos oedd hi ddim mor dywyll wedyn, ac oeddwn i'n cerddad mor siarp nes oeddwn i wedi cyrraedd Glanabar cyn mod i wedi sylweddoli lle oeddwn i. Ac yn meddwl mor braf fydda hi cael mynd ar y llong a gweld y môr, a cofio amdanaf fi'n gweld hwnnw am y tro cynta o ben Ochor Foel wrth eistadd hefo Ceri. A faswn i ddim wedi cael fy nal chwaith heblaw i'r dyn hwnnw ddaru roid pas imi ar ôl pasio Glanabar ofyn o lle oeddwn i'n dŵad a stopio'i lorri wrth ymyl Lerpwl i siarad hefo plisman.

Mentraf gynnig bod 'Glanabar' yn *ddau* le gwahanol ganddo. Mae Glanabar y *'penny reading'* yn awgrymu rhywle lleol iawn – yn y 'Pentra' ei hun; mae'r Glanabar lle mae'r dyn lori'n stopio yn peri i ni amau y gallai fod naill ai'n Aberogwen neu'n Abergwyngregyn neu hyd yn oed yn Llanfairfechan ar yr hen A55, ac o orfod glynu wrth y ddamcaniaeth mai i

Lanfairfechan yr aeth y trip Ysgol Sul, mae'n deg i ni gredu mai'r olaf o'r tri hyn oedd ganddo dan sylw.

Glan Rafon

Glanrafon, yn un gair, oedd enw'r stryd lle'r oedd Caradog Prichard yn byw gyda'i fam (a'i frodyr hefyd ar un adeg). Mae'n debyg mai cyfeirio at lan Afon Ogwen a wna pan fo'n ysgrifennu'r ddau air ar wahân.

Groeslon

Mae sawl croeslon yn Nyffryn Ogwen – Croeslon Coetmor, Croeslon Pant, Croeslon Pont-Twr a Chroeslon Gerlan. Am Groeslon Gerlan y sonnir gan amlaf, ac eithrio'r adeg y mae'r hogyn bach a Huw yn gwahanu ar Groeslon: 'Huw yn mynd i lawr am Pont Stabla, a finna'n mynd i fyny Allt Bryn i Tŷ Nain' – ac nid oes modd dyfalu at ba groeslon y cyfeirir yma. Pe baem yn sefyll ar y Groeslon gyda'r Gerlan y tu cefn i ni, byddem yn mynd i gyfeiriad Braichmelyn (a'r A5 wedyn) wrth droi i'r chwith, i gyfeiriad y Bontuchaf a'r Carneddi wrth droi i'r dde, ac yn syth i lawr at Stryd Fawr Bethesda wrth fynd yn syth ymlaen.

Lôn Fynwant

Â chymryd bod 'Rallt' yn golygu Stryd Glanrafon yn y Gerlan, fe allem yn hawdd goelio'r hogyn bach yn dweud yn *UNOL* sut y byddai'n mynd ar ei feic i 'Rysgol' ac nad

> oedd dim eisio rhoid brêc, achos oedd Rallt yn mynd i lawr at Lôn Fynwant, ac oedd honno'n wastad, a doeddan ni ddim yn stopio ar y rhew nes oeddan ni wrth Giat Fynwant. Wedyn, dim ond mynd trwy Fynwant i Lôn Bost yma ac oeddan ni yn Rysgol.

Roedd modd mynd i lawr o Stryd Glanrafon, troi i'r chwith yn y gwaelod, ac yna, ar ôl troi i'r dde yn Groeslon Gerlan, roedd y ffordd yn mynd i lawr yr allt bob cam ac yn gwastatáu wrth gyrraedd y lôn ym Mhant-glas y tu cefn i'r Eglwys lle'r oedd giât i fynd i lawr y llwybr drwy'r fynwent at y Lôn Bost. Troi i'r dde wedyn ac roedd Ysgol Glanogwen ar y dde. Dyna enghraifft ragorol o Caradog Prichard yn gwbl gywir ei ddaearyddiaeth.

Lôn Newydd

Mae dwy 'Lôn Newydd' yn Nyffryn Ogwen. Mae'r naill yn rhedeg o'r A5 ger Capel Bethania (A) yng ngwaelod Stryd Fawr Bethesda ac yn ymuno yn Hen-barc â'r ffordd rhwng y Carneddi a Rachub. Dyma'r ffordd sydd wedi cadw'r teitl 'Lôn Newydd' i'n dyddiau ni (er i egwyddor dwy-ieithrwydd droi'n ffwlbri noeth pan fynnwyd ei galw'n 'Coetmor New Road' tua 1974 gan fiwrocratiaid anwybodus ac anghyfrifol!). Mae 'newydd-deb' y Lôn Newydd arall wedi mynd yn gwbl angof yn yr ardal ond roedd hi'n gymharol newydd yn nyddiau Caradog Prichard. Hon oedd y ffordd a gyn-lluniwyd yn negawd olaf y bedwaredd ganrif ar bymtheg i gymryd lle'r lôn fechan gul o Groeslon Gerlan i lawr drwy'r Pant i Fethesda. Cofir mai ar y ffordd 'newydd' y cyfarfu Caradog â Bob Jervis, mab 'Preis Sgŵl', yn cario Cadair yr oedd wedi'i hennill yn Eisteddfod Llannerch-y-medd ar ei gefn tuag at ei gartref yn y Gerlan.

Ac mae Caradog Prichard yn berffaith iawn wrth gyfeirio at 'giât Lôn Newydd'. Bydd trigolion y cyffiniau hyn yn cofio mynd drwy'r giât mochyn gyferbyn â gwaelod Allt Glanrafon (lle bu dau gartref Caradog a'i fam) ac i lawr y llethr at giât mochyn arall ar ochr y Lôn Newydd ac yna croesi'r lôn at giât arall ac i lawr heibio i ben rhes tai'r Fron-deg at giât arall eto a honno'n agor i'r 'hen' lôn ger tai Pant. Mae'n siŵr fod Caradog a'i fam yn adnabod yr hen giatiau mochyn hyn a'r llwybrau rhyngddynt yn hynod o dda gan y byddent wedi eu defnyddio laweroedd o weithiau wrth gerdded yn ôl a blaen rhwng Glanrafon a Bethesda.

Dylid ychwanegu, fodd bynnag, nad yw Lôn Newydd *UNOL* yn ddaear-yddol driw *bob* tro.

Lôn Stabla

Ni ellir ond dyfalu mai cyfeirio a wneir mewn un man yn y nofel at y ffordd yn arwain oddi wrth Bont-y-Twr ('Pont Stabla' yn *UNOL*) i gyfeir-iad y stryd fach o dai a elwid yn Glanmeurig lle'r oedd Harri Bach Clocsia yn arfer byw. Ond ni ellir bod yn gwbl fodlon fod hynny'n bendant gywir chwaith oherwydd sonnir mewn lle arall am yr hogyn bach yn 'chwibanu wrth fynd ar hyd Lôn Stabla ar ôl iddi hi dwyllu erstalwm, i smalio nad oedd arna i ddim ofn bwganod'. Ond gan ei fod yn byw – a bod yn ddaear-yddol gywir – yn agos i filltir o Bont-y-Twr, mae'n rhaid amau pam yr oedd yn y fan honno ar ei ben ei hun a hithau wedi tywyllu!

Llanbabo

Er mai Deiniolen yw enw 'swyddogol' y pentref chwarelyddol yng ngodre'r Elidir, mae'r enw Llanbabo'n dal i gael ei ddefnyddio'n gyson amdano hyd y dydd heddiw. Cyfeirir yn *UNOL* at y seindorf a ddaethai bob cam 'o Llanbabo am fod cefndar Elwyn yn chwara trambon yno fo'. Ceir yr hanes yn llawnach yn y bennod ar 'Elwyn Pen Rhes'.

Llyn Dyn Lleuad

Gan nad oes unrhyw agosrwydd daearyddol rhwng Pen Ceunant a Llyn Dyn Lleuad, yn ôl a geir yn *UNOL*, cadarnheir i raddau mai bathu enw'r llyn hwn a wnaeth o gofio enw llyn go iawn – Ffynnon Lloer – sydd beth ffordd i fyny'r llethrau uwchlaw Llyn Ogwen.

Llyn Du, Pen Llyn Du

Y gred gyffredinol yw mai Llyn Ogwen yw'r Llyn Du sydd gan Caradog Prichard dan sylw yn *UNOL*.

Dywedir mai Llyn Ogwen, nad yw'n fwy na deg troedfedd ar ei ddyfnaf, yw'r llyn basaf yng Nghymru. Saif ym mhen uchaf Nant Ffrancon ac ohono y llif Afon Ogwen, yn gyfochrog â phriffordd yr A5, i lawr y dyffryn, drwy Fethesda, nes cyrraedd pen ei thaith yn Aberogwen a chulfor Menai.

Mae Llyn Ogwen oddeutu pum milltir o Fethesda a does ryfedd i fam yr hogyn bach synnu ei fod wedi cerdded ato: 'Mi gaiff Mam ffit pan ddweda i wrthi hi mod i wedi bod wrth ymyl Pen Llyn Du'. Cawn eglurhad ynghylch ei enw yn y nofel: 'Tydi'r haul byth yn twnnu ar Pen Llyn Du ... dyna pam mae nhw'n ei alw fo'n Pen Llyn Du siŵr iawn'. Dydi hynny ddim yn wir o safbwynt Llyn Ogwen, wrth gwrs, ond gallai Caradog fod wedi cael y syniad oddi wrth lyn arall, Llyn Dol-goch, hen dwll chwarel wedi boddi a than gysgod trwm o goed, ar fin y lôn bost ar y ffordd allan o Fethesda i gyfeiriad Bangor. Ac ni allwn ddiystyru ychwaith y pwll hwnnw yn Afon Caseg lle dysgodd Caradog Prichard nofio – Llyn Maen Mawr (gweler Pwynt 14 yn Rhestr 1, Atodiad 5 isod).

Llyn Ogwen

Hwyrach y bydd o ddiddordeb i rai wybod, wrth fynd heibio, bod nifer o nodweddion hynod yn perthyn i'r ardal yng nghyffiniau Llyn Ogwen. Wrth deithio o gyfeiriad Capel Curig, ac agosáu at y Llyn, mae ffermdy Glanllugwy yn uchel ar y llethrau ar y dde – dyma'r aelwyd uchaf yng Nghymru, meddir. Yna, ar fin y ffordd, eto ar yr ochr dde, awn heibio i Gapel Nant y Benglog – 'pwt o gapel gan Sentars y fro', ys galwyd ef gan T. H. Parry-Williams[4] – y tybir iddo fod y capel lleiaf yng Nghymru. Yna, yn y llun ar y dudalen flaenorol, gwelwn droed mynydd Tryfan ar y dde – y mynydd mwyaf creigiog yng Nghymru (y bu Hunt a Hilary yn ei ddringo cyn concro Everest yn 1953).

Mount Pleasant

Roedd dau 'Mount Pleasant' yn yr ardal.

O safbwynt *UNOL*, cyfeirir at y ddau dŷ a elwid yn Mount Pleasant ar Stryd yr Allt Uchaf (ychydig uwch i fyny na'r Stryd Hir) yn y Gerlan. Dywedir mai yno y byddai Em Brawd Now Bach Glo yn 'sgwrio carreg y drws ... bob bora pan fydden ni'n pasio Mount Pleasant i Rysgol ...'.

Y 'Mount Pleasant' arall oedd y ddau dŷ a arferai sefyll ar y lôn yn arwain o Bont-y-Twr at Chwarel y Penrhyn ac yn un o'r rheini y ganwyd ac y magwyd David Ffrangcon-Davies (1855-1919), tenor byd-enwog yn ei ddydd (a thad dwy actores a oedd yn adnabyddus ar lwyfan a theledu tua chanol yr ugeinfed ganrif: Gwen a Marjorie Ffrangcon-Davies).

Fel mae'n digwydd, mae'n annhebygol iawn y byddai Caradog yn mynd heibio'r naill Mount Pleasant na'r llall ar ei ffordd i'r ysgol.

Nant

Cyfeirir, wrth gwrs, at Nant Ffrancon – y dyffryn hardd a ffurfiwyd gan rewlif ganrifoedd maith yn ôl. Mae Afon Ogwen yn ymddolennu'n araf

Edrych tua'r gogledd i lawr Nant Ffrancon

279

drwy lawr y dyffryn a'r mynyddoedd yn codi'n serth ar y naill ochr a'r llall. Crybwyllir hefyd 'Nant Ycha' ond nid oes modd cadarnhau lle'n union sydd gan Caradog dan sylw.

Parc Defaid

Nid oes Parc Defaid yn Nyffryn Ogwen ond y mae Parc *Moch* ryw filltir y tu allan i Fethesda (i gyfeiriad Bangor). Yn y stori a adroddir yn iaith ac arddull *UNOL* yn *YRhA*, sonnir am fynd heibio Parc Moch a hefyd am fynd 'i Parc Moch i hel chestnuts un diwrnod ...' ac mae hyn yn dangos nad oedd y filltir o ffordd o'r Pentra at Barc Moch yn mennu dim ar yr hogia'. At hynny, fe gofiwn y sôn yn *UNOL* am yr hogyn bach a Huw yn mynd i nôl Moi i'w gartref yn Rhesi Gwynion iddyn nhw 'gael mynd i Parc Defaid i hel cnau daear'.

Parc Bryn Meurig y tu ôl i Stryd Fawr, Bethesda, gyda Chwarel y Penrhyn yn y cefndir

Ond mae pob cyfeiriad, fwy neu lai, at Barc Defaid yn *UNOL* yn awgrymu mai Parc Bryn Meurig (neu Barc Mawr, fel y geilw llawer ef) sydd gan Caradog Prichard mewn golwg. Mae hwnnw'n agos iawn at ganol y pentref ac un ffordd o fynd ato oedd mynd i lawr lôn fach wrth ochr Capel Bethesda (bron gyferbyn â'r Rheinws) a chroesi Pont Ring dros Afon Ogwen.

Pont Stabla

Pont Stabla'r nofel yw Pont-y-Tŵr a anfarwolwyd gan Caradog Prichard yn y bryddest 'Y Briodas' a enillodd iddo Goron Eisteddfod Genedlaethol Caergybi yn 1927 pan nad oedd ond yn ddwy ar hugain oed[5]. Thema'r bryddest oedd ffyddlondeb gweddw i'w gŵr marw a'r ymrafael 'rhwng ysbryd pur a chnawd'. Ynddi, ceir yr Afon yn siarad a chyfeiriad cyson at y 'llyn bach diog wrth Bont y Tŵr [*sic*]' sef pwll llonydd ar dro yn yr afon ger y bont (ac fe welir rhyw gornel fach ohono ar ochr dde'r llun hwn):

Pont-y-Tŵr, ger Bethesda

Mae'r daith i lawr y Nant yn hir
   A'r nos yn dawel, dawel,
A melys, pan ddaw pelydr clir
   Y wawr ar frig yr awel,
Fydd stelcian ennyd wrth Bont y Tŵr
Yn llyn bach diog wrth Bont y Tŵr.

Tra byddo'r glasgoed ar y lan
   Yn paentio 'mron â'u glendid
Caf lwyr anghofio'r creigiau ban
   Sy'n gwgu ar fy ngwendid,
A siglo, siglo rhwng effro a chwsg
Yn llyn bach diog rhwng effro a chwsg.

A thoc caf wrando tramp y traed
   Ar dâl y bont yn curo,

281

Pob troed ar gyrch i frwydr ddi-waed
   Rhwng llechi'r gwaith a'i ddur o,
I ennill bara dan wg y graig
A bwrw y diwrnod dan wg y graig.

Ac ambell fore fe fydd lliw
   Y gwyrddail llaith yn duo,
A deudroed sionc ynghwsg o'r criw
   A'r awel yn eu suo;
A gwg y graig fydd fwy bryd hyn,
A'u harswyd arnaf yn fwy bryd hyn.

Ac os bydd dau gynefin droed
   Yfory'n fud o'r dyrfa
A'r creigiau ban a dail y coed
   Yn gwgu ar fy ngyrfa,
Caf stelc er hynny wrth Bont y Tŵr,
Yn llyn bach diog wrth Bont y Tŵr.

Pan gynhaliwyd cyfarfod arbennig yng Nghapel Bethesda, nos Wener, Mawrth 15 1964, i anrhydeddu dau brifardd Dyffryn Ogwen, sef Emrys Edwards a Caradog Prichard (y naill wedi ennill y Gadair yn Eisteddfod Genedlaethol Rhosllannerchrugog yn 1961 a'r llall yn Brifardd Cadeiriol Llanelli y flwyddyn ganlynol), cyflwynwyd arluniadau o waith arlunydd lleol, Tom Parry Jones, i'r ddau Brifardd – afraid dweud mai llun o Bont-y-Tŵr oedd dewis Caradog.

Yn *UNOL*, dywedir bod Moi yn byw yn 'Rhesi Gwynion' ac mae'r hogyn bach a Huw yn cerdded ar hyd y Lôn Bost a chroesi dros Bont Stabla i gyrraedd ei gartref. Wrth fynd ar y ffordd o'r A5 ar y 'lôn gefn' i gyfeiriad Tregarth, eir dros Bont-y-Tŵr, yna heibio'r ysgol, ac wedyn, ymhen rhyw chwarter milltir, deuir at res fechan o dai chwarelwyr ar ochr chwith y ffordd. Grisiau Cochion yw enw'r stryd yma. (Gw. isod dan 'Rhesi Gwyn-ion'.)

Mae'r nofelydd yn dweud bod Wil Colar Starts hefyd yn byw yn Rhesi Gwynion ond mae'n ymddangos mai dychymyg yr awdur sydd ar waith yma. Yn Cae Star, y tu ôl i'r Stryd Fawr, y bu William Hughes yn byw erioed (nes iddo ymfudo i America yn 1911).

Cyfeirir hefyd at 'Tai Pont Stabla'. Gwyddom fod Tai Stablau yn bod hyd y dydd heddiw mewn ardal fechan a elwir yn Coed-y-Parc (rhyw dri chwarter milltir oddi wrth Bont-y-Tŵr) ond, yn yr achos hwn, mae'n debyg mai tai Ty'n-twr a olygir. Clwstwr o ryw hanner dwsin o dai sydd yma ac un ohonyn nhw'n dŷ ag ysbryd ynddo – yn ôl pob sôn[6].

Post

Heddiw, mae Swyddfa'r Post o fewn siop sydd y drws nesaf i'r hen Reinws ond bydd llawer o bobl yr ardal yn ei chofio yng nghanol y Stryd Fawr – mewn adeilad trillawr. Yn yr adeilad hwnnw, 58 Stryd Fawr (fel yr oedd tan 1904) y ganed W. J. Parry yn 1842. Ond nid dyna lle'r oedd y Post pan oedd Caradog Prichard yn blentyn ond, yn hytrach, ychydig is i lawr yn rhif 2 Rhes Victoria. Cedwid y Post gan John B. Thomas a'i wraig, Catherine (a weithredai fel *Telegraph Clerk*), y ddau'n bobl ifanc wedi eu magu yn yr ardal, ef yn 30 oed yn 1901 a hithau dair blynedd yn iau. Ac, yn ôl a gasglwn o edrych ar y llun isod, mae'n rhaid bod busnes y Post yn llewyrchus iawn gan mlynedd yn ôl!

Dywed yr hogyn bach yn *UNOL* ei fod yn 'galw yn Post bob amsar cinio i edrach oedd eisio mynd a teligram i rywun'. Câi chwe cheiniog gan 'Mister Robaitsh Post ... am fynd â teligram'.

Post Bethesda ddechrau'r ugeinfed ganrif. 'Mister Robaitsh Post', sef John B. Thomas, sydd ar y dde i'r ddwy ddynes sydd yn sefyll yn y drws (Catherine, ei wraig, ydi un o'r ddwy, efallai)

Rafon

Afon Ogwen yw 'Rafon'. Mae ystyr a tharddiad y gair 'Ogwen' yn ddiddorol. 'Afon y mochyn bach cyflym' yw'r ystyr. Mae *og* yn groesystyr i 'diog', a *banw*, sy'n enw hefyd ar afon yn Sir Drefaldwyn, yn golygu 'mochyn bach/porchell' ac yn adlewyrchu'r arfer o roi enwau anifeiliaid ar afonydd (cymharer Afon Caseg ym Methesda ac Afon Hwch yn Llanberis).

283

Rallt, Pen Rallt

'Rallt' y nofel ydi Stryd Glanrafon, Y Gerlan. Cofiwn fod Margaret Jane a'i thri mab (Howell, Glyn a Caradog) wedi symud o Fryn-teg ym Methesda i rif 4 Glanrafon a'i bod hi wedyn, ar ôl i'w dodrefn gael eu rhoi yn y lôn yn y Stryd Hir, wedi symud i'r tŷ isaf ar yr allt. Ond mae enw arall yn lleol ar Stryd Glanrafon. Roedd tafarndy o'r enw'r 'Pig Inn' yno un adeg, meddir – a gellir gweld ei adfail tua gwaelod yr allt hyd y dydd heddiw – a throdd Allt y Pig Inn yn Allt Bicin.

Ym mhen yr allt, yr oedd Tŷ Top y nofel (sef rhif 7 Glanrafon) lle'r oedd Wmffra a Leusa'n byw.

Llun diweddar o'r Tŷ Top (ar y dde) ym mhen Allt Glanrafon

Yr hogyn bach a'i fam oedd yn byw yn y Tŷ Isa (sy'n golygu ein bod yn sôn am y cyfnod go iawn rhwng Rhagfyr 1922 a Thachwedd 1923 pan aethpwyd â Margaret Jane i'r Seilam).

Roli Pant

Yn *ADA*, mae Caradog Prichard yn sôn am ei ffrind Roli a oedd yn byw mewn tŷ bychan yn y rhes o dai a elwir yn Fron-deg, sydd ychydig islaw na'r 'lôn newydd' o'r Gerlan i Fethesda. Mae Caradog yn adrodd hanes teulu a chartref Roli yn ei hunangofiant:

> ... lle treuliais gymaint o amser yn cael fy mwytho gan ei fam lawen, a lle byddwn yn molchi yn yr un ddesgil ac, yn wir, yn yr un dŵr a thad Roli pan ddeuai adre o'r Chwarel. William Jones oedd ei enw, a'i

284

lysenw Wil Jos Mynd a Dŵad, am iddo fynd i weithio i'r Sowth fwy nag unwaith. Mary Jones yn syllu'n edmygol arna i wedi imi basio i fynd i'r Cownti Sgŵl ac yn dweud: 'Mi fydd hwn yn Broffesor ryw ddiwrnod, gei di weld, Wil. Ac i feddwl bod o wedi molchi yn yr un dŵr â chdi.'[7]

Y cymeriad hwn oedd y Roli Pant yn *UNOL* sy'n taro caead y piser i ddiweddu pob rownd yn yr ornest focsio.

Rhesi Gwynion

O fod wedi croesi Pont Ring, rhwng Capel Bethesda a Siop Nymbar Wan, a dilyn y llwybr troed drwy Barc Bryn Meurig, deuid at fforch yn y llwybr. I'r dde, y mae Bryn Derwen Bach, cartref ciperiaid Stad y Penrhyn, lle magwyd Eldra Jarman, cyd-awdur *Y Sipsiwn Cymreig* (Caerdydd, 1979). Drwy gadw i'r chwith, deuech ymhen ychydig at y ffordd gefn rhwng Pont-y-Tŵr a Thregarth, gyda rhes o chwech o dai bychain yn eich wynebu. Dyma Grisiau Cochion. Pan ofynnais i Caradog ryw dro am y 'Rhesi Gwynion' yn *UNOL* (lle dywedir bod Cêt, Moi, Mam Now Bach Glo, a Wil Colar Starts yn byw), cytunodd yn ddigon parod mai rhyw gyswllt syniadol oedd ganddo, mae'n debyg, â'r Grisiau Cochion ac nad oedd yn meddwl am y Grisiau Cochion o ran lleoliad daearyddol!

Grisiau Cochion

285

Stesion

Prin yw'r cyfeiriadau at orsaf reilffordd Bethesda ond cofiwn mai oddi yno yr aeth Huw, ffrind yr hogyn bach yn y nofel, i'r Sowth gyda'i dad, ac mai yno yr oedd Wil Elis Portar yn ennill rhyw fath o fywoliaeth. Dyma lun a dynnwyd pan oedd cwmni J. Kenneth Hughes, Bethesda, yn 1950 yn atgyweirio adeilad yr hen orsaf (a chartref y gorsaf-feistr ar y llawr cyntaf).

Gorsaf Reilffordd Bethesda (gyda chartref y gorsaf-feistr ar y llawr cyntaf)

Tŷ Nesa/Drws Nesa

Y fam a'r hogyn bach yn *UNOL* sy'n byw yn y Tŷ Isa, sef rhif 1 Stryd Glanrafon, Y Gerlan. Elis a Gres Ifas yw eu cymdogion y drws nesa' ac fe ddywedir bod Elis yn frawd i Defi Difas (Snowdon View). Ni lwyddwyd i ddod o hyd i unrhyw wybodaeth am Elis a Gres.

*   *   *

Fel yn achos y llefydd a enwir yn UNOL, mae'r cymeriadau hefyd yn peri penbleth ar adegau o safbwynt eu 'hadnabod' fel pobl o gig a gwaed.

Er chwilio dyfal, methais yn llwyr â chyfochri rhai cymeriadau yn y nofel gyda'r byd go iawn. Dylwn, yr un pryd, ychwanegu na *cheisiais* fynd

286

ar ôl ambell un a 'datgelu' pwy oedd, gan y gallai hynny dramgwyddo perthnasau sydd yn fyw heddiw.

Felly, fe erys cymeriadau fel y rhai a ganlyn yn ddirgelwch: Azariah Jenkins; Bleddyn Ifans Garth, Bob Robaits Ceunant; Cefndar Elwyn Pen Rhes; Cêt Rhesi Gwynion; Dafydd Jôs Cipar, Dei Bach Siop Ddu; Doctor Gruffydd Deiniolen; Elis a Gres Ifas Drws Nesa; Elis Weun; Ffranc Bee Hive; Gres Elin Siop Sgidia; Gwen Allt Bryn; Huws Ciwrat; Ifor Bach Pen Rhes; Jini Bach Pen Cae; John Morus Cerrig Bedda; Joni Casgan Gwrw; Joni Edwart Bwtsiar, a Defi, ei 'hogyn'; Jos Plisman Newydd; Mam Huw; Mam Moi; Mam Now Bach Glo; Margiad Lewis; Meri Eirin; Moi Ffridd; Ned Cwt Crydd; Nel, chwaer Wil Bach Plisman; Nel Fair View; Now Meri Eirin; Now Morus, Llan; Robin Dafydd; Tad Ffranc Bee Hive; Tad Jini Bach Pen Cae; Tad Joni Casgan Gwrw; Wil Bach Plisman, a'i dad; Wil Pen Pennog; Wmffra a Leusa Tŷ Top; ac Yncl Now Moi.

At hynny, ni ddefnyddiodd Caradog Prichard enwau iawn y milwyr sydd yn cael eu coffáu ar y gofgolofn. Collodd yn agos i gant o hogiau Dyffryn Ogwen eu bywydau yn y Rhyfel Mawr ac mae enwau pob un ohonynt ar y gofgolofn ym Methesda.

* * *

Em, brawd mawr Now Bach Glo

Nid doeth fyddai mynd ar ôl y cymeriad hwn yn rhy fanwl gan y gellid achosi loes i unrhyw berthnasau iddo a allai fod yn dal i fyw yn yr ardal. Fodd bynnag, gellir bod yn sicr ei fod wedi ei seilio ar ŵr ifanc go iawn (er nad oedd ganddo o angenrheidrwydd frawd o'r enw 'Now Bach Glo'). Pan oedd Caradog Prichard oddeutu tair ar ddeg oed bu farw dyn tair ar hugain oed o'r gymdogaeth yn Ysbyty'r Meddwl, Dinbych. Nid oedd yn byw ymhell iawn oddi wrth gartref Caradog yn y Gerlan (er mai yn 'Rhesi Gwynion' y lleolir teulu Em yn y nofel).

Hogyn Tŷ Isa

Cawn wybod mewn un lle yn *UNOL* pwy ydi'r hogyn bach. Mae Wmffra Tŷ Top yn ei holi: 'Hogyn pwy wyt ti? medda fo pan oeddwn i'n pasio, hefo llais oedd yn codi ofn arna i. Hogyn Tŷ Isa, meddwn inna'. Ac, wrth gwrs, fe wyddom i gyd mai Caradog, mab Margaret Jane Pritchard, ydi'r storïwr a bod y nofel wedi'i seilio ar ei hanes go iawn ef ym mhentref Bethesda yn Nyffryn Ogwen.

NODIADAU

1. Yr unig gyfeiriad y deuthum ar ei draws ynghylch ymweliad gan gôr o dde Cymru â Dyffryn Ogwen oedd pan ddaeth Côr mawr Rhymni i Fethesda ym mis Gorffennaf 1914. Gw. *Y Genedl Gymreig*, Gorffennaf 7 1914, t. 8.

2. Cefais ganiatâd Steffan ab Owain i atgynhyrchu'r llun hwn a gyhoeddwyd yn ei gyfrol ddifyr *Hynodion Gwlad y Bryniau* yn y gyfres Llyfrau Llafar Gwlad (Llanrwst, 2000).

3. Cofnodwyd hyn yn Nyddiadur 1915 David D. Evans, Glanrafon, Bethesda.

4. Gw. 'Nant y Benglog' yn *Myfyrdodau*, T. H. Parry-Williams (Aberystwyth, 1957), t. 115.

5. *Cofnodion a Chyfansoddiadau Eisteddfod Genedlaethol 1927, Caergybi* (Caerdydd, 1927). Yn dilyn beirniadaethau W. J. Gruffydd, R. Williams Parry ac Emyr (tt. 23-44), ceir y gyfres o delynegion buddugol dan y teitl, 'Pryddest "Y Briodas", Tair Pennod o Ramant Dau Enaid', tt. 44-52. Gwaetha'r modd, nodwyd enw'r buddugol fel a ganlyn: 'Caradog Richards, Llanrwst' a'r un cyfenw a roddwyd iddo yn y rhestr o fuddugwyr ar ddechrau'r gyfrol (a chyda *Llanrws*, heb y 't', ar ôl ei enw). Mor ffaeledig – a meidrol – yw golygyddion *Cyfansoddiadau a Beirniadaethau*'r Eisteddfod Genedlaethol ym mhob oes!

6. Tŷ John Iorc yw'r enw cyfarwydd am y tŷ ag ysbryd ynddo yn Nhy'n-tŵr. Hwn yw'r tŷ hynaf yn yr ardal – codwyd ef ryw bedwar can mlynedd yn ôl – ac yn simnai'r tŷ bychan hwn y dywedir i John Williams, Archesgob Caer Efrog, guddio pan oedd milwyr Oliver Cromwell, y Pengryniaid, yn ei erlid yn ystod teyrnasiad Siarl I. Ar ôl cael pardwn gan Cromwell, bu'n Geidwad Castell Conwy. Cyn ei farw yn y Gloddaeth ym mis Mawrth, 1650, addawodd John Iorc y dychwelai ryw ddydd (fel ysbryd, wrth gwrs) i ddatgelu i ddeiliad y tŷ ble'n union yr oedd wedi claddu'i drysorau yn yr ardd. Ac fe gyrhaeddodd un noson – fel ysbryd – ar gefn ei geffyl gwyn a datgelu i chwarelwr tlawd a oedd yn byw yn yr hen dŷ ble'n union yr oedd wedi claddu ei drysorau. Penderfynodd y chwarelwr fynd at ei waith yn y chwarel yn hytrach na mynd i chwilio am y trysor yn syth. Y bore hwnnw cafodd y chwarelwr ei ladd wrth ei waith – a hyd y gwyddys, mae'r trysor yn dal ynghladd.

Mae'n werth nodi, hefyd, mai yn y tŷ hwn y magwyd Benjamin Thomas, awdur 'Moliannwn'. Ceir cip o'r tŷ yn rhan uchaf y darlun o Ysgol Pont-y-Tŵr yn y bennod ar 'Ysgol Pont Stabla'.

7. *ADA*, tt. 28-29.

RHAN 5

ATODIADAU

---

1. Llun Caradog Prichard yn ifanc
2. Llythyr oddi wrth Caradog Prichard at Miss Olwen Davies, Bangor
3. Englyn yr Arglwydd Goronwy-Roberts
4. Llythyr oddi wrth Caradog Prichard at Huw Griffith, yr actor
5. Dwy restr o 'syniadau' ar gyfer *Un Nos Ola Leuad*
6. William Ewart Roberts
7. Mapiau Dyffryn Ogwen

ATODIADAU

Yn *Byd a Bywyd Caradog Prichard* y dylai rhyw gymaint o'r deunydd a gynhwysir yn yr Atodiadau hyn fod ond, gwaetha'r modd, daeth ambell beth i'r golwg – o wahanol ffynonellau – *ar ôl* i mi gyhoeddi'r gyfrol honno. Ond mae'n ddeunydd rhy bwysig a diddorol i gael ei adael i hel llwch ar fy silffoedd. Er nad yw'n uniongyrchol berthnasol i *UNOL* ym mhob achos, gobeithir y gwelir gwerth ynddo fel rhan hanfodol o archif Caradog Prichard.

ATODIAD 1
Llun Caradog Prichard yn ifanc

Yn syth ar ôl cyhoeddi *Byd a Bywyd Caradog Prichard*, bûm mewn cysylltiad â Miss Llinos Davies, Llanrug, merch y diweddar Barchedig J. P. Davies, y gweinidog ifanc hwnnw y daeth Caradog Prichard yn gymaint o ffrindiau ag ef pan oedd yn ei ofalaeth gyntaf yng Nghapel Curig. Roeddwn wedi cynnwys llun tad Llinos Davies yn y gyfrol honno a hithau ar ei fraich. Drwy ryw amryfusedd ychwanegais ddeng mlynedd at ei hoed yn y capsiwn dan y llun ac roedd dyled arnaf i ymddiheuro iddi. Cefais nid yn unig faddeuant parod ganddi am y llithriad ond cyflwynodd i mi rodd unigryw – llun y Caradog Prichard ifanc (a hynny'n amlwg cyn iddo gael y driniaeth i unioni'i lygaid croes).

Caradog Prichard cyn iddo gael trin ei lygaid

290

ATODIAD 2
Llythyr oddi wrth Caradog Prichard at Miss Olwen Davies, Bangor

Ar ddiwedd cyfarfod lansio *Byd a Bywyd Caradog Prichard*, daeth Miss Olwen Davies o Fangor â'r trysor hwn o lythyr ataf. Roedd Miss Davies wedi ysgrifennu at Caradog i'w longyfarch ar gyhoeddi *Afal Drwg Adda*. Roedd yr ymateb a gawsai i'w hunangofiant wedi ei synnu a'i blesio'n arw iawn. Dyma'r ateb a anfonodd at Miss Davies – a'r syniad o gael 'eistedd yn y Castle yng nghwmni awduron y llythyrau yma a siarad ac yfed nes bod pawb yn siarad yn wirion!' yn gwbl nodweddiadol ohono ar ei orau.

7 Carlton Hill,
St Johns Wood
N. W. 8.

10 Rhagfyr 73.

Nadolig Llawen a Blwyddyn Newydd Dda ichi.

Annwyl Miss Davies,

Diolch yn fawr ichi am eich llythyr — a'ch geiriau caredig am fy nngwaith. A dweud y gwir yr oeddwn yn nerfus iawn pan ddaeth "Yr Afal Drwg" allan, ac yn teimlo fel rhoddi fy mhen yn y tywod. Ond — rwy'n dal i synnu at y derbyniad da a gafodd.

Y pleser mwyaf a gaiff rhywun o sgrifennu llyfr fel hyn yw derbyn llythyrau fel yr eiddoch chi. Dyna braf fyddai cael eistedd yn y Castle yng nghwmni awdenon y llythyrau yma a siarad ac yfed nes bod pawb yn siarad yn wirion! Ond aeth yr rhy hwyr i bethau felly, gwaetha'r modd! Da gennyf ddweud bod yr iechyd wedi gwella ond fy mod yn methu a'm helpu fy hun trwy roi'n ffrind i smocio!

Llawer eto, diolch yn fawr.

Yn cenhof, Caradog Prichard

291

ATODIAD 3
Englyn yr Arglwydd Goronwy-Roberts

Yn dilyn sgwrs rhyngom ein dau ar ôl angladd Caradog Prichard yn Eglwys Crist Glanogwen, Bethesda, ysgrifennodd yr Arglwydd Goronwy-Roberts lythyr ataf, dyddiedig Mawrth 11 1980. Roedd Goronwy'n ymwybodol fod Caradog a minnau'n ffrindiau ac roedd wedi bod yn pwyso arnaf i fynd ati i lunio cyfrol goffa amdano.

> Hoffwn yn fwy fyth gyfrannu i gyfrol goffa. Ewch ati, Elwyn.

> Sgrifennais amryw o weithiau amdano, y tro cyntaf yn yr *Omnibus*, cylchgrawn Coleg Bangor. Darlithiais arno hefyd, unwaith mewn Saesneg i ddosbarth ym Mhrifysgol Llundain gan geisio dangos ei fod fel bardd yn gyfysgwydd â'r Pantheisiaid mawr fel Wordsworth a Hardy yn Lloegr a Sartre yn Ffrainc. Llafur cariad felly fyddai cyfrannu i gyfrol o dan eich golygyddiaeth.

Ychydig a wyddwn yr adeg honno y byddai Goronwy yn ei fedd a'r gyfrol goffa yn dal heb ei hysgrifennu, ac y byddai chwarter canrif wedi mynd heibio cyn i Menna Baines a minnau gyhoeddi cyfrol bob un, yn yr un flwyddyn, yn ymwneud â byd, bywyd a gwaith Caradog.

Ond pwysigrwydd pennaf llythyr yr Arglwydd Goronwy-Roberts yw'r ail baragraff ynddo:

> Gyda llaw, lluniais englyn i Garadog, a dichon yr anfonaf ef i'r *Herald* neu'r *Faner*. Amryw yn ei hoffi – Syr T. Parry yn arbennig. Dyma'r englyn:

Caradog Prichard

Bardd yr Afon a'r Bronnydd, yr Ywen
Oer, unig a'r Mynydd –
A'r gwae sydd yn dragywydd
Yn eigion y galon gudd.

Yn ddiddorol iawn, cawn ychydig o hanes ysgrifennu'r englyn (nad yw'r gynghanedd gyrch yn gywir ynddo, gyda llaw) gan y Fonesig Marian Goronwy-Roberts, gweddw Goronwy.

Traddododd Goronwy ddarlith, dan y teitl, *Y Dyffryn Harddaf yn y Byd*, yng Nghyfres Darlithoedd Llyfrgell Bethesda yng Nghapel Jerusalem, Bethesda, Mawrth 17 1972. Am ryw reswm neu'i gilydd, ni chyhoeddwyd y ddarlith honno tan 1985. Yn y Cyflwyniad i'r ddarlith gyhoeddedig, ysgrifennodd y Fonesig Marian Goronwy-Roberts:

Yn fuan ar ôl colli Caradog, sylwodd gweinidog ein capel, y Parch. Fred Hughes yn yr Oedfa nos Sul, nad oedd holl sylw Goronwy ar y bregeth, ac o awgrymu hyn yn gynnil iddo ar ôl y gwasanaeth, cyfaddefodd ei fod 'wedi bod yn trio gwneud englyn i Caradog'. Cymerodd Mr Hughes yr englyn i lawr ...

Bellach mae gweddillion y ddau yng nghadw ym mhridd eu bro: Caradog wedi'i gladdu ym Mynwent Coetmor a llwch Goronwy'n gorwedd o dan y grug ar ben Braichmelyn. Tu hwnt i'r llecyn, y mae'n ymestyn holl ysblander gogoneddus Nant Ffrancon a ddisgrifiodd Goronwy unwaith, fel 'Y Dyffryn Harddaf yn y Byd'.

ATODIAD 4

Llythyr oddi wrth Caradog Prichard at Huw Griffith, yr actor

Ar faes Eisteddfod Eryri, 2005, cyfarfûm â'm cyfaill, William Rogers Jones, cyn-Brifathro Ysgol Botwnnog yn Llŷn. Soniodd am lythyr a ysgrifenasai Caradog Prichard at ei ewythr, Huw Griffith, yr actor enwog, yn 1972. Mae'n llythyr eithriadol o ddiddorol sy'n taflu goleuni ar nifer o bethau pwysig ym mywyd a meddwl Caradog.

Y dyddiad a roes Caradog ar y llythyr ydi 'Mis cin Dolig 1972' ac fe'i hysgrifennodd o'r tŷ a gawsai ar rent yn Llanllechid, ger Bethesda – Bryn Awel (a oedd mor damp, meddai mewn man arall, fel y bedyddiodd ef yn 'Pneumonia Manor' a chyfansoddi englyn amdano!)[1]. Adroddais hanes y cais 'anarferol' a wnaeth i gael y tŷ a'r paratoi i'w gael yn barod ar gyfer treulio ysbeidiau yno yn fy nghyfrol flaenorol, *Byd a Bywyd Caradog Prichard* (tt. 152-160).

Ym mharagraff cyntaf y llythyr, mae cyfeiriad at fersiwn Saesneg y nofel *Un Nos Ola Leuad*. Menna Gallie oedd yn gyfrifol am y cyfieithiad cyntaf i iaith arall ac ymddangosodd ei chyfieithiad hi i'r Saesneg, dan y teitl *Full Moon*[2], yn 1973. (Cafwyd cyfieithiad arall i'r Saesneg, gyda'r testun Cymraeg gyferbyn â'r Saesneg, yn 1995 gan Philip Mitchell – *One Moonlit Night*, gyda Rhagymadrodd gan Menna Baines)[3]. Mae'n werth nodi, wrth fynd heibio, i *Un Nos Ola Leuad* erbyn hyn fod ar gael mewn nifer o wahanol ieithoedd (er enghraifft: Almaeneg, Daneg, Ffrangeg, Groeg, Hebraeg, Iseldireg, Sbaeneg, a Tsieceg).

'First printed in 1973', meddir yn *Full Moon*, ond gwn fod Caradog wedi cael copïau ymlaen llaw, tua dechrau Rhagfyr 1972, mewn gwirionedd, gan iddo roi copi i mi yn anrheg Nadolig ac ysgrifennu ynddo: 'Gyda phob dymuniad da. Caradog Prichard. Nadolig 1972'. Ac mae'n amlwg ei fod wedi anfon copi'r un pryd at Huw Griffith. Dyma atgynhyrchiad o'r llythyr:

BRYN AWEL,
Llanllechid
Bangor.

Mis cin Dolig 1972.

Annwyl Huwcyn,

Wyt ti'n cofio "Un Nos ola Leuad" sgwennis i estalwm? Be dŷfiat ti droms fo yn Sewsnag fel hyn? Gybeithio cei di ddigon o amsar i ddarllan o rhwng gneud ffilms a pheta felly.

Iesgob, mi faswn i'n lecio'i weld o'n ffilm hefyd taswn i'n cal rywun digon chyfar i neud ffilm allan droms fo, a chditha'n smalio bod yn ddyn o'i go, run fath a'r dyn sy'n deud y stori, ar ol bod yn Seilam Broadmoor am hannar can mlynadd ar ol idd fo ladd Jini bach Pen Cae, ac yn cerddad i fyny trw lesda ganol nos i fyny Lon Bost at Llyn Ogwan a cofio bob dim ddaru ddigwydd pan oedd o'n hogyn bach hefo Huw a Moi a Stan, a hitha'n noson lleuad llawn.

Iesu mi fasa'n gneud ffilm dda, a mi faswn innain cal digon o bres i dalu rhent Iy Sweiridog yn Bryn Awel yma. Dama dw i'n byw rwan, wedi dinig o Seilam Fflit Stric i dris sgwennu rwbath arall.

Gybeithio nad wyt ti ddim yn cadw'n rhy sobor. Hyn yn fyr ag yn flên, fel byddan ni'n deud estalwm. Caradog.

Oedd, roedd Caradog wedi bod yn meddwl y byddai gwneud ffilm o'i nofel yn syniad gwerth chweil a hynny oddeutu ugain mlynedd cyn i'w freuddwyd gael ei gwireddu. Gwaetha'r modd, ni chafodd fyw i weld y ffilm awr a hanner a gynhyrchwyd gan Gwmni Gaucho yn 1991 – byddai wedi bod uwchben ei ddigon yn y 'world premiére', ys dywedodd Mattie yn ei llythyr yn fy ngwahodd i fod yn bresennol ar yr achlysur yn Neuadd Ogwen, Bethesda.

ATODIAD 5
Dwy restr o 'syniadau' ar gyfer *Un Nos Ola Leuad*

Codwyd y ddwy restr a ganlyn o lyfr nodiadau Caradog Prichard, yn cynnwys deunydd yn ei lawysgrifen ei hun a ysgrifennwyd tua diwedd y 1950au. Mae'r llyfr ar gael ymhlith papurau Caradog Prichard yn Llawysgrif 22396C yn Llyfrgell Genedlaethol Cymru (ac mae llungopi ohono yn fy meddiant innau, wedi'i gyflwyno i mi gan Mattie Prichard yn dilyn marw Caradog yn 1980). Mae'n cynnwys peth defnydd eithriadol o ddiddorol, yn enwedig dwy dudalen sy'n cynnwys rhestrau, wedi'u rhifo, mewn cymysgedd o Gymraeg a Saesneg, o 'syniadau' a wnaethai Caradog ar gyfer *UNOL*, yn ôl pob golwg.

Rhestr 1

1. Gaiff Huw ddŵad allan i chwara?
2. Mi a i fyny Lôn Bost. Ficrej.
3. I feddwl bod 'na amsar na wyddwn i ddim ble'r oedd Lôn Bost yn mynd.
4. Wna i ddim colli'r ffordd.
5. Gweld llygaid Mam yn goch … Groglith. Gŵr Leisa.
6. Glân Geriwbiaid.
7. Johnny o'r South.
8. Marw Stan.
9. Y Goits Fawr. Ll.G. Y Sofren. Tomi Morus.
10. Dacw Cae Gas. Y Côr o'r Sowth.
11. Dacw Tŷ Nain. Nerth Gweddi.
12. Choir or School Trip. First View of Sea. Dros y Garth acw mae'r môr.
13. War Memorial, Yr enwau. Ifan Madog. Jack Melangthon.
14. Dacw Llyn Maen Mawr. Ymdrochi. Boddi?
15. Dacw'r Hen Chwarel. Quarry scene after passing scholarship.
16. Rhen Leuad acw'n atgofio fi o wyneb Mam pan aeth hi'n sâl. Nain acw a marw.
17. First day at Ysgol Ganolraddol.
18. Failure of senior exam. Siom Mam.
19. Llun Mam yn fy waled. Ellis Evans tells of voices. Taking her away.
20. The Departure at Pen Llyn Du.

Rhestr 2

1. Johnny South boxing lessons.
2. Big Coach. Ll.G. song. Sovereign. Tommy Morris.
3. Visit of South Wales Choir.

295

ATODIAD 6

William Ewart Roberts

Yn *Byd a Bywyd Caradog Prichard*,[4] ni wneuthum ond prin gyfeirio at William Ewart Roberts, un o gyfeillion mynwesol Caradog Prichard yn ystod y cyfnod hwnnw pan oedd Caradog yn ohebydd i'r *Herald Cymraeg* (ac i'r *Faner* wedi hynny) yn Nyffryn Conwy. Cynhwysais lun cartref Ewart a'i briod, Myfanwy, ym Metws y Coed a dyfynnais y ddwy frawddeg a ganlyn amdano o *ADA*:

> Roedd Ewart a minnau rywbeth yn debyg o ran pryd a gwedd a chymerid ni'n aml fel dau frawd. Ac ni bu dau frawd closiach at ei gilydd erioed nac erioed gartref y bûm yn teimlo'n gymaint rhan ohono nag Arfon House ...[5]

A dyna'r cyfan o sôn am Ewart yn fy nghyfrol flaenorol. Caiff lawer mwy o sylw, yn naturiol, gan Caradog Prichard yn ei hunangofiant, fel y cawn sôn yn yr ychydig sylwadau a ganlyn.

Eglura Caradog fod Ewart wedi cael ei enw 'fel llawer un arall o'i genhedlaeth, yn llewych Rhyddfrydol Gladstone' ac esbonia sut y daeth y ddau i adnabod ei gilydd:

> Cyfarfu Ewart a minnau am y tro cyntaf pan ddaeth cnoc ar ddrws Trosafon un bore ac yntau'n introdiwsio'i hun a gofyn am fy help gyda phapur yr oedd i'w ddarllen yng nghwrdd llenyddol ei gapel yn y Betws. Dreifio'i gar fel tacsi yr oedd Ewart ar y pryd, a Myf yn llywyddu'n ddiwyd ac yn ddoeth dros y tŷ bwyta yn Arfon House. Ac o'r dydd hwnnw bu Arfon House yn gartref oddi cartref imi.

Â ymlaen i ddweud bod 'Ewart yn gapelwr selog ac ni chyffyrddai â'r ddiod gadarn, er iddo fod yn fflyrtio â hi pan oedd yn iau', ac yna cawn brawf o ddyfnder cyfeillgarwch a charedigrwydd Ewart tuag ato:

Ond ym mha drybini bynnag y digwyddwn i fod, nid oedd eisiau ond gair ar y teliffon na byddai Ewart yn estyn gwaredigaeth, pa mor bell bynnag y byddwn. Byddai cerbyd yr iachawdwriaeth yn prysuro'i olwynion i'm hachub. A phan fyddwn wedi bihafio'n ffolach nag arfer byddai llygaid maddeugar Ewart, oedd yn gerydd ynddynt eu hunain, yn ddigon i'm dwyn yn ôl i lwybr uniondeb ac edifeirwch.[6]

Mae stori arall yn *ADA* am Caradog ac Ewart sydd yn werth ei hailadrodd yma:

Un o'm siwrneiau rheolaidd ar y Raleigh fyddai f'ymweliad â Mam yn y Seilam yn Ninbych. Ond un diwrnod mi gafodd y Raleigh saib yn ei gwt ac mi es i Ddinbych hefo Ewart yn ei gar. Roedd yntau'n mynd i'r Seilam i edrych am ei frawd John. Roedd John wedi treulio rhan helaeth o'i oes fel siopwr yn y Wladfa ym Mhatagonia. Torrodd lladron i mewn i'r siop ac yn yr ysgarmes anafwyd John. Daeth gartref yn ŵr claf ac aed ag ef i'r Seilam a'i ymennydd wedi ei barlysu. Ar y daith i Ddinbych dros Hiraethog roedd Ewart a minnau'n bloeddio canu nerth esgyrn ein pennau:

> Pwy a-all bei-dio co-fio amdano,
> Pwy a-all bei-dio traethu ei glod?

Pe bai rhywun wedi digwydd ein clywed mi fyddai'n argyhoeddedig mai dau wedi dianc o'r Seilam oeddym.

Ond 'tae waeth, dyma gyrraedd Dinbych a'r Seilam. Pan ddaeth nyrs â John i'r ystafell at Ewart a minnau ni allem gael gair o'i ben er treio'n galed dynnu sgwrs hefo fo. Ond pan oeddym ar ymadael dyma fo'n syllu'n freuddwydiol arnom ac yn dweud: 'Yn nhŷ fy Nhad y mae llawer o drigfannau'.[7] A dyna'r cwbwl. Daeth y nyrs i'w arwain yn ôl i'w drigfan ei hun ac aethom ninnau i'n hynt. Ar y ffordd yno roedd ein lleisiau croch wedi cyrraedd eu cresendo yn y geiriau:

> Dyma-a ga-ariad na-ad a'n a-ango
> Tra – bo-o'r Ne-efoedd we-en yn bo-o-o-d.

Ond tawedog iawn oeddym ar hyd y daith yn ôl.

Mae ambell gyfeiriad arall yn *ADA* sy'n crybwyll Ewart a Myf. Yn eu caffi hwy yr eisteddai Caradog yn yfed te pan ddechreuodd fwydro am y ffurf 'hysb' (yn hytrach na 'hesb') a gynhwysai yn ei bryddest 'Y Briodas' a anfonasai ddiwrnod neu ddau ynghynt i Gystadleuaeth y Goron yn Eisteddfod Genedlaethol Caergybi.[8] Ac yng nghartref Ewart a Myf yr arhosai Caradog a Mattie yn ystod wythnos yr Eisteddfod Genedlaethol yn Llanrwst yn 1951 'dan yr un gronglwyd … â'r Athro W. J. Gruffydd' er i ddigwydd-iad arall gael mwy o'i sylw:

> Roeddwn newydd gyrraedd ac wedi mynd i sefyll wrth y llidiart o flaen y tŷ i anadlu'r awyr atgofus a'i ddieithr ddistawrwydd pan ddaeth gwraig heibio. 'Helo,' meddai. 'Sudach-chi?' 'Reit dda wir,' meddwn innau'n hurt. 'Dydach-chi ddim yn fy nghofio i?' meddai. 'Wel, rhoswch-chi, na, dydw i ddim yn meddwl,' meddwn innau'n fwy hurt fyth. 'Agnes?' meddai, a minnau'n mynd i edrych yn wirionach o hyd, ac yn methu gwybod beth i'w ddweud nesaf. 'O, wel,' meddai hithau a cherdded i ffwrdd a'm gadael yn pensynnu. Troais yn ôl i'r tŷ mewn penbleth. Ac yna, fel llythrennau o dân, daeth y cof am Agnes yn ôl. Ond roedd yn rhy hwyr. Welais i ddim golwg ohoni ar hyd yr wythnos. Ddwywaith wedyn ar dro yn Llanrwst bûm yn chwilio amdani i ddweud mor ddrwg oedd gennyf imi fethu ei chofio. Y tro cyntaf, ar ôl holi, cefais mai Mrs. Jones Tŷ Capel oedd hi. Mi es at y Tŷ Capel a chnocio'n y drws. Ond ni chefais ateb. Erbyn yr ail dro roedd rhywun arall yn byw yn y Tŷ Capel a methais a chael dim o'i thrywydd. Os nad aeth yn rhy hwyr efallai y caiff weld hyn o eiriau. Ac os caiff, dyma gynnig cusan hen ŵr iddi gydag ymddihaer-iad [*sic*].[9]

Pan oeddwn yn ymchwilio ar gyfer ysgrifennu *Byd a Bywyd Caradog Prichard*, ystyriwn Ewart mor bwysig yn hanes Caradog nes i mi droi pob carreg yn chwilio am ei hanes, ac am ei deulu, ym Metws y Coed a'r cyffiniau. Ond ofer fu'r holi a'r chwilio.

Oddeutu blwyddyn ar ôl cyhoeddi *Byd a Bywyd Caradog Prichard*, roeddwn mewn cyfarfod yn y Llyfr-gell Genedlaethol a phwy ddigwyddais daro arni ond Mrs Brenda Parry Owen, gweddw ffrind i mi, Ellis, gŵr diwylliedig a fuasai'n rhingyll gyda'r heddlu yn Nyffryn Ogwen ac a fu farw wedi cystudd blin yn gwbl gynamserol.[10] Cyfeiriodd at y gyfrol am Caradog Prichard a dweud mor falch yr oedd o'r cyfeiriad ynddo at ei hewythr. A phwy oedd ei hewythr? Ie, William Ewart Roberts! Ac o ganlyniad i'r cyfarfod ar hap hwnnw, cefais fenthyg llun Ewart gan Brenda ac fe'i hatgynhyrchir yma ynghyd â rhai manylion perth-nasol am ei hewythr.

Roedd Ewart yn un o naw o blant a aned i David (a hanai o Gapel Garmon) ac Ann Roberts. Tomi oedd yr hynaf ac yna roedd efeilliaid, David (a elwid yn Dei) a Robert Edward (a elwid yn Bob). Y brodyr a'r chwior-

William Ewart Roberts (Tynnwyd y llun hwn allan o grŵp priodas)

ydd eraill oedd Gwen Elin, Jane Ann, Arthur, John, a Hywel (a fu farw'n ifanc).

Ym mis Tachwedd 1907, hwyliodd Bob am Batagonia bell ac anfonodd y llun isod at ei fodryb Annie ryw fis cyn mynd.

John a Bob gyda chert a cheffyl Arfon House

Roedd Ewart, a aned tua 1890, bron i bymtheng mlynedd yn hŷn na Caradog Prichard, ac er mai gyrrwr tacsi a dyn-hel-insiwrans oedd Ewart, mae'n debyg mai cariad at farddoniaeth oedd y ddolen a gydiai'r ddau mor glòs wrth ei gilydd. Byddai Caradog a Mattie'n aros gydag Ewart a Myf yn aml ym Metws y Coed ac wedi hynny yn Llanrwst lle'r oedd Myf yn ei helfen yn cadw caffi adnabyddus Tu Hwnt i'r Bont. Bu farw Ewart tua dechrau'r 1970au a Myf ychydig flynyddoedd ar ei ôl.

ATODIAD 7
Mapiau Dyffryn Ogwen

Teimlwyd mai buddiol fyddai creu map neu ddau i geisio dangos lleoliad bras rhai o'r mannau a grybwyllir yn *UNOL* ac yn y gyfrol hon. Mae ar y mapiau gymysgedd o'r hen a'r newydd ond hyderaf y byddant o ddigon o werth i bwy bynnag sydd â diddordeb i grwydro'r ardal a dod o hyd i rai o'r llefydd a gaiff sylw yn y nofel.

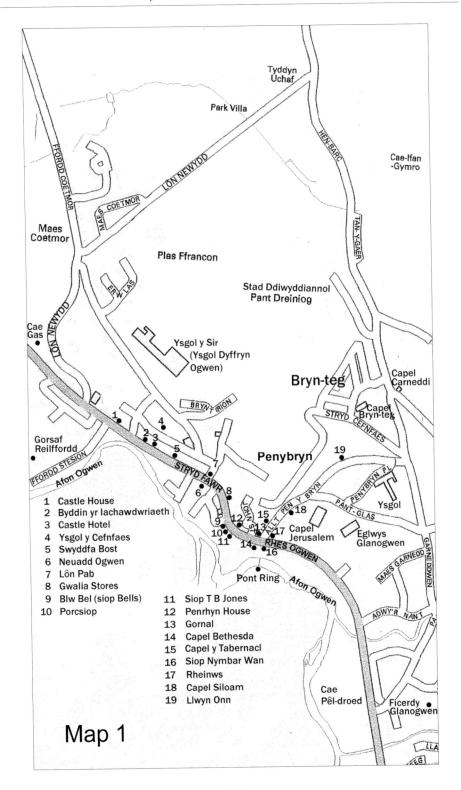

1   Castle House
2   Byddin yr Iachawdwriaeth
3   Castle Hotel
4   Ysgol y Cefnfaes
5   Swyddfa Bost
6   Neuadd Ogwen
7   Lôn Pab
8   Gwalia Stores
9   Blw Bel (siop Bells)
10 Porcsiop

11 Siop T B Jones
12 Penrhyn House
13 Gornal
14 Capel Bethesda
15 Capel y Tabernacl
16 Siop Nymbar Wan
17 Rheinws
18 Capel Siloam
19 Llwyn Onn

Map 1

Mae fy nyled yn drwm i Dr Helen Hughes a Lorna Shaw am greu'r mapiau. Cyflwynais i Helen restr faith o'r adeiladau a'r llefydd a enwir gan Caradog Prichard, ynghyd ag ambell enw ychwanegol, ac aeth hithau ati i lunio brasgynllun o'r cyfan. Yna, o'r brasgynllun hwnnw, cynhyrchodd Lorna'r mapiau a geir yma. Mae Map 1 yn dangos Stryd Fawr Bethesda a mannau cyfagos, ac yna ceir golwg ehangach ar yr ardal yn gyffredinol ym Map 2.

O Loegr y daw Helen yn wreiddiol ac aeth ati i ddysgu Cymraeg rai blynyddoedd yn ôl. Ac i roi blas rhyngwladol ar y cyfan, daw Lorna o Michigan yn yr Unol Daleithiau ac mae hithau, fel Helen, yn byw o fewn golwg 'y dyffryn harddaf yn y byd'.

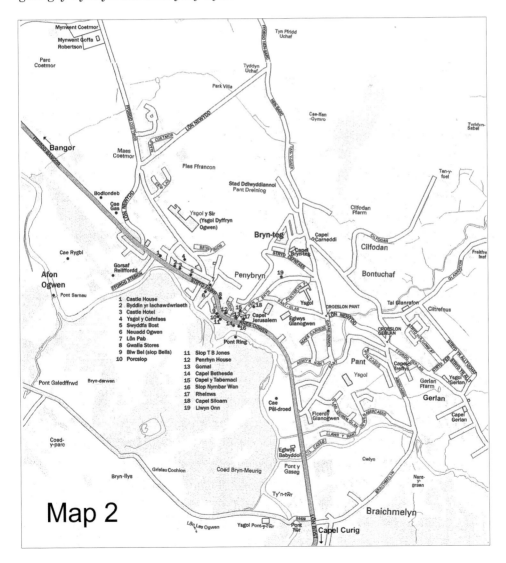

NODIADAU

1. Gweler *Byd a Bywyd Caradog Prichard* (tt. 161).
2. Gw. Menna Gallie, *Full Moon* (London, 1973).
3. Gw. Philip Mitchell, *One Moonlit Night* (Penguin, 1995).
4. Gw. *Byd a Bywyd Caradog Prichard*, t. 63.
5. *ADA*. tt. 77-78.
6. Ibid., t. 78.
7. Caiff yr olygfa hon ei hadleisio yn *UNOL* t. 172. Dyfynnaf rannau ohoni yma:

> Ymhen dipyn bach pwy ddaeth i mewn wedyn ond y dyn bach tew, a
> mynd yn syth at y cwpwrdd ... ar ôl iddo fo agor y cwpwrdd, dyma fo'n
> dechra tynnu pob math o nialwch allan a'u rhoid nhw'n un pentwr ar
> lawr ... ar ôl tynnu pob peth allan o'r cwpwrdd, dyma fo'n eu rhoid
> nhw yn eu hola'n reit daclus a rhoid tro ar y clo, a rhoid y goriad yn ei
> bocad a cychwyn allan. Ond pan oedd o wrth y drws dyma fo'n stopio a
> troi i sbio arnaf fi. A cerddad yn ôl ataf fi'n slo bach a sbio'n rhyfadd
> arnaf fi.
> Wyddost ti pwy ydw i? medda fo.
> Na wn i, medda fi.
> Brawd ynghyfrath Iesu Grist, medda fo.
> Dew, oeddwn i wedi dychryn. Oeddwn i ddim yn gwybod beth i neud,
> pun ta rhedag allan trwy drws ynta chwerthin yn ei wynab o.
> Ia? medda fi o'r diwadd.
> Ond ddeudodd o ddim byd arall ond troi ar ei sawdl a cychwyn allan
> wedyn. A pan oedd o wrth y drws dyma fo'n troi rownd a deud, heb
> wên ar ei wynab o: Yn nhŷ fy Nhad y mae llawer o drigfannau.
> Ac allan a fo.

Mae'n rhaid cywiro un llithriad bach a wnaeth Caradog Prichard wrth adrodd y
stori 'go iawn' yn *ADA*. Galwodd frawd Ewart yn John. Bob oedd y brawd a
fuasai ym Mhatagonia ac ef oedd yn y Seilam yn Ninbych.

8. *ADA*. t. 97.
9. *Ibid.*, tt. 70-71.
10. Cyhoeddwyd dwy gyfrol o waith Ellis Parry Owen: *Huw Foelgrachen* (Dinbych, 1978) a *Hogyn Huw Foelgrachen* (Dinbych, 1980).

CYDNABYDDIAETH

Cefais gymorth a chydweithrediad parod ac eiddgar gan nifer sylweddol o bobl wrth ymchwilio ar gyfer y gyfrol hon – rhai ohonynt, megis Dafydd Guto Ifan, Llanrug, hyd yn oed yn ymchwilio (a hynny'n sylweddol) ar fy rhan. Diolchaf yn gynnes iddo am ei lafur. Mae gennyf hefyd ddyled enfawr i Iwan Hughes, Pennaeth yr Adran Saesneg yn Ysgol Maes Garmon, Yr Wyddgrug – chwilotwr dihafal a ffynhonnell llu o gyfeiriadau allweddol at Gymry America ac at frwydrau a milwyr y ddau Ryfel Byd. Ceir ffrwyth ei lafur ef yn hanes rhai o'r milwyr, ac ambell gymeriad arall, a grybwyllir yn y gyfrol hon.

Mae fy niolch yr un mor ddiffuant i'r rhai a nodir isod am fy nghynorthwyo gyda'r 'gwaith ditectif':

Gilbert Bowen, Stryd Hir, Gerlan; Linda Brown, Gerlan; Heulwen Bright, Ffordd Bangor; Dafydd ac Eirlys Edwards, Llandygái; Geoffrey Davies a Gwyn a Christine Edwards, y Douglas Arms Hotel; Arfon Evans, Erw Las; Elfed Evans, Hen-barc; Hettie Evans, Glanffrydlas; Alwen Hughes, Cilfodan; Megan Hughes, Rhos-y-Coed; J. Kenneth Hughes, Swn y Nant; Robin ac Ann Hughes, Freithwen Isaf; Albert Humphreys, Glanogwen; Alaw Jones, Parc Moch; Dafydd Gwilym a Margaret Jones, Pant-glas; Richard Jones, Ffordd Bangor; Richard a Glenys Lloyd Jones a Gerwyn Llwyd, Glanffrydlas; Idris Lewis, Ffordd Bangor; André Lomozik, Rhos y Coed; Nesta Llwyd, Tregarth; Beryl Orwig, Braichmelyn; Owen E. Owen, Bryn Meurig; Y Parchedig Emyr Parri, Rachub; David Elwyn Pritchard, Rhes Elfed; Margaret Pritchard, Tregarth; Rhiannon Roberts, Coed Isa; Clifford a Betty Smith, Adwy'r Nant; Ann Jeanette Stephenson, Rachub; Meriol Twigge, Braichmelyn; Ann E. Williams, Rachub; Dafydd a Cheryl Williams, Carneddi; **Eileen Williams**, Coetmor; Dr John Llewelyn Williams, Ffordd Bangor; **Robin Coetmor Williams**, Rachub; Stanley Williams, Rachub; Y Prifardd Ieuan Wyn (a fagwyd yn Llwyn Onn, Pen-y-bryn, lle ganwyd Caradog Prichard) – i gyd o Ddyffryn Ogwen a'r cyffiniau.

Eileen Hughes; Ceridwen Jane Foulkes; Meirion Jones; John Morris; Osmond W. a Jean Shaw (i gyd o Ddeiniolen); Llinos C. Davies, Llanrug; Warwick a Betty Catt, Y Waunfawr; Edward a Fiona Griffiths, Carmel; Gwynfor ac Edwina Morris, Bethel; Ann Grenet, Caernarfon; Ann Rhydderch, Pennaeth Archifdy Caernarfon, a'i staff – Lynn, Steffan, Angharad, Anwen, Catrin a Dylan.

Olwen Davies; Seth Edwards, J. Dennis Evans, Maldwyn Evans, Bryn Hughes (Prif Arolygydd Mynwentydd Gwynedd), Jean Hughes, Tal-y-bont; Maldwyn Hughes, Minffordd; Margaret Hughes, Tal-y-bont; Jeffrey Sturrs; a Gaynor Thomas, Ffotograffydd (a dynnodd lun Ficerdy Glanogwen) – y rhain i gyd o gyffiniau Bangor.

Bobi Davies, Llanfair Pwllgwyngyll; Gareth M. Davies, Caergybi, golygydd a chyhoeddwr *A Coast of Soccer Memories 1894-1994: The Centenary Book of the North Wales Coast Football Association* [1994]; John Cowell, Porthaethwy (awdur tair cyfrol ddarluniadol ar ddinas Bangor); John Meirion Davies, Porthaethwy; Alun a Gwynneth Hughes, Llangefni; Jasmine Hughes, Llandegfan; Joan Povey, Porthaethwy; Gwen a Glyndwr Thomas, Bae Cemaes; Dr Ieuan Parri, Llanddaniel Fab – i gyd o Ynys Môn.

William Rogers Jones, Llanbedrog; S. T. a D. Allinson, Dr Robyn Léwis, Y Parchedig Emyr Owen; Gwenda Williams – y rhai hyn o Nefyn; Laura Williams, Morfa Nefyn; John Dilwyn Williams, Pen-y-groes; Eira Thompson, Bae Colwyn; John Ffrancon Griffith, Abergele; Orig Williams, Llanfair Talhaearn; Clwyd Wynne, Dinbych; Terry a Kathleen Gleave, Marchwiel.

Bethan Lewis, Lona Mason a Camwy MacDonald (Staff Llyfrgell Genedlaethol Cymru); Dr Ann Parry Owen, Llanilar; Brenda Parry Owen, Llanilar; Ann Gruffydd Rhys, Porth-y-rhyd; Wyn Thomas, Ffilmiau Tawe.

Christopher R. L. Grey-Edwards, Chichester; Cledwyn Jones, Great Missenden, Sir Buckingham; Adrian Pritchard, Weston-super-Mare; Eluned Wanhill, Haslemere, Surrey.

Gayle Read, Cyngor Dinas Bundaberg, a Rhonda Harris, Cymdeithas Hanes Teuluoedd Bundaberg – y ddwy hyn o Queensland, Awstralia. Yr olaf a ddaeth o hyd i Tony Osborn ar fy rhan – mab merch y Canon – yntau hefyd o Bundaberg. Cefais wybodaeth a deunydd gwerthfawr ganddo ef a chan ei ddwy nith, Judy Mylonas a Marion Rivers, o Sydney.

Hoffwn ddiolch i Alan Llwyd, Cyhoeddiadau Barddas, am fod mor gefnogol, fel arfer, ac mor barod i gyhoeddi'r gwaith hwn ac i ysgrifennu'r Cyflwyniad. Hefyd i Dafydd Llwyd am roi graen ar fy nghynllun gwreiddiol i o'r clawr a pharatoi'r copi terfynol o'r testun ar gyfer y wasg. Diolchaf i Elwyn Edwards, Swyddog Gweinyddol Cymdeithas Barddas, am ei gefnogaeth a'i gydweithrediad yntau. Gwerthfawrogaf, hefyd, waith celfydd a phroffesiynol arferol Eddie John a'i gydweithwyr yng Ngwasg Dinefwr o ran argraffu'r gwaith ar gyfer ei gyhoeddi.

Yn olaf, diolchaf i'm gwraig, Deilwen, i'm meibion, Gwyndaf, Garmon a Siôn Elwyn, a'm merch, Manon Elwyn, am eu cefnogaeth a'u cymorth drwy gydol cyfnod yr ymchwilio a'r ysgrifennu.

J. Elwyn Hughes

MYNEGAI